Une chaussette dans la tête

Titre original : *Trigger*

Cet ouvrage a été réalisé par les Éditions Milan
avec la collaboration de Claire Debout.
Création graphique : Bruno Douin
Mise en page : Petits Papiers

Pour l'édition française :

300, rue Léon-Joulin, 31101 Toulouse Cedex 9, France
Loi 49-956 du 16 juillet 1949
sur les publications destinées à la jeunesse
www.editionsmilan.com
ISBN : 978-2-7459-2816-0

Susan Vaught

Une chaussette dans la tête

Traduit de l'anglais (États-Unis)
par Amélie Sarn

Pour Kathleen, Dorothy et Jeri.
Je n'ai pas à dire pourquoi.

1

Je fais un rêve… mes deux jambes et mes deux bras fonctionnent… je n'ai pas de cicatrice…

Des rêves, pas de rêve, encore des rêves. Vendredi 2 août. Quelques semaines après mon dix-septième anniversaire. Un peu plus d'un an après que j'ai reçu une balle en pleine tête. Je rentre enfin à la maison. Rêves. Ce bon vieux Carter, centre neuropsychiatrique, mon quatrième et dernier hôpital, va enfin disparaître de ma vie.

Cet hosto était plutôt banal. Cinq bâtiments en brique disposés en cercle autour d'une cour pavée. Une piscine (petite) derrière le bâtiment de thérapie et des plates-bandes (bien entretenues) qui encadrent les portes. L'intérieur est propre (la plupart du temps), les chambres blanches (presque toutes), nous avons nos propres dessus-de-lit (la couleur qu'on veut sauf blanc) et les médecins sont guillerets.

Guillerets. C'est un mot de Papa.

Maman est sans doute du même avis que lui à propos des médecins, mais je ne peux pas en être sûr. Guillerets. Maman ne parle pas beaucoup. D'après Papa, qui n'est pas directeur de banque, les directeurs de banque sont plutôt portés sur les chiffres. Quand mes parents sont venus me chercher, Maman n'a rien dit sauf *je suis fière de toi, mon chéri.*

C'est ce qu'elle dit tout le temps. Pour n'importe quoi.

Exemple :

Salut Maman. Je me suis marié.

Je suis fière de toi, mon chéri.

Ma femme est braqueuse de banques et elle a neuf tatouages.

Je suis fière de toi, mon chéri.

On a prévu de tuer des gens. D'ailleurs, on va commencer par toi, Maman.

Je suis fière de toi, mon chéri.

Certaines fois, elle le dit avec plus d'intensité, il lui arrive même de me regarder dans les yeux. Je vous jure. Essayez de parler à ma mère. Elle sera fière de vous aussi.

Le jour où on a appris que j'allais pouvoir sortir de Carter, Maman s'est dite fière que j'aie réussi à terminer le programme de rééducation. Fière. Je me suis si bien débrouillé que je ne suis pas obligé de revenir en consultation externe. Fière. Nous devrons prendre un rendez-vous en ville, mais pas avant six mois. Le seul neuropsychiatre spécialisé se trouve à une centaine de kilomètres et sa liste d'attente est très longue. Mais le psy de Carter est certain que nous pourrons attendre sans problème. Psy. Sans problème. Fière. Comme si on avait le choix. Je suis trop bon pour aller voir le spécialiste. Nous pouvons attendre sans problème. Fière, fière, fière. Il y avait une grande banderole jaune accrochée au-dessus de ma porte pour le prouver.

Continue comme ça, Jersey.

J'ai regardé la banderole en attendant que les lettres vertes deviennent rouges. Mais elles sont restées vertes. Si elles avaient changé de couleur et si je l'avais dit à quelqu'un, j'aurais sans doute gagné quelques semaines supplémentaires de rééducation. Rouge. Fière. Continue comme ça. Ou du moins une série de tests et d'examens pour s'assurer que la balle n'avait pas pris plus que mon intelligence, la vision de mon œil droit et la force dans la partie gauche de mon corps.

Tu es un garçon chanceux, Jersey Hatch.

Pour mon médecin, tout le monde est chanceux.

Dans mes cauchemars, mon médecin et ma mère parlent ensemble :

Votre fils est chanceux, madame.

Je suis fière de vous, docteur.

Oui, il est vraiment chanceux, madame Hatch.

Je suis fière de lui aussi, docteur.

Chanceux.

Fière.

Chanceux !

Fière !

J'imagine que mon père s'est éclaté pendant toutes ces réunions censées faire le bilan de mes progrès. Sans compter toutes les réunions concernant le lycée, mon niveau scolaire, l'aide dont j'aurais besoin. Il a dû bien s'amuser aussi pour convaincre Maman de venir me voir. Elle n'aimait pas venir à Carter. Même l'après-midi de mon départ, elle est restée à peine dix minutes et puis elle est allée attendre dans la voiture.

Tu dois lui laisser du temps, Jersey, avait insisté le psy de l'hôpital. *Elle est encore distante parce que ses blessures ne sont pas refermées. Pour ton père, c'est pareil.* Chanceux. Ce psy, il voulait que je travaille sur mes capacités. Chanceux. Fière. Il disait que mes capacités seraient le plus gros problème que j'aurais à affronter, avec peut-être la prise en compte des sentiments des autres, parce que en fait, c'est le côté droit de mon cerveau qui s'occupait de ça et que maintenant, il y a un gros trou dedans.

Mes capacités. *En fait, tu es comme un génie de cinq ans.* Le psy se tapait toujours le côté de la tête quand il disait des trucs comme ça. *Ton intelligence est là. Elle n'a pas disparu, mais tu n'as plus les capacités de l'utiliser. Tu dois te forcer à être pragmatique.* Pragmatique.

Capacités. Pragmatique. Fière. Chanceux. Une main sur mon épaule.

– Tu es prêt, fiston ?

La voix de Papa résonne fort dans le hall.

Pragmatique. J'ai observé ce mot sous toutes les coutures un paquet de fois. Les faits. Les événements objectifs. Les trucs pratiques. Je réussis à sourire, sans quitter les lettres vertes des yeux, sans quitter des yeux la banderole *Continue comme ça, Jersey*, en espérant que quand même, les lettres allaient devenir rouges.

Mais j'ai pas eu cette chance. Faits pragmatiques pratiques. Capacités.

Papa et moi chargeons mes affaires dans le coffre de la voiture sans trop de problèmes et, très vite, je suis assis à l'arrière, avec ma ceinture. Maman démarre sans laisser le moteur tourner un peu comme Papa a l'habitude de le faire.

– Est-ce que la maison va bien ? je demande alors que nous nous éloignons de Carter.

Je n'ai pas pu m'empêcher de poser la question, même si je l'ai déjà posée des centaines de fois, parce que l'inquiétude ne me quitte pas tant que je ne l'ai pas posée. Je n'ai pas vu la maison depuis si longtemps que j'ai peur qu'elle soit partie.

– Oui, Jersey.

Le ton de Papa est agacé, mais il m'adresse un super grand sourire. Il est assis juste devant moi sur le siège passager. En me penchant en avant et en tournant un peu la tête, je peux utiliser mon bon œil pour voir ses cheveux et sa barbe châtains dans le rétroviseur. Ses yeux – marron – passent de sa vitre au rétroviseur. Quand il s'aperçoit que je le vois, il regarde à nouveau par la fenêtre.

Maman, bien sûr, ne parle pas en conduisant. Mais si elle disait quelque chose, ce serait sûrement *fière*.

J'essaie de ne plus penser à la maison sinon je vais reposer la question. Quand je suis nerveux, j'ai du mal à me taire. Les médecins m'ont mis en garde. Ils m'ont prévenu que tout serait plus difficile quand je ne serais plus à Carter. Que je devais essayer de toutes mes forces de penser avant de parler. D'accord. Je vais essayer. Mais la maison est peut-être partie. Beaucoup de choses sont parties. Todd Rush, par exemple. Il était mon ami depuis qu'on avait huit ans et on était voisins, mais je ne l'ai pas vu depuis… depuis… depuis Avant, quoi. J'ai oublié un tas de trucs. Alors j'ai demandé à Papa pour être sûr que Todd n'était pas venu me voir à l'hôpital.

Papa m'a répondu que Todd et moi, on n'était plus vraiment proches depuis plusieurs mois avant Avant. Je ne me rappelle pas ça, même si j'essaie de toutes mes forces. Ma quinzième année a disparu de ma tête, et des tas d'autres choses de ma seizième année pendant que j'étais en rééducation. Parfois, je fais des rêves que je confonds avec des souvenirs. Parfois, je crois avoir rêvé des événements qui sont en fait réels. Comme la maison. Est-ce qu'il est arrivé quelque chose à la maison ?

– Est-ce que la maison va bien ?

– La maison va très bien.

Papa serre les dents et fait semblant de sourire. Silence de Maman. Elle pourrait aussi bien être un mannequin *crash test* sauf qu'elle est en train de conduire.

Est-ce qu'elle a toujours été aussi silencieuse ? Mannequin *crash test*. Je ne me rappelle pas qu'elle était aussi silencieuse Avant. Je me rappelle qu'elle était drôle et qu'elle racontait des histoires, mais c'était il y a longtemps. Papa et le psy de Carter affirment qu'elle est silencieuse depuis qu'elle m'a trouvé.

Après.

Je ne comprends pas pourquoi. Finalement, je n'étais pas mort. Et je ne suis toujours pas mort, mais pour Maman ça a été très dur Après.

Je me pose toujours des questions sur Avant et Après. Je me demande tout le temps si j'ai vraiment reçu une balle dans la tête. J'étais peut-être dans une voiture qui a eu un accident comme presque tous les autres à Carter, au pose-tréma.

La première fois que j'ai entendu parler de pose-tréma par une infirmière, je me suis demandé ce que c'était. Je m'étais imaginé un objet et je ne pouvais pas m'empêcher de le chercher des yeux sans même savoir de quoi il s'agissait. Même après que le psy m'a fait asseoir. C'est pareil pour la maison: je ne peux pas m'empêcher de demander si elle va bien. Plus tard, j'ai compris qu'ils voulaient dire «post-trauma». Post-trauma et rééducation. Rééducation pour post-trauma. Mais je ne sais toujours pas si la maison va bien et je ne peux pas m'empêcher de m'inquiéter même si maintenant je ne cherche plus de pose-tréma.

– Est-ce que la maison va bien?

Papa grogne avant de sourire à nouveau.

– Oui, Jersey, elle va bien.

Pose-tréma.

Je frotte la cicatrice sur ma tempe.

– Oh, je suis désolé.

Papa me regarde dans le rétroviseur.

– Ce qui te passe par la tête sort aussitôt par ta bouche, je sais. Tu as ton cahier de mémoire? Est-ce que tu veux y écrire quelque chose sur la maison?

Je prends le cahier blanc posé à côté de moi. Celui avec *Hatch Jersey* écrit en lettres rouges sur la tranche. Sans trop réfléchir, je l'ouvre à une page blanche et j'écris avec le crayon attaché au cahier par une ficelle : *La maison va bien, crétin, arrête de demander tout le temps.* Et puis je pose le cahier sur mes genoux sans le fermer. Il me sert à rien s'il est fermé. Il faut que j'aie un cahier de mémoire depuis que j'ai eu une balle dans la tête. Si j'ai bien eu une balle dans la tête.

C'était peut-être un accident de voiture. La plupart des types à Carter avaient eu un accident de voiture. Et la plupart avaient eu un accident parce qu'ils avaient bu. Peut-être que j'ai bu et que j'ai eu un accident de voiture. Est-ce que j'ai foncé dans la maison ?

Avant d'ouvrir la bouche, je pose les yeux sur mon cahier de mémoire. *La maison va bien, crétin, arrête de demander tout le temps.*

– La maison va bien.

J'ai des picotements dans la tête. C'est le soulagement.

– La maison va bien.

Maman tousse. Papa tousse plus fort. C'est sûrement un code de parents. Genre morse. Je frotte ma cicatrice et je me demande pourquoi ils ne me disent pas de me taire comme la docteur à Carter. Tant pis. C'est pas grave. En dehors de Carter, c'est plus difficile. En dehors de l'hôpital, c'est plus difficile. Il faut que j'essaie de fermer ma bouche. De me taire. Du morse. Je fais semblant d'enfoncer une chaussette dans ma bouche pour me forcer à la fermer. La chaussette, elle se met juste entre mes deux oreilles, là où ça me fait mal quand j'essaie de me rappeler.

Par exemple, on n'est pas encore à la maison et je ne me rappelle déjà plus comment mon départ de Carter s'est passé. Juste des flashs. Des trucs qui ne se suivent pas. J'ai écrit des trucs dans mon cahier comme on m'a demandé de le faire. Je tourne les pages du cahier et je lis ce que j'ai écrit.

1. Voir Mama Rush et lui donner tous les cadeaux que j'ai fabriqués pour elle.
2. Parler à Todd pour savoir pourquoi il me déteste.
3. Passer le permis de conduire spécial pour les gens comme moi.
4. Avoir des notes pas trop mauvaises.
5. Réussir mes examens.
6. Trouver une petite amie.

À côté de *Passer le permis de conduire spécial pour les gens comme moi*, ma docteur a écrit: *Ha ha! Elle est bonne celle-là!* Elle ne voulait pas être méchante. Elle pense juste que si je conduis, il va falloir deux médecins en permanence avec moi pour s'assurer que j'ai assez de cerveau. Le permis, je l'ai passé trois fois à l'hôpital. Et je l'ai raté trois fois. Maintenant que je ne suis plus à l'hôpital, ça coûterait 500 dollars de réessayer. En dehors de Carter, c'est plus difficile. En dehors de l'hôpital, c'est plus difficile. Je me dis que je pourrais essayer une fois par an, si j'ai de la chance. Chanceux. Fière. Chanceux. Fière. La maison va bien, crétin, arrête de demander tout le temps.

Oh, et un des docteurs ou infirmiers a écrit à côté du numéro 6: *Tu rêves, mon gars*. C'est sûr, je rêve sûrement. Mais c'est pas grave de rêver du moment que je ne crois pas que ça va arriver pour de vrai.

Je regarde la page en face de *La maison va bien, crétin.* C'est le dernier truc que j'ai écrit avant la maison-crétin.

1er août, 15 heures. J'ai dit au revoir à Hank et Joey. J'ai dit au revoir à Alicia. Alicia m'a donné son canard en céramique. Je le lui ai rendu parce que c'est son porte-bonheur qui lui donne de la chance.

Chanceux. Fière. Chanceux. Fière. Pragmatique. Pragmatique. Pragmatique.

Le canard était froid et doux dans ma main.

Je repose le cahier et je regarde mes doigts pour mieux me rappeler. Alicia a toujours ce canard avec elle. Ça la rend heureuse. Elle se sent mieux avec. Est-ce que j'aurais reçu une balle dans la tête si j'avais eu un canard comme celui-ci ? Enfin, si j'ai vraiment reçu une balle dans la tête.

Est-ce que ça m'a fait mal ? J'ai fait un rêve… non. C'était qu'un rêve. Mais est-ce que j'ai senti la balle exploser dans ma tête ? Dans mon rêve, ça brûle et ça fait mal. Très très mal. Mais c'est qu'un rêve.

Je serre mon cahier de mémoire dans mes mains. Si j'ai reçu une balle dans la tête, je suis sûr que je n'ai rien pensé à ce moment-là. Et ça a dû me faire mal.

J'ai peut-être juste eu le temps de penser « Oh merde ».

Mon psy me disait qu'il ne fallait pas que je repense tout le temps au moment où la balle est entrée dans ma tête. Je ne dois pas penser tout le temps au trauma. Et à Carter, on n'a pas le droit de dire des gros mots. Jamais. Dans aucun cas.

Fais attention à ce que tu dis, Hatch, me répétait mon psy. *Ce « merde » appartient au passé.*

Les médecins avaient le droit de dire des gros mots. Sauf qu'ils appelaient ça « jurer ». Et ils disaient aussi qu'on doit faire ce qu'ils nous disent, pas ce qu'ils font. Pragmatique, Hatch. N'oublie pas d'être pragmatique.

Sois à ce que tu fais, Hatch. Serre cette balle dans ta main si tu veux qu'elle remarche. Serre-la. Serre-la plus fort.

Ton cerveau ne peut pas te faire mal. C'est pour ça qu'ils laissent les gens éveillés quand ils font des interventions chirurgicales sur le cerveau. Après que la boîte crânienne a été sciée, ça se passe très bien. Maintenant, serre cette balle avant que je te l'écrase sur le nez.

Plie tes doigts ! T'attends quoi ? Un carton d'invitation ? Continue comme ça, Jersey. Tu dois suivre le programme. Le moins que tu puisses faire, c'est aller mieux, que tes parents ne soient pas obligés de te torcher quand tu rentreras à la maison.

Plie les doigts ou je te casse ceux de ta bonne main. Serre cette balle ! Dis-toi que c'est un marteau que tu dois empêcher de tomber sur tes couilles.

Docteur nazie. Je ne l'oublierai jamais. Merde. Elle m'a drôlement aidé. Oups. J'ai pas le droit de dire des gros mots. Continue comme ça, Hatch. Pas de gros mots. Plus à l'hôpital, plus difficile. Je n'ai plus besoin d'un médecin pour me dire de serrer la balle. Faut que je me débrouille tout seul. Fière. Chanceux. J'ai eu vraiment de la chance. Plie les doigts. Canard. Balle. Marteau. Pragmatique.

Je suis encore en train de penser à ma docteur nazie et à des marteaux écrase-couilles et de me demander pourquoi mes parents ne me parlent pas, quand Maman s'arrête à un *drive-in* pour nous commander un dîner à emporter. Elle nous emmène au lac, tout près de la maison, et on reste assis dans la voiture, au bout du lac. On mange. Je tourne ma tête sur la droite pour voir l'eau. Bleue avec des petites vagues sur lesquelles se reflètent les rayons du soleil. Il y a des bancs pas loin et, face aux bancs, une petite barrière de protection. Je suis souvent venu là. Je le sais mais j'arrive pas à me rappeler quand c'était sauf que j'étais beaucoup plus petit. Alors je regarde l'eau.

Ça m'a pris drôlement longtemps pour manger mon hamburger avec une seule main et je ne sentais pas trop le goût. Mais j'ai réussi. Et je n'ai pas posé de questions sur la maison une seule fois. Même quand Maman a redémarré la voiture et a repris la route. Même quand on est arrivés au panneau. Même quand elle a commencé à remonter l'allée qui mène à la maison. La première chose que je remarque, c'est que les pelouses sont tondues en bandes comme des terrains de base-ball. Ça fait propre. La petite impasse où se trouve notre maison fait propre aussi. Proprette. Les trois autres maisons de l'impasse également. Ainsi que notre petite maison à deux étages avec ses volets peints en noir.

La maison va bien, crétin, arrête de demander tout le temps.

Fière. Chanceux. Couilles de canard propres. Dans quelques secondes, je verrai la maison. Je touche la petite cicatrice irrégulière sur ma gorge. La marque de la trachéotomie. Ils m'ont fait ça quand je n'arrivais plus à respirer tout seul. Un docteur a fait un trou dans ma gorge et a glissé un tube directement dans ma trachée. Le tube était relié à une machine qui pompait de l'air dans mes poumons. Inspire, expire, inspire, expire. Bip, clic, hiss, bip, clic, hiss. Je ne me rappelle pas le bruit mais je l'ai entendu souvent à Carter. Le docteur me faisait asseoir près d'un respirateur pour que je sache exactement ce que mes parents avaient dû endurer pendant les 71 jours où j'ai refusé de me réveiller. Bip, clic, hiss, bip, clic, hiss.

Tu dois penser plus souvent aux autres, Hatch. Tu ne dois pas toujours penser à toi.

Bip, clic, hiss.

Tu imagines ? Écouter ce bruit pendant 71 jours. Tu imagines ?

Bip, clic, hiss.

Concentre-toi sur ce que je te dis. Concentre-toi sur ce bruit. Je veux que tu t'en souviennes. Tu y arriveras si tu essaies. Applique-toi, Hatch. Ce sera plus difficile quand tu ne seras plus à l'hôpital.

Je passe ma main dans mes cheveux coupés court et sur la cicatrice en forme de C sur le côté gauche de ma tête. Là où ils m'ont ouvert la tête pour enlever la balle et tout le sang. La cicatrice de craniotomie. Elle n'est plus aussi boursouflée, elle a pâli, mais elle est toujours là. Comme la cicatrice de la balle sur ma tempe droite.

Vous êtes un garçon chanceux, monsieur Hatch. C'est un miracle que vous n'ayez perdu qu'un œil. Un peu plus haut, un peu plus bas…

C'est incroyable que vous soyez encore en vie, monsieur Hatch. Il aurait suffi d'un petit millimètre…

Ça doit avoir un sens…

Continue comme ça…

Dieu doit veiller sur vous…

Je ris.

– Dieu ?

Papa me regarde dans le rétroviseur. Maman se raidit derrière le volant.

– Oh, désolé. Pardon. Ne vous inquiétez pas.

Je leur adresse mon meilleur demi-sourire. Le plus beau que j'arrive à grimacer avec ma bouche paralysée. Je me vois dans le rétroviseur, c'est pas joli.

– Il a rien dit. Dieu, je veux dire, il a rien dit. En tout cas, je l'ai pas entendu. J'étais juste en train de penser à chanceux, canard et d'autres trucs. Mais pas à la maison. Promis.

Maman soupire avant de s'engager dans notre petite rue. Je soupire de soulagement parce que je suis content de voir la maison. Elle est toujours là et je ne parle pas à Dieu.

Maman se gare devant la maison, mes doigts se promènent sur toutes mes cicatrices. Est-ce que j'ai vraiment reçu une balle dans la tête ?

Est-ce que Dieu en a quelque chose à faire ?

Les cicatrices. Mais je ne me rappelle pas.

Pourquoi ? m'a demandé Papa des centaines et des centaines de fois.

On en a parlé pendant la thérapie familiale. On en a parlé et reparlé. De ça et du fait que je ne me rappelle pas. Le psy a expliqué que je ne me rappellerai jamais avoir reçu une balle dans la tête. Que je ne me rappellerai sûrement jamais non plus l'année qui a précédé la balle dans la tête. Il a dit que la balle dans la tête, c'était une blessure qui avait endommagé mon cerveau. Recevoir une balle dans la tête, c'est comme débrancher un ordinateur sans avoir sauvegardé depuis plus d'un an. Toutes les données sont perdues. Elles ont disparu. Pouf. Comme ça. La plupart de mon été avant mon entrée en seconde et toute l'année qui a suivi. Perdues.

J'ai passé mon année de première à l'hôpital et maintenant, c'est la fin de l'été avant mon entrée en terminale. Perdues. Personne du lycée n'est venu me rendre visite, du coup, personne du lycée ne m'a demandé comment j'ai reçu cette balle dans la tête. Personne en dehors du lycée n'est venu me rendre visite non plus, alors pas de questions non plus. Mes parents aussi ont fini par arrêter de demander. Perdues. Ah si… Mama Rush, la grand-mère de Todd, est venue une fois au troisième hôpital, et elle a demandé. Mais je crois qu'elle ne m'a pas cru quand je lui ai dit que je ne me souvenais plus. Perdues. Dans trois semaines, je retourne au lycée. Il y aura sûrement quelqu'un pour me poser la question. La question à laquelle je ne peux pas répondre même quand c'est moi qui la pose. Perdues. Perdues, perdues.

J'enlève ma ceinture de sécurité, j'ouvre la portière et je sors. Je suis sur notre pelouse propre qui a été tondue en bandes comme un terrain de base-ball. La maison me regarde fixement. Si elle avait des sourcils, celui au-dessus de la fenêtre de ma chambre serait haussé jusqu'au toit. Même la maison veut connaître la réponse à la question. Continue comme ça, fière ou chanceux. Canard propret.

Jersey Hatch, pourquoi est-ce que tu t'es tiré une balle dans la tête ?

es tellement égocentrique je fais un rêve mes deux jambes … je n'ai pas de cicatrice, fière de toi mon chéri. Jersey … chanceux fière pragmatique est-ce que la maison. Va bien ? canards balle marteau Jersey Hatch, pourquoi est-ce que tu t'es tiré une balle dans la tête ?

2

Je fais un rêve… mes deux jambes et mes deux bras fonctionnent… je n'ai pas de cicatrice… je suis assis sur le bord de mon lit, vêtu de mon uniforme d'aspirant, et je tiens un revolver. La poussière de ma chambre danse dans les rayons du soleil et efface les marques de coups de pied dans les murs et dans la porte. Mes doigts me picotent pendant que je mets le revolver dans ma bouche. Je referme mes lèvres autour du métal froid. Ça a un goût de graisse et de poussière. Je ne peux pas. Pas dans la bouche. Je tremble, mais je mets le revolver sur ma tempe. J'enfonce le canon. Je ne pense à rien sauf au contact du canon sur ma peau et aussi qu'il y a beaucoup de poussière dans ma chambre. À des endroits que je n'avais même pas soupçonnés. Je presse la détente, je regarde la poussière et je sens ma main qui tremble et je ne pense à rien et il y a un bruit et du feu et plus rien. Plus rien du tout.

Ce n'est qu'un rêve. J'ai inventé cette scène parce que je ne me rappelle jamais rien et que ça me rend à moitié fou. Je fais ce rêve toutes les nuits. Fou. Mais je ne l'ai dit à personne. Je ne sais pas pourquoi je ne l'ai dit à personne, mais il y a des tas de choses que je ne dis pas. Même au psy de Carter. Fou. Maintenant je suis devant la maison, là où se déroule le rêve, et il faut que j'entre. Sinon je ne serai qu'un gros bébé stupide et pas du tout pragmatique. Le génie de cinq ans qui suce son pouce.

Maman entre et disparaît avant que j'aie atteint la porte. Papa suit, il porte mes sacs. J'ai mon cahier de mémoire, mais je ne peux pas porter mes sacs à cause de mon équilibre. Ma jambe gauche, faut que je la traîne. Parfois, je trébuche sur mon propre pied. Et j'oublie tout le temps mon bras gauche. Je le cogne sans arrêt dans les encadrements de porte et dans les chaises, et du coup, je trébuche encore plus sur mon pied. C'est pour ça que les photos me font pleurer.

Elles sont accrochées de chaque côté du couloir, c'est la première chose qu'on voit en entrant. Il y a un garçon dans les cadres. Un garçon en uniforme d'aspirant de l'armée, un garçon en short avec sous le bras un casque de football. Un garçon avec des clubs de golf sur un green en compagnie d'un autre garçon qui ne lui parlait plus depuis longtemps avant qu'il appuie sur la détente. Sur ces photos, le garçon a des cheveux châtains ondulés et pas de trous dans la tête, ni dans la gorge, et je sais que c'est moi… sauf que ça se peut pas. Alors je serre contre moi mon cahier de mémoire et j'ai mal au creux du ventre et je pleure.

Papa arrive derrière moi et pose mes sacs. Pendant une seconde ou deux, il boutonne et déboutonne sa veste.

C'est un truc que je n'arriverais pas à faire, même avec beaucoup d'aide. Et puis, il passe son bras autour de mes épaules.

– Viens, allons à l'étage, me murmure-t-il de sa voix «je suis avec toi, fils». Fais attention et tiens-toi bien à la rampe.

Je hoche la tête et je m'essuie les joues avec mon T-shirt. Des larmes ont roulé sur mon cahier de mémoire mais l'écriture sur la tranche n'a pas coulé. Même pas un petit peu. Le crayon accroché à la ficelle sale se balance d'avant en arrière, d'arrière en avant.

On dirait que Papa veut dire quelque chose mais il se mord la lèvre, reprend les sacs et passe devant moi. Je reste sans bouger. Je regarde les photos et j'essaie de respirer.

La dernière fois que j'étais dans cette maison, je me suis tiré une balle dans la tête.

J'ai… mais en réalité, je ne suis pas sûr. Je me suis *peut-être* tiré une balle dans la tête. J'ai toujours des doutes à ce sujet, même si j'y crois plus ou moins. Papa y croit, lui, il a dit que j'ai utilisé son revolver que j'ai pris dans sa table de chevet, celui qu'il gardait pour les voleurs et les meurtriers.

Peut-être que Papa a cru que j'étais un voleur et qu'il m'a tiré dessus. J'ai moins de mal à croire à ça qu'à l'autre histoire. Celle où je rentre du lycée, où je mets une balle, une seule, dans le revolver de Papa, où je m'assois sur mon lit et où je me tire la balle dans la tête.

Quand même, si on fait ce genre de truc, on l'oublie pas, non? Et on se rappelle aussi pourquoi on l'a fait.

Moi, tout ce que j'ai, c'est des rêves où je m'assois sur mon lit et où je ne ressens rien du tout.

Mes yeux se posent sur les photos. Le garçon d'Avant. Jersey Hatch Avant d'avoir remis le compteur à zéro. Jersey d'Avant : J.A., je me le rappelle bien. En tout cas jusqu'à la troisième. Après, c'est moins clair. La formation d'aspirant militaire, le golf, le foot… moi. J'ai fait tout ça. J'ai connu des filles et des garçons au lycée. Et ces photos représentent le J.A. d'il y a deux ans. Celui qui fait tout, qui veut devenir avocat. Le J.A. qui n'avait pas de doute.

J'étais lui. Il était moi.

C'est dur à croire mais c'est vrai. Je peux le voir sortir des photos, flotter au-dessus de moi, se planter près de moi, habillé comme moi. Comme moi sauf qu'il n'a pas de cicatrices.

Je me fais mal aux dents en me mordant les lèvres. Je pense à des chaussettes. J'aimerais bien me coincer une chaussette dans le cerveau pour qu'il me laisse tranquille. Plus je suis nerveux et plus je pense à des chaussettes. Chaussettes et fantômes. Fantômes qui sortent des photos.

J.A. ressemble à un fantôme. Chaussettes. Ses yeux sont grands ouverts. Sa mâchoire en avant lui donne une expression déterminée. J.A. n'est pas le genre de type qui abandonne. J'ai du mal à croire qu'il s'est tiré une balle dans la tête.

– Alors pourquoi tu l'as fait ? je lui demande. Chaussettes.

– Fait quoi ? crie Papa de ma chambre.

– Pas toi, je lui réponds en montrant mon cahier de mémoire, même s'il ne peut pas me voir. Je parle au fantôme. Chaussettes.

– Monte, Jersey.

La voix calme de Maman me tire de ma confrontation avec le fantôme des photos. Elle est devant moi, les yeux écarquillés. Elle a une cannette de Coca light à la main.

– Va aider ton père à sortir tes affaires.

Et puis, elle ajoute comme si elle avait oublié une chose importante :

– Je suis fière de tous les efforts que tu as faits pour rentrer à la maison. J'espère que tu vas passer une bonne fin de journée.

– Hmm, oui. Oui.

Je transpire sous ma chemise. Je suis tout moite et j'ai froid. Chaussettes. Il est temps de monter dans la chambre de J.A. qui a essayé de nous tuer. Pourquoi est-ce que je n'ai pas demandé à dormir dans la chambre d'amis ? Il est trop tard maintenant, non ? Oui, trop tard. Papa et Maman sont trop nerveux et trop anxieux. Ça va les perturber encore plus. Ils vont se dire que je ne suis pas prêt et me renvoyer à l'hôpital.

Ce ne serait pas si mal de retourner à l'hôpital. Chaussettes. Les docteurs m'ont dit que c'était plus facile à Carter. Plus facile. Sûrement plus facile.

Avant que Maman ait le temps de me demander encore une fois de monter, je me tourne vers l'escalier. Il est raide.

Les marches, c'est difficile à monter quand on a une jambe qui traîne comme moi, mais j'entends les docteurs qui rient dans ma tête : *Haha ! C'est difficile, et alors ?*

Et alors ?

Le cahier de mémoire a un goût de plastique et de sel quand je le mets dans ma bouche. Je sais que je vais avoir besoin de mes mains. Celle qui marche bien pour la rampe, celle qui ne marche pas bien pour le mur. Je fais de mon mieux pour garder mon équilibre. Je lève ma bonne jambe et je fais suivre la mauvaise.

Derrière moi, Maman s'en va. J'entends ses pas qui sonnent comme des murmures, comme si elle marchait sur la pointe des pieds. Ou alors, c'est le fantôme des photos, J.A., qui monte avec moi. Chaussettes. J'essaie d'aller plus vite. En haut, en haut. Chacun de mes pas résonne comme un tremblement de terre. En haut, en haut. Peut-être que je peux le laisser sur place, le fantôme. Si je vais assez vite, il devra rester en bas.

– Fais comme t'a appris le docteur, me crie Papa de la chambre. Les gentils garçons vont au ciel, les méchants en enfer, la bonne jambe d'abord, la mauvaise après.

C'est comme ça que le docteur m'a dit de faire. Ma bonne jambe entraîne l'autre et en haut, en haut, en haut. Ciel, enfer, ciel, enfer, ciel, enfer… voilà, j'y suis. Chaussettes. Chaussettes. Le palier est un paradis. Même si j'y suis arrivé sur « enfer ». Continue comme ça et tous ces trucs qu'on me répétait pendant la rééducation. Chaussettes. Je suis monté vite, peut-être que j'ai réussi à laisser le fantôme sur place.

– Tu t'es débrouillé comme un chef.

Papa est devant moi, dans l'encadrement de la porte de ma chambre, un sourire éblouissant aux lèvres.

Je retire le cahier de mémoire de ma bouche et j'essaie de sourire moi aussi, mais tout à coup, je me pétrifie. Le voir comme ça devant la porte en cèdre, encadrée par les murs blancs, il y a quelque chose qui cloche.

Cette porte n'est pas la mienne. Même si je me rappelle comment la chambre est à l'intérieur, avec ses trophées, ses posters de base-ball, son lit, son couvre-lit bleu… son tapis avec un ballon de foot. Non, ce n'est pas ma chambre, c'est la sienne. Celle de J.A.

Ma respiration est courte et sifflante. Mon corps ne veut plus bouger. Peut-être que si j'entre là-dedans, J.A. sera en train de m'attendre, assis sur le lit, avec son revolver. Il va peut-être nous tuer et, cette fois, il ne nous ratera pas.

– Tu as besoin d'aide ?

Papa parle comme un docteur. Son beau grand sourire a disparu et j'imagine la camionnette de l'hôpital qui vient me chercher pour me ramener droit à Carter dans les bâtiments de brique, sous la banderole jaune.

Continue comme ça. Continue comme ça.

Je ralentis ma respiration et je me concentre sur tout ce qui se trouve autour de moi, exactement comme me l'a appris le psy à Carter. Odeurs familières. Parfum qui vient de la chambre de Papa et Maman et après-rasage. Et cuir, comme l'odeur des sacs de foot ou de golf. Pas d'odeur de chaussettes. Mais ils ne font pas de chaussettes en cuir. Du moins pas pour les gens normaux. Cuir et ballon de football et après-rasage, mais pas de chaussettes. Ma chambre. La chambre de J.A. Il ne sera pas en train de m'attendre. J.A. est mort. Chaussettes.

Le revolver a été enlevé. Il n'existe plus que dans mes rêves. Il ne reste que la cicatrice sur ma tempe droite. Chaussettes. Le revolver a été enlevé. Les jambes tremblantes, j'avance vers Papa jusqu'à ce qu'on soit nez à nez.

– Bienvenue à la maison, me murmure-t-il en me prenant dans ses bras.

Le plancher grince comme s'il allait s'écrouler sous nos pieds. La voix de Papa est un peu forcée mais pas son étreinte. Je le serre aussi contre moi avec mon bon bras, en faisant attention de ne pas le cogner avec mon cahier de mémoire. Mon mauvais bras est un peu écrasé entre Papa et moi. Je manque de perdre mon équilibre quand Papa s'écarte, mais il me laisse m'appuyer sur son épaule jusqu'à ce que je ne vacille plus.

Avec ce drôle de sourire forcé, il me laisse passer et j'entre dans le repaire du garçon fantôme.

La première chose que je remarque, c'est le couvre-lit. Il est vert, pas bleu. Il n'y a pas de J.A. garçon fantôme en chaussettes. Juste un couvre-lit vert. Il aurait dû être bleu. Bleu, pas vert. Pourquoi est-il vert ?

Papa a dû remarquer mon regard parce qu'il dit :

– Ton couvre-lit n'était pas lavable. On a dû le jeter. Désolé pour celui-ci. J'ai demandé à ta mère de te trouver quelque chose d'un peu plus psychédélique, mais elle ne l'a pas fait. Tu l'aimes quand même ? Ça te va ?

– Oui, bien sûr.

Je me demande pourquoi Papa est si perturbé juste pour un couvre-lit. J'aimerais qu'il se détende et qu'il arrête de sourire comme ça. Ça me fait froid dans le dos. Chaussettes.

– On t'a aussi acheté un nouveau matelas. Mais ton tapis, ton tapis avec le ballon de football, il était propre. Tu l'avais plié et posé sur ta commode, du coup, il… n'était pas taché.

Il passe sa main dans sa barbe.

– Je suis désolé. Je ne devrais pas parler de tout ça maintenant. Tu viens juste de revenir à la maison.

Tout l'air de mes poumons est parti, comme aspiré par un respirateur bip-clic-hiss devenu fou. Le tapis sur la commode. Je ne savais pas ça. Personne ne me l'avait dit. J'en étais sûr. Pourquoi est-ce que j'aurais… non ! Pourquoi J.A. aurait-il fait ça ? Je veux dire, si tu veux mourir, tu t'en fiches d'un fichu tapis.

Parce que Mama Rush nous l'avait offert, me murmure la voix d'Avant qui vient du fond de mon cerveau.

Oh, non. Chaussettes et football.

J.A. est là. Il a monté l'escalier et il me parle. Je transpire deux fois plus sous ma chemise. J'ai tellement froid tout à coup que je claque des dents. Il y a un fantôme dans ma chambre et il va me tuer. J'en suis sûr.

Papa passe son bras autour de ma taille. Je sursaute.

– Jersey, ça va ? Si tout ça te perturbe trop, tu n'es pas obligé de rester dans cette pièce.

Il parle à toute vitesse.

– On peut t'installer dans la chambre d'amis. Nous aurions dû te le proposer. Je suis vraiment, vraiment désolé. Nous n'avons pas pensé…

– Non. Ça va. Ça va. Chaussettes.

Il y a juste un fantôme qui parle dans ma tête, ce fantôme c'était moi avant et il va essayer de me tuer dès qu'il en aura l'occasion. Je veux plus que tout au monde que Papa se taise, qu'il descende et me laisse tout seul. Mais si je lui dis ça à Papa, il va se casser en mille morceaux.

Jersey Hatch, me dit J.A. d'une voix moqueuse. *Pourquoi t'as fait ça ? Pourquoi tu t'es tiré une balle dans la tête ?*

Je regarde à droite et à gauche très vite, mais je ne vois pas de fantôme. Super. J.A. est dans mon cerveau. J'ai laissé entrer le fantôme dans mon cerveau.

Pourquoi t'as fait ça ? me provoque-t-il pendant que mes dents continuent de claquer.

Bien sûr c'est la question à un million, le quitte ou double, le grand prix des grands prix. Pourquoi est-ce que j'ai mis le revolver de mon père sur ma tempe ? Pourquoi ai-je appuyé sur la détente ?

C'était un voleur dans la maison. Ou un accident. Un accident de voiture.

Les rayons du soleil passent par la fenêtre et me font plisser les yeux comme si je voulais m'assurer que tout autour de moi est vrai. Parce que des fois, ça a l'air vrai et ça ne l'est pas. Ma vie Après me fait penser à un mauvais documentaire sur les déserts nord-africains. Je vois des choses, j'arrive à les regarder et puis un coup de sirocco et tout disparaît. Enterré sous deux tonnes de sable jaune et blanc.

Des taches jaunes éblouissent mon œil qui ne marche plus. Des taches fantômes, du sable fantôme. Des images très brèves dans les dunes, comme les photos fantômes d'en bas et le fantôme dans ma tête qui est venu avec moi pour me tuer. Des images de dunes dansent dans ma tête. Des montagnes jaunes. Des nuages déchirés.

D'abord la maison et les chaussettes. Maintenant les dunes. Je vais sûrement penser à du sable pendant un mois. Les docteurs m'avaient prévenu que ce serait plus difficile dans la vraie vie. Que je devrais faire plus d'efforts. Sable. Je ne les croyais pas. Sable. J'aurais dû.

– Tu veux que je reste ou que je te laisse un peu seul ?

Papa enlève son bras de ma taille et s'éloigne de moi. On dirait qu'il a envie de me reprendre dans ses bras et de me serrer contre lui.

– Oh… je…

Mon estomac est noué. Qu'est-ce que Papa veut de moi ? Pourquoi il est si bizarre ?

– Sable. Un peu tout seul, ça me fera du bien, je crois.

Je me reprends et je reste immobile comme une dune sans vent.

À mon grand soulagement, Papa ne me touche pas. Il ne se casse pas non plus en mille morceaux. Il hoche la tête et sort de la chambre à reculons jusqu'aux marches. Il descend. On dirait qu'il court dans l'escalier. Comme s'il avait peur que j'ai une hache dans mon placard. Ou une guillotine. Comme si j'étais le roi de France et que j'attendais qu'il commette une erreur pour lui couper la tête. Je renifle. Le roi Jersey. Quelle blague ! Les dunes n'ont pas de couronne. Les dunes n'ont pas de guillotine. Est-ce qu'il y a des dunes en France ?

Mon mauvais bras et ma mauvaise jambe me font mal. Ma tête aussi. D'une cicatrice à l'autre, comme d'habitude, la douleur me transperce comme des couteaux, puis comme des lances. J'arrive à atteindre le couvre-lit vert qui aurait dû être bleu et je m'assois.

Quand je commence à avoir mal à la tête, la douleur est horrible. Si je me détends, ça passe. La douleur se transforme en un martèlement engourdissant et, au bout de quelques heures, j'ai juste la nuque raide. Il n'y a rien à faire contre ces maux de tête. Les anti-douleurs me font vomir et m'évanouir. Alors c'est hors de question d'en prendre.

Oh, j'ai aussi mal à l'estomac qu'à la tête. Je me plie en avant et je serre mon cahier de mémoire contre ma poitrine.

C'est là que tu l'as fait, me murmure J.A.

Je serre les dents.

Tu veux écrire ça dans ton stupide cahier pour que le vent n'emporte pas toutes tes stupides dunes de sable jaune ? Allez, allonge-toi. Tu vas sans doute tomber sur le côté gauche, la tête sur l'oreiller. Tu te souviens pas que c'est comme ça que tu es tombé ?

– La ferme ! je marmonne.

C'est tout ce que je peux faire pour ne pas laisser tomber ma tête sur l'oreiller.

Qu'est-ce que je fais ici ? Pourquoi est-ce que je suis revenu ? J'aurais dû rester à Carter. Je ne suis pas prêt pour ça.

Allonge-toi dans le sable, roi Jersey. La voix dans ma tête, c'est la mienne, mais c'est pas la mienne. Je cligne des yeux. Les maux de tête me brouillent toujours la vue. Normalement, je ne me rends même pas compte que je ne vois que d'un œil. Des fois, je tourne la tête et j'aperçois quelque chose que je n'avais pas remarqué. Là, je m'en rends compte parce que mon seul œil est tout voilé.

Le soleil se couche, je crois. Mais la lumière est encore forte. Comme des marteaux sur mes yeux. Mon œil. La poussière brille. Poussière et sable. Sable et poussière.

Mes doigts me picotent pendant que je mets le revolver dans ma bouche.

J'ai d'abord plié le tapis. Le tapis que Mama Rush m'avait donné. Je l'ai posé sur la commode parce que je ne voulais pas le salir.

– Arrête !

J'ai parlé à voix haute et j'ai cogné mon cahier de mémoire sur mon front, une fois, deux fois. La douleur résonne entre les cicatrices. Ce ne sont pas mes souvenirs. La poussière et les doigts qui picotent, c'est mon rêve. Le tapis roulé, Papa vient de me le raconter. Je remplis les trous. Le rêve devient réalité et les mots deviennent des images.

– Continue comme ça.

Je place le cahier de mémoire contre moi. Je me balance d'avant en arrière. Le tapis glisse sous mes pieds.

– Continue comme ça, continue comme ça, fière, chanceux, roi crétin aurait pu avoir un canard. Chaussettes et sable, sable et chaussettes.

C'est comme un refrain. Je chante pour moi jusqu'à ce que la douleur aiguë s'estompe, qu'elle se transforme en un martèlement engourdissant. Ça, je peux le supporter, sauf que je suis vraiment fatigué. J'ai l'impression que je me suis enfui de Carter. Je n'écoute plus les murmures qui résonnent dans ma tête, j'enlève mes chaussures avec mes pieds et je pose ma tête sur mon oreiller. Je laisse mes pieds par terre, parce que je suis trop fatigué pour les bouger.

Quand la douleur est moins forte, j'ouvre le cahier de mémoire et je regarde la liste des choses à faire, je laisse la lumière grise éclairer mes objectifs.

1. Voir Mama Rush et lui donner tous les cadeaux que j'ai fabriqués pour elle.

2. Parler à Todd pour savoir pourquoi il me déteste.

3. Passer le permis de conduire spécial pour les gens comme moi.

4. Avoir des notes pas trop mauvaises.

5. Réussir mes examens.

6. Trouver une petite amie.

Je répète tout trois fois de suite. Jusqu'à ce que je me rappelle sans avoir besoin de le lire. *Voir Mama Rush.* C'est facile. Elle habite dans la maison d'en face. Je n'ai qu'à aller frapper à la porte et la demander. Si c'est Todd qui répond, il faudra que je garde en tête mon numéro 2. Le parquet grince. Je parlerai à Todd et je lui demanderai…

– Jersey !

Maman a crié d'une voix étranglée. Je me redresse et je referme brusquement mon cahier de mémoire.

Ça sonne fort dans ma tête, si fort que j'ai peur qu'elle n'explose.

Elle est dans l'encadrement de la porte de ma chambre comme une statue de glace, blanche, les mains sur les côtés de sa tête. Sable et chaussettes. Chaussettes et sable.

– Maman ?

J'ai la tête qui tourne et j'ai envie de vomir. Pour de vrai. Qu'est-ce qui lui arrive ?

Doucement, lentement, elle semble se reprendre. La statue de glace dégèle petit à petit. Elle baisse les mains.

– Je… je… commence-t-elle.

Mais elle ne termine pas. Ses mains tremblent et elle hoche la tête à droite et à gauche.

– Rien. Je suis désolée de t'avoir dérangé. Est-ce que tu veux que j'allume la lumière ?

– Non merci. J'ai très mal à la tête. Sable.

– D'accord.

Et elle est partie. Comme ça. Pouf! Le vent l'a emportée. Le vent de sable a fait fondre la glace. Chaussettes dans le vent de sable.

Je fronce les sourcils et je me réinstalle sur mon lit. Les chiffres. Maman est plutôt portée sur les chiffres. Les chiffres. La liste. J'essayais de retenir cette liste. Roi canards fière chanceux dans le sable. Au moins, je n'entends pas la voix du fantôme. J.A. doit dormir ou mourir ou je ne sais pas quoi. Peut-être que mon mal de tête l'a tué avant qu'il ne me tue.

Mes paupières se ferment contre les boum boum boum dans mes cicatrices, dans mes dents, dans mes yeux. Mon bon bras est posé sur mon estomac. Je devrais réussir à atteindre mes premiers objectifs. Je vais utiliser la technique que j'ai apprise à Carter. Les yeux. Projection. Et puis mise en scène. Continue comme ça. Imagine ce que tu ferais et après, fais-le.

Yeux. Sable et chaussettes.

Je chante dans ma tête mon refrain de sable, d'yeux, de chaussettes et je me vois descendre les marches et aller à la maison d'en face pour parler à Mama Rush. Et je m'endors très très très profondément.

3

Je fais un rêve… mes deux jambes et mes deux bras fonctionnent… je n'ai pas de cicatrice… je suis assis sur le bord de mon lit, vêtu de mon uniforme d'aspirant, et je tiens un revolver. La poussière de ma chambre danse dans les rayons du soleil et efface les marques de coups de pied dans les murs et dans la porte. Mon tapis avec le ballon de football, celui que Mama Rush m'a donné quand je suis entré dans l'équipe, il y a des années, est bien plié et posé sur ma commode. Comme ça, je ne le salirai pas. Je le regarde une dernière fois avant de retourner à mon occupation. Mes doigts me picotent pendant que je mets le revolver dans ma bouche. Je referme mes lèvres autour du métal froid. Ça a un goût de graisse et de poussière. Je ne peux pas. Pas dans la bouche. Je tremble, mais je mets le revolver sur ma tempe. J'enfonce le canon. Je ne pense à rien sauf au contact du canon sur ma peau et aussi qu'il y a beaucoup de poussière dans ma chambre. À des endroits que je n'avais même pas soupçonnés. Je presse la détente, je regarde la poussière et je sens ma main qui tremble et je ne pense à rien et il y a un bruit et du feu et puis la douleur et je tombe, je tombe. Ma tête en mille morceaux se répand sur mon oreiller.

Papa a préparé du porridge pour le petit déjeuner, ce qui me surprend drôlement parce que Papa est plutôt du genre à manger ses céréales froides. Enfin Avant, il mangeait ses céréales froides.

Quand je lui pose la question, il me répond que « tout change », qu'il a lu des articles sur l'alimentation et qu'il a appris que notre manière de nous alimenter peut nous aider à ne pas tomber dans la dépression. Papa a peur que je déprime maintenant que je suis sorti de l'hôpital, à cause de la pression. Trop de pression. Dépression. Papa lit des articles. Ça aussi, c'est bizarre parce que d'habitude Papa lit plutôt des articles juridiques pour son travail, pas des articles sur la nourriture. Mon père est agent de probation. Céréales froides, beaucoup d'heures de travail, beaucoup d'inquiétudes pour ses « autres » enfants. Maintenant, il reste à la maison, pour veiller sur moi, je suppose. Il propose de m'emmener au cinéma. Tout change.

Maman se levait toujours très tôt, conduisait beaucoup, gardait toujours ses cheveux blonds attachés et portait des vêtements impeccables, même le week-end. Aujourd'hui, elle est encore couchée.

– Alors, ça te dit un ciné ?

Le super-sourire de Papa s'étale sur son visage.

– Non merci.

Je détourne le regard. Mes parents. Je ne sais pas quoi faire d'eux maintenant.

– J'ai fait une liste à Carter. Il faut que je commence à y travailler. Et c'est des trucs que je dois faire tout seul, pour être indépendant, et continue comme ça et tout ça. Tout change. Carter. Tout ça.

Quand je tourne de nouveau les yeux vers Papa, son visage n'est plus pareil. Il affiche maintenant ce qui pourrait être de la déception. Et puis, il retrouve son sourire bizarre et se lève. Il va dans son bureau pour passer des coups de fil.

Mes parents.

Tout change. Sauf Mama Rush. Elle disait toujours qu'elle était bien trop vieille pour changer et ça me fait plaisir. Je suis habillé avec un jean et un T-shirt qu'elle m'a envoyés pendant que j'étais à Carter. Je prends mon cahier de mémoire et le sac plastique avec mes cadeaux pour elle et je vais à la porte sans regarder les photos de J.A. Quand même, quand je sors, je me retourne et, avec mon bon œil, je vérifie s'il n'y a pas de fantôme qui m'a suivi dehors. Je pense qu'une fois la porte refermée, je suis en sécurité.

Il fait chaud. Le soleil me fait cligner des yeux et j'ai mal à mon œil aveugle. À Carter, ils m'ont recommandé de porter un cache ou des lunettes de soleil, mais je me suis dit que j'aurais l'air idiot et que je n'en avais pas besoin. Je n'utilise jamais non plus l'appareillage pour mon bras ou ma jambe. C'est trop inconfortable. Normalement, je dois dormir avec, pour que mon bras ou ma jambe ne se tordent pas. Mais je m'en fiche. J'ai tout mis dans le placard.

Le porridge – une noisette de beurre et pas de sucre – remue dans mon estomac pendant que j'essaie d'oublier l'attitude bizarre de Papa et le rêve que j'ai fait. Le tapis plié. Ce stupide tapis plié.

Je protège mon œil droit avec mon cahier de mémoire. Malgré la brise fraîche, le soleil me chauffe les doigts. Tapis. L'automne va venir. L'automne et le lycée et ma vie et j'ai une liste, et Mama Rush est en premier sur la liste et elle est bien trop vieille pour changer. Tapis.

La maison de Todd me semble bien plus loin de chez moi que dans mon souvenir. Mais j'avance sans reprendre mon souffle et avec un sac plastique qui doit bien peser cinq kilos. Le méchant garçon en enfer, le gentil au ciel. Je monte les marches du porche de la maison de Todd.

Ne pas oublier la réalité : Todd va sans doute me claquer la porte au nez si c'est lui qui répond.

Tapis.

Il faut que je m'y prépare, mais je n'y arrive pas. J'ai peur, je me sens nul et moche et comme quand j'avais cinq ans. Il venait d'emménager en face de chez moi et je n'osais pas lui proposer de venir jouer.

Tapis.

Je me mords la lèvre. Mes dents me font mal du côté droit et, à gauche, je ne les sens pas. La sonnette est juste là devant moi mais je ne veux pas appuyer dessus. Le porridge. J'aurais dû arrêter après une ou deux cuillerées. Tapis.

La sonnette va bien, crétin, appuie.

– La sonnette va bien.

Je lève le menton, exactement comme mon docteur me l'a appris.

Pragmatique, Hatch. Tu peux réciter la Bible en entier mais personne ne te comprendra si tu gardes le menton baissé.

Encore pragmatique. Le pragmatique de la communication non verbale. Des mots j'en ai, il me manque des « aptitudes sociales ». Des capacités. C'est ça qu'il voulait dire, le docteur, avec son génie de cinq ans. C'est ça que ça fait, une balle dans la tête. Enfin, quand elle vous laisse des mots.

La sonnette va bien, crétin.

J'appuie.

À l'intérieur résonne un carillon que je reconnais. Je ferme les yeux et j'écoute. Je ne peux pas m'empêcher de sourire. Tout ne change pas.

La porte s'ouvre.

Une belle fille, très belle, en survêtement bleu se tient devant moi.

Ses yeux noirs s'agrandissent et sa bouche s'ouvre sur des dents très droites et très blanches. Elle a les cheveux noués en chignon au-dessus de sa tête, comme Mama Rush, mais elle a des petites bouclettes de chaque côté du visage. Mais c'est pas ça, c'est qu'elle ressemble à. Ressemble. Elle ressemble à.

Est-ce que la famille Rush a déménagé ?

– Qui êtes-vous ? je bégaye en serrant mon cahier de mémoire contre ma poitrine.

Le sac pèse lourd au bout de mon bras. Des fois j'oublie que je suis un garçon. Il y a tellement de parties de moi qui ne fonctionnent pas. Mais là tout de suite, je sais que je suis un garçon. Un peu cassé, avec des cicatrices, mais un garçon.

La fille trop trop belle regarde derrière elle, comme si quelqu'un pouvait la surprendre en train de me parler.

– Tu ne devrais pas venir ici, Jersey. Mes parents vont péter un câble.

Maintenant je la reconnais.

– Leza.

Je secoue la tête.

– C'est pas possible. Tu es... tu es en primaire et t'as des tresses et des bagues et t'es toute petite et...

– Je suis en quatrième, Jersey. Tu as... tu as été absent longtemps.

Leza a grandi, ça c'est sûr. Elle ressemble plus à Todd que dans mon souvenir. Ça me rend triste d'un coup. Assez triste pour que des larmes me montent aux yeux. Je pleure dans la rue devant une jolie fille. Pragmatique, Hatch. Merci beaucoup, balle de revolver. Et puis de toute façon, est-ce que je suis obligé d'être un garçon ?

– Je ne veux déranger personne.

Mes mots essaient de sortir tous de ma bouche en même temps mais j'arrive à les ralentir. Je respire doucement et je reprends d'une voix étranglée :

– Je voudrais parler à Mama Rush.

Leza tord la bouche comme pour se mordre l'intérieur de la joue. Elle pousse un profond soupir, regarde de nouveau par-dessus son épaule et murmure :

– Tu ne sais pas qu'elle a déménagé ? Ça fait presque un an qu'elle vit au Palais. C'est l'endroit qu'on voit à la publicité.

Je connais. J'ai vu la publicité.

– Mama Rush est dans une maison pour les personnes âgées ?

Je gratte ma cicatrice en forme de croissant.

– Ça ne se peut pas… je veux dire : pourquoi elle est partie là-bas ?

Les yeux de Leza s'éteignent. Ses longs doigts se crispent sur la porte jaune.

– Beaucoup de gens ont changé après ce que tu as fait.

Nouveau coup d'œil derrière elle.

– Tu ferais mieux de partir maintenant.

J'allais lui demander pourquoi, quand quelqu'un l'a poussée. C'est Todd. Cette fois, il se tient devant moi.

Il est… plus grand. Ses cheveux sont plaqués sur son crâne et, du coup, ses oreilles aussi paraissent plus grandes. Sa peau, qui avant était terne, est lisse comme du marbre noir. Il porte un short et un T-shirt noirs et il est tout en muscles, comme s'il avait passé ces deux dernières années à faire du sport.

– Salut, je lui dis.

Parler à Todd pour savoir pourquoi il me déteste. C'est le moment.

– Je suis venu pour…

Les yeux de Todd lancent des éclairs.

– Éloigne-toi de ma sœur, sale monstre.

– Todd, je voulais… je veux…

– Écoute, mec, je me fous de ce que tu veux.

On dirait qu'il est prêt à me frapper, il s'avance comme s'il allait le faire. Au dernier moment, il cogne ses poings serrés contre mon cahier de mémoire, dans le sac plastique plein de cadeaux pour Mama Rush.

Le bruit de la poterie cassée me retourne l'estomac. Mon cahier tombe et s'ouvre, il y a au moins cinq ou six pages arrachées qui s'envolent. Un peu de mes jours, de mes heures, descend les marches du porche de chez Todd jusqu'à la route.

Todd hésite. Ses poings sont toujours serrés et dressés. Ses yeux se posent sur les feuilles de mon cahier. Pendant une seconde, il semble douter. Il a presque l'air désolé. Et puis, il rentre dans la maison en grommelant :

– Si tu remets les pieds ici, je te casse la gueule.

Avant que j'aie eu le temps de répondre, il claque la porte et me laisse sur le porche tout seul. Je ne bouge pas, même si j'ai peur de lui. Je ne sais pas quoi faire.

Sale monstre. Oui. Je suis un monstre. Et je sais qu'il peut me casser la gueule s'il veut. Todd ne bluffe jamais. Du moins le Todd d'Avant ne bluffait jamais. Sale monstre.

Je regarde le sac de cadeaux pour Mama Rush. Doit y en avoir plein de cassés. Des larmes me picotent les yeux. Monstre. De toute façon, c'était moche. Qu'est-ce que Mama Rush aurait fait de pots de fleurs et de petits animaux en céramique au Palais ? Le Palais. Qui passe à la télé, avec des vieilles personnes qui sourient et qui conduisent des petits scooters électriques et qui prennent le bus pour aller manger des glaces.

Faut que je cale ma mauvaise jambe pour me pencher. Pour ramasser le sac. Ça me prend du temps mais j'arrive à prendre la bonne position. Il ne faut pas que je tombe. Je me penche en faisant attention et j'attrape le sac avec ma main droite. Il pèse toujours aussi lourd, le sac. J'ai du mal à me redresser, il m'entraîne vers le sol. Je me redresse quand même. Le monstre essaie de se tenir droit. Pragmatique, Hatch. Sale monstre.

Pragmatique. Communication non verbale. Todd en a dit long avec ses yeux et avec ses poings aussi. Monstre. Communication non verbale et verbale aussi. Est-ce que j'avais de la morve sur le visage ? Oui, j'avais sûrement de la morve. J'entoure la poignée du sac autour de mon mauvais poignet pour que plus personne ne puisse me l'arracher encore. J'essuie mon visage avec mon T-shirt. Pas de morve. Je n'en vois pas, en tout cas.

Pour le cahier de mémoire, c'est plus dur. Je ne peux pas le ramasser comme le sac, il n'a pas de poignée. Si je m'agenouille, je ne réussirai peut-être pas à me relever. Alors, il faut que j'essaie comme ça. Continue comme ça. Communication non verbale. Pragmatique. Le pragmatique du ramassage de cahier de mémoire. Hatch, Jersey. Cahier de mémoire. Des pages de ma vie arrachées, envolées sur le porche de Todd, sur la route, dans le voisinage, sur les pelouses tondues comme des terrains de base-ball. Sur tout le trajet que je viens de parcourir dans le Sahara avec tout ce sable et ce sable et les sonnettes qui vont bien, crétin. Monstre.

Mes larmes roulent sur mon menton. Je dois avoir plein de morve sous le nez. Je me redresse et j'essuie mon visage. J'essaie de me tenir droit. Et je me repenche pour attraper mon cahier. Ça me fait mal au dos. Et au cou aussi. J'ai l'impression que je traîne tout mon côté gauche comme un sac à dos très lourd qui essaie de me déséquilibrer. Je touche la couverture et je serre ma main dessus. J'ai attrapé des pages avec. Elles se déchirent. Mes larmes tombent sur le papier et effacent des mots, mais je ne lâche pas. Je l'ai. Sauf que la moitié des pages semblent vouloir m'échapper, s'envoler plus loin, sautiller loin de moi comme des petites souris des sables dans un grand désert vert.

Je heurte le sac de cadeaux déjà cassés pour Mama Rush, je descends, ciel enfer, ciel enfer, les marches du porche de Todd et je cours après la première page. Au moins mes yeux ont arrêté de pleurer. Peut-être que j'ai de la morve sur le visage. Je m'arrête pour m'essuyer avec mon T-shirt et la première page que je voulais attraper part plus loin.

Je soupire et je traîne ma mauvaise jambe dans la cour. En prenant mon temps, je peux y arriver. Continue comme ça, sonnettes, sable et tout. Je peux attraper les pages. Je cours après sable, sonnette, ciel, enfer et je l'attrape enfin. Je pose mon pied, celui qui obéit, dessus. Je reprends mon équilibre. Grande inspiration. Se pencher et attraper. Monstre.

La page se déchire sous mon pied.

– Pas de gros mots.

Je me mords la lèvre. Fort. Ça me lance.

– Pas de gros mots. On ne jure pas. Pragmatique. Sable. Sonnette ding dong.

J'essaie de lever mon pied de la page à moitié déchirée et je tombe. Si vite que le ciel, la route et l'herbe passent devant mes yeux comme un éclair. Je tombe, la hanche sur le sac de cadeaux pour Mama Rush et je casse d'autres cadeaux et peut-être que je me casse aussi, je ne sais pas. Sonnette. Sonnette.

– Sonnette.

– Ça va, Jersey ?

La voix est douce comme un murmure. Je réussis à rouler sur mon bon côté et à m'asseoir. Je cligne des yeux à cause du soleil.

Leza se tient devant moi. Dans sa main, une poignée de pages. Elle les a toutes ramassées. Elle ramasse la page déchirée aussi. Et elle me tend sa main libre.

Ma chute m'a coupé le souffle. J'ai des larmes sur le visage et sans doute de la morve aussi et en plus, en plus, je suis un sale monstre très laid. Malgré tout, je lui donne le morceau de feuille déchirée que j'ai réussi à attraper et mon cahier aussi. Elle regarde le cahier à spirales et les feuilles et secoue la tête. On ne peut pas les remettre.

Elle rassemble les pages, même les déchirées ou les cornées.

– Tu peux les ranger dans cette pochette. J'ai essayé de les mettre dans l'ordre.

Est-ce qu'elle a lu ? J'espère que non. J'ai sûrement parlé de morve et de sable. J'ai sûrement de la morve sur le visage. Pragmatique. La communication non verbale des sales monstres très laids. Roi Jersey, roi du désert de rien du tout.

– Merci.

Ma voix résonne comme au milieu d'un désert. Leza, tout en serrant mon cahier contre elle, me tend à nouveau la main. Au début, ça me fait bizarre et puis je me rappelle qu'elle a deux bonnes mains, pas seulement une. Le visage brûlant, je la laisse m'aider à me relever. C'est facile de se lever avec un peu d'aide. Le sac plastique est plein de bibelots pulvérisés.

– Merci, je répète.

J'arrive à ne pas dire sable et sonnette. Leza n'a sûrement pas envie d'entendre parler de sable. Pragmatique. Pas de gros mots. Elle est jolie. Sonnette.

Leza m'essuie les joues avec la manche de son survêtement bleu.

– Je suis désolée que Todd se soit mis en colère et je suis désolée qu'il ait déchiré ton cahier. Si j'étais toi, je resterais loin de lui.

– Pourquoi il me déteste ? j'éructe soudain. Avant. Papa m'a dit qu'il me détestait Avant.

Elle me dévisage comme si j'étais un pire monstre que tout à l'heure. Sonnette. Sahara. Pas de gros mots. Ne dis rien de stupide à voix haute, ne dis pas sonnette.

– Sonnette, je murmure. Jolies sonnettes. Tapis de football.

Leza me lance un regard étrange.

– Tu ne te rappelles pas ? Elana Arroyo et toute l'histoire ?

Je secoue la tête.

Elle m'examine pendant un instant.

– C'était une histoire entre vous deux. Je n'y étais pas. J'en ai juste entendu parler.

– Quoi ? Entendu des sonnettes ? Je veux dire : entendu quoi ? Pourquoi ? Pourquoi on s'est disputés ?

Leza m'examine encore. Elle se ronge un ongle.

– C'était il y a longtemps. Et comme je te l'ai dit, c'était à cause de cette fille. C'est tout ce que je sais. Mais tu sais… il n'a pas supporté ce que tu as fait. Mes parents non plus.

Je fixe le sol. C'est plus facile que de fixer Leza.

– Sonnette.

– Tu peux pas t'en empêcher, hein ? De dire des trucs comme ça, comme sonnette.

– Non. Enfin, j'arrive pas tout le temps à m'en empêcher.

– Et tu peux pas non plus t'empêcher de tourner ta tête d'une drôle de façon pour mieux voir.

Elle se tripote le creux de la main comme si elle avait une ampoule.

– J'ai lu tout ça dans un dépliant que Mama Rush a rapporté de ton hôpital. C'est parce que ton cerveau est cassé, c'est ça ?

– Je suis un génie de cinq ans.

– Oui, je vois.

Leza sourit.

– Il faut que j'aille courir, et toi, il faut que tu rentres chez toi avant que Todd revienne par ici. Papa et Maman sont dans le garage. Ils sont sur le point d'aller sc promener au lac, alors…

– Je m'en vais. Merci de m'avoir aidé.

– De rien.

Leza part à petites foulées vers chez elle.

Je me demande si j'ai de la morve sur le visage.

4

Mon père est devenu fou d'inquiétude quand je suis rentré de ma promenade chez Todd. Tout ça parce que mon cahier était déchiré et que j'avais de l'herbe sur mon sac. Je lui ai dit que j'étais tombé. Il a sorti Maman du lit et nous a traînés aux urgences pour vérifier que ma hanche n'était pas cassée. Il leur a demandé de m'examiner partout. Je suis juste tombé. Juste tombé.

Maman n'a pas dit grand-chose. Elle a ouvert un paquet de cacahouètes en guise de petit déjeuner et, à un moment, entre les radios et la consultation orthopédique, elle est partie à la banque, pour « avancer un peu son travail sans personne pour l'interrompre ». Je suis tombé. Je suis juste tombé. Mais Papa avait besoin de radios et Maman est partie.

Papa et moi sommes rentrés à la maison avec une ordonnance pour de l'aspirine et un diagnostic de « plusieurs ecchymoses ». Papa me dit que je dois rester à la maison toute la semaine. Je suis tombé. Je suis juste tombé ! C'était rien qu'une chute. Une petite chute. Radios. J'essaie d'expliquer à Papa, mais ça ne sert à rien. Je suis pris au piège dans la maison avec Papa, J.A., le fantôme tueur, le tapis de football et, de temps en temps, tôt le matin et tard le soir, Maman.

Mercredi après-midi, je me dis :

– Utilise ce temps pour toi.

C'est un truc que me répétait tout le temps la docteur nazie de Carter.

– C'est très bien d'avoir du temps à condition de l'utiliser pour devenir plus fort.

Du temps.

J'évite de regarder les dégâts dans le sac de cadeaux pour Mama Rush et je me plonge dans le livret de l'école de conduite. Je fais aussi travailler ma main avec une balle de tennis et je répare mon cahier de mémoire de mon mieux. Du temps. Du temps et encore du temps. J'en ai marre. J'arrête. Je m'assois sur mon lit et je lis le numéro de téléphone inscrit dans mon cahier. J'appelle Carter et je demande Alicia. Elle est en séance de rééducation et ne peut pas venir au téléphone maintenant. Du temps. Hank est avec le psy et Joey est sorti de l'hôpital. Il n'a pas laissé de numéro. Ses parents voulaient qu'il reprenne une vie normale. Ils n'avaient sans doute pas envie que leur fils garde contact avec le garçon qui s'est suicidé. Moi. Je me suis suicidé. Peu importe. Du temps. Quand je pourrai parler à Hank, je lui demanderai le numéro de Joey.

Je cherche et retrouve un annuaire du lycée. Avec les numéros des gens que je connaissais Avant. Des gens sauf Todd. Des gars de l'équipe de foot, des gars du golf. J'essaie d'abord d'appeler Kerry Brandt. Du temps. Je le connais du golf. Je l'aimais bien. Enfin je crois. Je ne suis pas nerveux. Du temps. Pas nerveux du tout. J'arrête de me balancer d'avant en arrière.

Le téléphone sonne trois fois avant qu'un type décroche et roucoule :

– *Le Nid d'amour*, allô ? Puis-je prendre une réservation ?

– Du temps ! je crie dans l'appareil.

Je tousse, je secoue la tête.

– Je veux dire : allô Kerry ?

Silence. Beaucoup de silence. Et puis…

– Hatch, c'est toi ?

Surpris mais pas très chaleureux. Pas amical.

Je tousse encore.

– Oui, je…

– Qu'est-ce qui te prend de m'appeler ?

Un ricanement.

– Ne me fais pas perdre mon temps.

Je suis assis sur mon lit, le téléphone à l'oreille. Je ne sais pas quoi dire mais je n'ai pas besoin de me poser la question très longtemps, Kerry raccroche.

D'accord.

Je prends une longue inspiration.

Les gars du lycée ne sont pas venus à l'hôpital et il y en a au moins un qui ne veut pas du tout me parler. Mais c'est rien qu'un. Je lis un autre nom. C'est rien qu'un. C'est un type que je connais du foot. Je compose le numéro, je me trompe. Je m'arrête. Je prends encore une grande inspiration et je recommence. C'est rien qu'une personne. Rien qu'une.

Cette fois, c'est une femme qui répond.

– Allô ?

– Rien qu'une. Allô ?

Inspiration. Concentration.

– Madame Janson ? Pourrais-je parler à Alan ?

La femme inspire elle aussi.

– De la part de qui ?

– Jersey Hatch.

– Oh.

Inspirations de Mme Janson.

– Jersey… je… je ne crois pas que ce soit une bonne idée. Je ne veux pas te blesser mais j'aimerais mieux que tu n'appelles pas ici.

Cette fois, c'est moi qui raccroche. Je ne sais même pas vraiment pourquoi. C'est malpoli de ne pas dire au revoir. Mais j'avais envie d'être malpoli. Rien qu'une seconde.

– Au revoir !

Je referme brutalement l'annuaire du lycée.

– Malpoli.

J'inspire et j'inspire encore. Mon cœur bat très vite et j'ai mal à la mâchoire. Je me rends compte que je serre les dents. Je desserre les dents. J'ouvre de nouveau l'annuaire et je regarde *Arroyo, Elana*.

Je plisse mon bon œil et je me concentre sur les lettres imprimées comme si tout à coup, je pouvais faire apparaître une image dans mon cerveau. Mais ça ne marche pas. Je ne parviens pas à la visualiser. Peut-être que si j'entendais sa voix, je me rappellerais quelque chose.

– Malpoli.

Je compose le numéro.

– Malpoli. Au revoir.

Une sonnerie.

Deux.

Clic.

Une voix enregistrée. « Le numéro que vous demandez n'est plus en service… »

Je raccroche. Je m'apprête à jeter le téléphone. Je me retiens.

– Malpoli.

Images. Je veux la voir. Lui parler. Me rappeler quelque chose. N'importe quoi. Je repose le téléphone et je ressors tous les annuaires du lycée. Avec les photos. Je les étale sur mon lit. Je les feuillette un par un. Je trouve *Arroyo, Elana* dans le dernier des trois, mais ça ne me dit rien. Cheveux noirs, yeux noirs, une fossette sur la joue droite. Elle a l'air espagnole ou égyptienne, exotique. Je me souviens quand elle est arrivée au lycée, rien d'autre.

Le temps que je trouve cette photo, J.A. et moi sommes en pleine conversation. Dans cette chambre, sur ce lit où je me suis suicidé. Enfin, si je me suis suicidé. J'ai peut-être eu un accident de voiture.

– J'ai perdu mon meilleur ami à cause d'elle ?

Je secoue la tête.

Peut-être que c'était la petite amie de Todd et que tu lui as piquée, suggère J.A.

Je n'ai pas peur de lui comme je devrais. Pourtant, c'est un ectoplasme ou un truc comme ça et il pourrait me tuer s'il le voulait. Peut-être.

– Oui, peut-être. Du temps. Devenir plus fort. Même sans mes cicatrices de Frankenstein, Todd a toujours été le beau gosse, pas moi, ectoplasme.

Tu parles de plus en plus mal. Ces coups de fil t'ont perturbé et tu n'arrives plus à te concentrer. C'est pour ça que tu parles mal.

– C'est pas vrai, ectoplasme.

Ne dis pas ectoplasme.

– Ectoplasme.

Tu vois ! Tu parles de plus en plus mal.

– C'est plus difficile hors de l'hôpital. Du temps. Ils m'avaient prévenu. Les docteurs. Plus de pression. Du temps.

Je ne dis pas ectoplasme. C'est dur.

J.A. ricane dans ma tête. *Peut-être que tu es sorti avec Elana et que tu as laissé tomber Todd et que ça l'a rendu furieux.*

Todd jaloux. Ectoplasme. Ectoplasme. Ectoplasme. Je passe mon doigt sur les écritures de la couverture de mon cahier. Vert, doré, vert doré. Les Soldats verts. Todd, jaloux. Ça n'a pas de sens, même si je repasse les mots avec mon doigt. Todd a toujours été droit et franc. S'il avait été jaloux ou s'il avait eu un problème avec moi, il serait venu me le dire et tout serait rentré dans l'ordre.

Peut-être que Todd a changé. Tu ne le connais plus vraiment à présent. Peut-être qu'il avait déjà changé avant.

– Ectoplasme. Tu parles trop, crétin.

Le plancher craque.

– Jersey ?

Je lève la tête et je pose ma main sur la page de l'annuaire du lycée, comme pris en faute.

– Maman ? Tu es rentrée ? Du temps. Ce n'est pas… ectoplasme. Je veux dire : je ne savais pas qu'il était l'heure que tu rentres.

Elle est dans l'encadrement de la porte. Elle regarde dans ma chambre. Ses yeux s'appesantissent sur le lit, l'oreiller, le tapis que j'ai remis où il était Avant. Elle semble tout regarder sauf moi.

– Tu parlais à qui ?

– Euh… je parlais tout seul, je crois. Je m'ennuyais et j'ai regardé des photos dans l'annuaire du lycée et… et voilà.

Je me sens comme un idiot. Je ne peux pas lui parler de J.A. Surtout pas. De toute façon, le fantôme est parti dès qu'il a entendu le plancher craquer.

– Où est ton père ?

Elle examine à nouveau la pièce, comme si Papa se cachait dans un coin.

– Je crois qu'il est allé à l'ectoplasme. Euh, je veux dire à l'épicerie. Il a parlé d'acheter de la nourriture pour garçons, des trucs faciles à préparer, pour quand il va retourner au travail la semaine prochaine.

Maman sursaute comme si je l'avais frappée.

– Il a dit qu'il retournait au travail la semaine prochaine et que tu resterais seul à la maison ?

– Je… je ne l'ai pas écrit.

Je viens de commettre une erreur mais je ne sais pas laquelle.

– Je crois que c'est ce qu'il a dit. De la nourriture pour garçons. Ça va être très bien. Vraiment. De la nourriture pour garçons.

Maman ferme les yeux. Les vêtements qu'elle porte habituellement pour la banque sont tout froissés, la jupe bleue et la veste qui va avec. Le chemisier blanc. Et ses collants plissent un peu, comme s'ils étaient trop grands pour elle.

– Depuis combien de temps es-tu ici ? Depuis combien de temps est-il parti ?

Elle parle d'une voix calme. Calme et froide. Ça me fiche la trouille.

– Je ne l'ai pas écrit.

Quand Maman rouvre les yeux, elle regarde mon lit, là où je suis assis, mais je ne crois pas qu'elle me voit. Du moins, elle ne me voit pas moi maintenant.

– Tout s'est bien passé ?

– Bien sûr.

Je hausse les épaules.

– J'ai presque dix-sept ans.

– Tu n'as pas trop repensé à… à ce qui est arrivé ?

J'y repense tout le temps. À chaque minute. Les mots veulent sortir de ma bouche, mais dans un pragmatisme inhabituel, une surprenante conscience, le roi Jersey, génie de cinq ans, se dit qu'il ne faut pas les prononcer. Ne pas appuyer sur la sonnette. Ne pas traverser le désert.

– Je n'ai pas pensé, je mens. Pragmatique. J'ai juste essayé de savoir qui c'est cette fille Elana ? Ectoplasme et tout ça.

Maman se raidit et se transforme de nouveau en statue de glace effrayante. Une statue avec les lèvres qui bougent.

– La fille avec qui tu sortais ?

Je ne pense plus au pragmatique ni au désert.

– Tu sais qui c'est ? Je sortais avec elle ? Quand ? Ectoplasme.

Maman ouvre et referme la bouche.

– Tu disais que tu t'ennuyais, non ?

– Euh… oui. Je sortais avec. Papa a dit que je devais rester à la maison jusqu'à samedi prochain, alors j'essaie de trouver des choses à faire et…

– Range tout ça et rejoins-moi en bas. J'appelle un taxi qui te déposera au Palais chez Mama Rush.

Maman referme la bouche et prend une longue inspiration.

– Tu pourras prendre le taxi tout seul, Jersey ?

– C'est sûr. Je me suis entraîné à Carter. Je peux le faire.

– Certain ?

– Certain. Taxi.

Maman soupire.

Payer le chauffeur. Payer le chauffeur. Je suis fort en maths. Je peux compter l'argent et la monnaie et tout le reste. Je ne dois pas oublier de payer le chauffeur. Si j'oublie et que je pars sans le payer, il appellera la police qui m'enverra en prison. Payer le chauffeur. Je m'accroche à mon cahier de mémoire et aux billets que Maman m'a donnés. Le sac de cadeaux pour Mama Rush pèse lourd à mon mauvais poignet. Ne pas oublier de payer le chauffeur. Prison. Ne pas oublier de garder assez d'argent pour rentrer à la maison. Prison. Ne pas oublier de payer le chauffeur.

Le taxi s'arrête en douceur contre le trottoir. Une jardinière pleine de fleurs marque le bord du trottoir.

Payer le chauffeur.

– Payer le chauffeur, je répète en sortant du taxi.

Le sac de cadeaux cogne contre ma jambe.

Le chauffeur de taxi a les cheveux plus rouges que des pommes et des fraises. Il n'arrive pas à détacher ses yeux de moi. J'ai déjà oublié combien il m'a demandé. Je lui tends tout mon argent. Ses yeux vont de ma cicatrice à l'argent, de l'argent à ma cicatrice. Il jette un coup d'œil rapide à mon mauvais côté. Un autre à mon cahier de mémoire coincé sous mon mauvais bras. Un autre au sac de cadeaux enroulé autour de mon mauvais poignet. Il regarde l'argent, le prend et le met dans sa poche. Il s'arrête et me lance un regard coupable. Il me rend la monnaie.

– Pour que tu puisses rentrer chez toi, dit-il.

– Payer le chauffeur.

Je hoche la tête, reconnaissant, et furieux de ne pas y avoir pensé moi-même.

– Merci.

Le type sourit et secoue la tête avant de partir. Je fourre l'argent dans ma poche.

Je me retourne et je me retrouve devant le Palais. Ça me rappelle l'hôpital, même si la publicité dit « le Palais : la meilleure façon pour les seniors de rester indépendants ». C'est triste. J'ai vu la publicité si souvent que je me la rappelle par cœur. J'ai dû la voir plus de mille fois. Murs blancs, sols blancs, mais au moins au Palais, il y a de la moquette. De la moquette bleu roi comme dans la publicité. Quand je tourne un peu la tête, je la vois à travers les portes d'entrée ouvertes.

Je boite jusqu'au trottoir avec les fleurs, je passe entre les colonnes surmontées de lions dorés. Mon pied gauche traîne comme d'habitude et s'accroche à toutes les aspérités du ciment. Je serre mon bras gauche contre mon ventre pour ne pas faire tomber le sac de cadeaux. Cet imbécile de bras est toujours tout raide quand je suis nerveux. Je passe mon cahier de mémoire dans ma bonne main. Ça m'aide à m'équilibrer.

Si Mama Rush se souvient de moi, est-ce qu'elle voudra bien me parler ? Elle sera peut-être furieuse, elle aussi ? Et je ne pourrai pas lui en vouloir. De tous les gens du monde entier, c'est Mama Rush qui a le plus le droit de me gifler. J'ai oublié des tas de trucs de mon passé, mais pas tout. Et je sais que Mama Rush ne m'aurait jamais laissé tomber. Même si tous les autres m'avaient laissé tomber. La grand-mère de mon meilleur ami. Enfin, Todd était mon meilleur ami Avant, maintenant il me déteste. Elle sera furieuse que je ne sois pas venu lui parler avant de faire ça. Si je l'ai fait. Avant. Après. Tout change.

Le Palais est plus grand que je ne pensais. Il y a plusieurs halls. Des tas de gens dans des fauteuils roulants, ou avec des déambulateurs ou des cannes. La moquette bleue étouffe le bruit de mes pas. Ça sent le produit de nettoyage. Je commence à transpirer. Je marche plus vite. Est-ce que je suis dans la grande salle à Carter ? Non. Je ne suis pas à Carter. Je suis au Palais.

Ma main me fait mal. Ma tête aussi.

Je tourne dans un couloir. Des gens assis me regardent. Ça sent la salle de bains. Je *suis* à Carter. Pourquoi est-ce qu'il a fallu que je retourne à Carter ?

Je me mords la lèvre. Je prends un autre couloir et encore un autre.

Une femme avec des cheveux très noirs apparaît au milieu d'un groupe de gens en robe de chambre. Elle porte une robe rouge pétant et elle lève la main pour me dire de m'arrêter. Elle a un appareil argenté sur la tête avec une oreillette bleue. Elle ressemble à ces gens dans les publicités qui répondent aux questions des clients sur les assurances. Je ne peux pas m'empêcher de remarquer que l'oreillette est du même bleu que la moquette. Mais je crois que ça n'a rien à voir avec les assurances.

– Puis-je vous aider ? me demande-t-elle.

Elle a l'air joyeux. Oui, c'est ça, joyeux. Le badge sur sa poitrine dit *Meki Sanshu directrice de résidence*. Son sourire dit : « Vous êtes sûrement un voleur ou un meurtrier, n'est-ce pas ? »

– Non, je réponds. Voleur ou meurtrier ? Assurances. Bleu.

Je ne suis pas à Carter. Je ne suis pas à Carter. Pas à Carter.

Meki Sanshu directrice de résidence me regarde, la bouche entrouverte. Comme le chauffeur de taxi, ses yeux vont de ma cicatrice à mon mauvais côté et de nouveau à ma cicatrice. Sa main tremble un peu quand elle la lève vers son oreillette.

– Je suis venu voir Mama Rush, je lance avant que la femme ne parle dans son truc sur la tête.

Elle veut peut-être appeler des gars avec des revolvers.

– Revolvers. Non, attendez. Assurances. Bleu roi.

Je me mords la langue pour me forcer à me taire et je me dis que je devrais avoir une vraie chaussette à me mettre dans la bouche.

Meki Sanshu, directrice de résidence, baisse un peu le bras. Maintenant ses yeux sont rivés sur mon cahier de mémoire.

– Connaissez-vous… euh… le numéro de son appartement ?

– Euh… non.

Je baisse la tête mais je la relève aussitôt. Pragmatique, Hatch.

– Assurances. Je suis venu voir Mama Rush. J'ai besoin de lui parler. S'il vous plaît ?

– Je suis désolée.

Ses doigts se dirigent de nouveau vers son oreillette.

– Sans son numéro d'appartement, vous ne pouvez rendre visite à un résident. Vous devez partir et revenir quand vous le saurez.

– S'il vous plaît ?

Mes joues me brûlent. En partie de colère, en partie de frustration.

– Je dois lui parler pour savoir si elle se souvient de moi, pour savoir si elle est fâchée. C'est le numéro 1 sur ma liste et le numéro 2 est déjà complètement foiré… Oh pardon, j'ai dit un gros mot. Désert. Assurances. Je veux dire : voleur et meurtrier. Il me faut une chaussette.

Les doigts de Meki Sanshu directrice de résidence ne sont plus qu'à quelques millimètres de son oreillette quand une voix rêche lance derrière moi :

– Arrière, Attila-la-Rouge. Ce garçon est mon invité.

La femme aux cheveux noirs fronce les sourcils mais une fois de plus, elle baisse le bras. Sans commentaire, elle s'éloigne, sans doute à la recherche d'un autre meurtrier ou voleur, ou client pour son assurance.

Je me retourne.

Mama Rush est devant moi, assise sur un scooter violet métallisé. Sa main droite est posée sur le guidon et, dans la main gauche, elle a une cigarette à moitié consumée.

– Eh bien, tu t'es enfin décidé à venir jusqu'ici !

Sa voix est rauque comme celle d'une actrice de vieux film, mais ses cheveux gris crépus et sa silhouette de quille de bowling ne font pas trop Hollywood. Elle a de grands yeux noirs, larges, cerclés de lunettes à monture dorée et, quand elle cligne des yeux, je sais que je suis censé lui répondre.

– Oui. Je veux dire non. Je veux dire assurances.

Ma voix tremble et je m'agrippe à mon cahier de mémoire. Les lèvres de Mama Rush sont aussi rouges que la robe de la femme à l'oreillette et quand elle sourit, elle a l'air plus gentil. Mais son sourire disparaît aussi vite qu'il est venu et la vieille générale râleuse sur son scooter violet revient. Je l'adore. C'est bon de retrouver des sentiments familiers au milieu de toute cette étrangeté.

– Suis-moi dehors. Si on doit parler, je veux pouvoir fumer.

Elle se frotte le menton de ses doigts noueux. Elle démarre le scooter. Sa robe verte et dorée bruisse en frottant sur le sol. Le scooter, lui, ne fait presque aucun bruit. Juste le léger crissement des pneus sur la moquette bleu roi. Je la suis aussi vite que je peux. Je reconnais l'odeur de Mama Rush. Pomme et cigarette. Et une épice que je n'arrive pas à nommer. Elle flotte dans l'air, cette odeur. Comme Avant. Quand j'étais petit, je croyais que cette odeur nous accompagnait partout, Todd et moi. Pomme et cigarette. Certaines choses n'ont pas changé. Merci, mon Dieu. Certaines choses sont restées les mêmes.

– Pomme, je murmure alors que la porte s'ouvre devant nous sans qu'on ait eu à appuyer sur un bouton.

Mama Rush est là, sur son scooter violet, et elle me mène jusqu'à un patio où ont été disposées beaucoup de tables et de chaises métalliques. Et aussi des cendriers sur pied.

– Ralentis, la Pomme, me lance Mama Rush pardessus son épaule.

Je vois ses grands yeux dans le rétroviseur de son scooter.

– Si tu continues à sautiller comme ça, tu vas tomber.

J'obéis. Elle a raison. Jersey, le roi de la pomme, risque de tomber sur son derrière de sale monstre. Moins vite. Moins vite. Retrouver l'équilibre. Le sac de cadeaux bringuebale. Doucement. Doucement. Doucement vers la table que Mama Rush a choisie. Elle gare son scooter dans un dérapage contrôlé, l'éteint, descend du siège et me regarde. J'atteins la table.

Je ne peux rien faire d'autre que la regarder moi aussi. Mama Rush. Elle finit quand même par me parler.

– Asseyons-nous, propose-t-elle en désignant les chaises de sa cigarette éteinte.

Je pose mon cahier de mémoire sur la table. Je commence à m'asseoir et je me rappelle que j'ai un sac de cadeaux.

– Tiens.

Je tends mon mauvais bras avec le sac qui pend à mon poignet.

– Je t'ai fabriqué des cadeaux. Je crois qu'il y en a des cassés. Pomme. Je suis tombé dessus et je les ai cognés contre ma jambe et je n'ai pas fait attention et…

– Je sais, Leza m'a raconté.

Mama Rush soupire et glisse sa cigarette sur son oreille. Elle essaie d'enlever le sac dont la poignée est emmêlée autour de mon poignet. Elle a de longs doigts, comme ceux de Leza, et sa peau est toujours d'un ébène parfait, douce et soyeuse, avec juste quelques rides. C'est drôle. J'ai toujours cru que Todd ressemblait plus à Mama Rush que Leza. Mais c'était Avant et maintenant on est Après et beaucoup de choses ont changé.

– Après, je murmure. Assurances, pomme.

Mama Rush a réussi. Elle pose le sac sur la table. Elle ne réagit pas aux drôles de mots que je prononce. Elle ne lève même pas les yeux vers moi pour regarder mes cicatrices, ni rien. Au lieu de ça, elle prend la cigarette sur son oreille, sort un briquet de sa poche et s'adosse contre sa chaise. Sa robe verte et dorée cascade entre les accoudoirs et l'assise.

– Eh bien, on va regarder ensemble ce qu'on peut sauver. Maintenant, mon garçon, assieds-toi comme je te l'ai demandé.

– Cascade, je marmonne en m'asseyant.

5

Mama Rush allume sa cigarette et jette presque le briquet jaune sur la table. Tout ça sans me lâcher des yeux. On dirait qu'elle regarde directement dans mon cerveau pour compter combien de cellules il me reste.

– T'as l'air d'aller mieux que la dernière fois que je t'ai vu.

Elle prend une bouffée de cigarette et pose le doigt sur sa gorge.

– T'avais des tubes un peu partout.

– Oui, m'dame.

Je me tortille sur ma chaise. J'ai posé ma bonne main sur mon cahier. Il est sur la table. Mon nom est écrit sur une étiquette sur la tranche.

– T'es devenu stupide ou il te reste encore un peu d'intelligence ?

Je souris. Mes muscles se détendent, même ceux de mon mauvais côté. Certaines choses n'ont pas changé. Mama Rush n'a pas changé. Elle ne me parle pas comme à un extraterrestre ou à un monstre.

– Monstre, intelligence. Je veux dire : il me reste de l'intelligence. Mes mots se mélangent un peu. Des fois, je reste bloqué comme avec cascade et assurances. C'est plus difficile hors de l'hôpital. Cascade.

Elle acquiesce et tire une nouvelle fois sur sa cigarette. Lentement.

– C'est ce que les dépliants que j'ai pris à ton hôpital expliquaient. Comment tes pensées et certains mots pouvaient revenir sans arrêt dans ta tête, et comment tu peux les répéter tout le temps malgré toi.

Nouvelle bouffée de cigarette.

– J'ai lu des tas d'articles sur les lésions du cerveau. Et Leza m'a raconté par le menu ta confrontation avec Todd.

Nouvelle bouffée.

La fumée plane autour d'elle. Elle ressemble à un djinn vert et doré sur un trône de métal. Un djinn avec de drôles de cheveux blancs crépus et une voix rauque. Ça aurait été cool qu'elle puisse réaliser des vœux, mais de toute façon, elle réalise un peu un de mes vœux en acceptant de me parler.

– Djinn, je dis, et je couvre aussitôt ma bouche de mes deux mains.

– Ça m'est égal, ce que tu dis, du moment que j'arrive à te comprendre quand c'est important. Laisse ta bouche tranquille.

Je repose ma main sur mes genoux. Mama Rush joue avec sa cigarette et me regarde comme tout à l'heure, on dirait qu'elle compte les cellules de mon cerveau.

– Je ne suis venue te rendre qu'une visite parce que c'était trop dur de te voir tout cassé comme tu étais.

C'est à mon tour d'acquiescer. J'aimerais presque avoir une cigarette.

– Et puis, je déteste les hôpitaux. Tu te rappelles ?

J'acquiesce encore. Je n'ai pas oublié.

– Leza dit que tout est ma faute.

– Quoi ? C'est ta faute si tu t'es tiré une balle dans la tête ? Je dirais oui. Ça, c'est sûr que c'est ta faute.

Mama Rush ricane puis prend une bouffée de sa cigarette avant de l'écraser dans le cendrier à côté d'elle.

Moi, je ricane pas. Pendant une seconde ou deux, je n'arrive même plus à respirer. Et c'est pas à cause de la fumée. C'est parce que Mama y croit. Elle croit que j'ai reçu une balle dans la tête. Et elle a l'air sûre que c'est moi qui ai appuyé sur la détente.

Mama Rush croit que je me suis tiré une balle dans la tête.

Si elle, elle le croit, je dois le croire aussi, non ? Mais peut-être qu'elle croit ça seulement parce que tout le monde le lui a dit ? Bon, d'accord, d'accord, je n'ai pas eu d'accident de voiture mais quelqu'un d'autre a pu me tirer dans la tête, non ? J'essaie de reprendre ma respiration et je tousse. Je ne sais pas si je dois lui demander maintenant comment elle a su, mais je me souviens tout à coup que j'étais en train de lui poser une autre question.

– Pas moi et… ça. Je voulais dire : toi. C'est à cause de moi que tu es ici ?

Cette fois, elle hausse les sourcils. Deux sourcils blancs et crépus.

– Je n'y avais pas pensé de cette façon. Quand j'ai pris ma retraite d'assistante sociale, je me suis occupée de Todd et Leza.

Elle sort un paquet de cigarettes d'une poche de sa robe et elle le pose sur la table à côté du briquet. Je ne vois pas la marque mais le paquet est vert. Coordonné à sa robe. Verte. Verte et dorée.

Je suis un peu tendu. J'essaie de me contenir pour que mes nerfs ne fassent pas encore une fois dire n'importe quoi à ma bouche.

– Il n'y a rien de pire qu'une ancienne assistante sociale dans une maison pleine de jeunes, reprend Mama Rush. La colère de Todd m'exaspérait et Leza restait tout le temps à la maison pour s'occuper de moi. Alors après que tu as fait ce que tu as fait, je me suis dit qu'ils avaient besoin d'espace et moi aussi.

Elle sort une cigarette du paquet.

– Et puis, mon petit ami vit ici. C'est plus facile pour se voir, maintenant. Je n'ai plus besoin de conduire.

– Je ne sais pas conduire, je dis pour marquer ma sympathie. J'arrête pas de rater l'épreuve.

– La partie écrite ?

– Non, l'évaluation des médecins. Quatre heures, tout le monde en train de me regarder en prenant des notes.

J'agite ma bonne main.

– Beurk !

– Tu veux dire que pour obtenir ton permis, il faut que tu conduises devant une assemblée de médecins pendant quatre heures d'affilée ?

Elle allume sa cigarette et elle glousse entre deux bouffées.

– C'est terrible. Ils n'ont pas encore osé nous faire ça à nous, les vieux.

– Lésion au cerveau, je dis en tapotant la cicatrice sur ma tempe.

– La preuve de ta stupidité ! C'est ça que je vois.

Mon doigt reste posé sur la cicatrice.

– Preuve de ma stupidité, j'acquiesce. Si je me suis vraiment tiré une balle dans la tête, c'est oui. C'est sûr que c'est une preuve de ma stupidité.

– Enfin, maintenant que tu as récolté une aussi belle preuve, aussi tôt dans ta vie, tu n'auras pas besoin d'en chercher d'autres.

Je tapote de nouveau la cicatrice.

– Une.

Je déplace mon doigt sur la cicatrice en forme de croissant de l'autre côté de ma tête.

– Deux.

Puis sur ma gorge, sur celle de la trachéotomie.

– Trois.

Mama Rush laisse échapper un ricanement rauque.

– Eh bien, avec trois preuves, tu dois être vacciné contre la stupidité pour un sacré bout de temps.

– Vacciné.

Je souris. Et puis je repense à ma moitié de bouche.

Une seconde passe. Mama Rush ressemble plus que jamais à un djinn vert et doré avec des cheveux blancs et crépus.

– Est-ce que tu retourneras au lycée, à la rentrée ?

– Soldats verts. Oui.

Je souris de nouveau.

– J'aime bien ta robe.

Elle baisse la tête et glousse.

– Oui ? Merci. Écoute, à propos du lycée… Est-ce que tes parents t'obligent à retourner au même lycée ou est-ce que tu y vas parce que tu es complètement idiot ?

– Idiot ?

Je voulais dire « quoi » ou « pourquoi ». C'est vraiment plus difficile de penser hors de l'hôpital. Plus difficile de parler. Pression.

– Blanc crépu.

– Tu ne te rends pas compte. Ils ont organisé des réunions à ton sujet. Trois ou quatre, rien que ça. Des médecins se sont déplacés pour parler avec les élèves, pour prévenir une autre tentative de suicide. Deux autres ont essayé après toi. Tu le savais ?

– N… non.

Mes mains tremblent. D'abord la mauvaise et puis l'autre. Je repense à Kerry qui m'a raccroché au nez et moi qui ai raccroché au nez de la mère d'Alan.

Ne me fais pas perdre mon temps.

J'aimerais mieux que tu n'appelles pas ici.

– Je ne suis pas sûre qu'ils t'accueillent à bras ouverts, poursuit Mama Rush.

– Mais il faut que j'y retourne. J'ai demandé à y retourner. Où est-ce que j'irais sinon ? Je peux trouver des réponses là-bas. Des gens qui m'ont connu Avant… Avant que je ressemble à… ça. Je peux le faire. Continue comme ça.

– Oh, je vois, tu veux que je me contente de te dire des banalités.

– Banalités ?

J'ai l'impression d'être un perroquet. La preuve de ma stupidité sur ma tempe droite me lance. J'appuie sur le bourrelet irrégulier en me disant pour la millième fois que c'est dommage que ce ne soit pas une cicatrice magique. Au moins, elle servirait à quelque chose. Mais si déjà elle me guérit de ma stupidité pour un certain temps, c'est pas mal.

Mama ne bouge pas. Elle attend et fume comme un djinn noir qui aurait réponse à tout mais qui ne voudrait pas partager sa sagesse avec moi.

– Fumer n'est pas mauvais pour ta santé. C'est une banalité, ça ?

– Non, mon garçon.

Les yeux de Mama reflètent sa déception.

– Ça, c'est juste un mensonge. Je suis une vieille femme noire, trop grosse et souffrant d'hypertension. Je vais mourir, dans sûrement encore moins longtemps que je ne l'imagine.

Elle tire une bouffée et exhale un léger plumet de fumée. Je le regarde tournoyer vers moi jusqu'à ce qu'un souffle de vent le réduise à néant. Fumée. Plumet. Rien. Je vais mourir dans sûrement moins longtemps que je ne l'imagine. Je voudrais qu'elle arrête de fumer, alors.

– Reprenons, Jersey. Je pourrais te dire que retourner dans ton ancien lycée nécessitera beaucoup de courage, que bien sûr, ça risque d'être difficile pour les autres élèves mais qu'ils finiront par s'y faire. Je pourrais te dire que tu vas mieux qu'avant, que tu es plus fort qu'avant de te tirer une balle dans la tête.

Elle se tait, tourne sa cigarette entre ses doigts et me regarde.

– Ce serait des mensonges, je dis.

Ma cicatrice me fait mal, mais je reste immobile. Fumée.

– Des mensonges, oui. Un certain genre de mensonges. Faits pour t'aider à aller mieux. À la place, je peux te dire des vérités. Mais les vérités font mal. Très mal.

– Ça va. Toi, des vérités. S'il te plaît.

– Tu étais un athlète. Tu t'entraînais tout le temps. Et tu étais un sacré sportif.

Elle parle vite, comme si elle voulait à tout prix finir ce qu'elle a à dire.

– Ton avenir était tracé grâce au sport. Tu pouvais entrer dans une grande université. Comme mon petit-fils. Et, Dieu sait pourquoi, tu es rentré chez toi, tu as mis le revolver de ton père sur ta tête de bois et tu as tiré.

– Comment tu le sais ? Je veux dire : comment tu en es sûre ? Tête de bois. Tiré. Moi, tiré. Comment sais-tu que je me suis tiré une balle dans la tête ?

Je parle trop vite, moi aussi. Comme pour l'imiter. J'allais continuer à parler, à poser la même question parce que je n'arrivais pas à ralentir mais elle m'a fait taire avec un seul regard. Un regard qui aurait arrêté une charge de rhinocéros.

– Pourquoi me poses-tu cette question ?

Ça, elle ne l'a pas dit vite. Elle l'a dit lentement. Elle a pris le temps d'énoncer lentement chaque mot, chaque syllabe. Pourtant, elle n'a presque pas bougé les lèvres. Même avec une lésion au cerveau, je sais qu'il vaut mieux que je la ferme. Enfiler une armure aurait été intelligent aussi, mais je n'en ai pas sous la main.

Mama Rush n'aspire pas une bouffée de cigarette. Elle ne hoche pas non plus la tête.

– Je ne peux pas croire…

Chaussette. Chaussette. Chaussette. Tête de bois, tête de bois. Tiré. Armure. J'ai envie de hurler. Quand Mama reprend la parole, j'ai l'impression d'avoir voyagé jusqu'aux enfers et d'en être revenu.

– Écoute-moi, Jersey. Ouvre grand tes oreilles. Écoute-moi comme tu n'as jamais écouté personne. Si tu veux aller mieux, si tu veux réparer ta vie, tu es le seul à pouvoir y arriver. Tu l'as fait. Tu t'es tiré une balle dans la tête, mon garçon. Regarde-moi dans les yeux et répète-le.

J'ouvre la bouche. Mon cerveau m'ordonne d'obéir immédiatement. Mais je n'y arrive pas. Comment pourrais-je répéter quelque chose que je ne crois pas vraiment ?

Le djinn semble prêt à me couvrir d'insultes.

– Quoi ? Tu es assez lâche pour te tirer une balle dans la tête et trop lâche pour l'assumer ?

– Je ne suis pas lâche !

– T'es incroyable !

Mama Rush fait tomber sa cendre sur le sol à mes pieds.

– T'as de la chance de ne pas être noir. Tu aurais été rejeté par ta famille. Par l'Église. Ceux qui te connaissaient ne t'auraient plus adressé la parole. Les Noirs ne se suicident pas.

Elle aspire une bouffée et rejette la fumée.

– Pat Parker a écrit un poème là-dessus après l'horrible suicide collectif de Jonestown. Les Noirs ne se suicident pas.

La peau de mes bras est plus blanche que blanche. Peut-être que je suis noir en dessous puisque personne sauf Leza et Mama Rush ne veut plus m'adresser la parole. Sans compter mes parents qui me parlent mais qui se sont transformés en extraterrestres.

– Ça arrive, bien sûr, reprend Mama Rush. Mais c'est rare. Et personne n'en parle.

Elle grimace.

– Il faut que tu en parles, que tu en discutes. Avant de te voir, je pensais que je devrais te conseiller de ne pas être aussi sérieux, de ne pas toujours essayer d'être parfait. Maintenant, je me rends compte que je dois te conseiller le contraire. Tu dois être sérieux.

Elle ne me quitte pas des yeux. Elle attend.

Je soupire. Il faut que j'arrache les mots de ma bouche aux forceps. Mais j'y arrive.

– Je me suis tiré une balle dans la tête.

Voilà. Ce n'était pas si difficile. Je ne suis toujours pas sûr d'y croire, mais Mama Rush, elle y croit.

– Bien, c'est un début. Tu étais un athlète et avant que tu deviennes aussi irritable et caractériel, quand tu étais en troisième, tu étais plutôt populaire. Et puis, tu t'es tiré une balle dans la tête. Maintenant…

Elle se tait et attend encore. Elle veut que je lui dise si j'ai changé. Je le sais. Mais je suis en colère et je n'ai pas envie de lui répondre. Pourtant, je n'ai pas le choix.

– Maintenant, j'ai des preuves de ma stupidité. On dirait que quelqu'un m'a tapé sur la tête avec un marteau. Le côté gauche de mon corps ne fonctionne plus.

Je ne vois plus rien de l'œil droit. Je ne peux plus faire de sport.

Mama Rush hoche lentement la tête. À sa manière de tenir sa cigarette, je devine que je suis sur la bonne voie, mais qu'il y a encore du chemin à parcourir.

– Tu oublies une ou deux choses, mon garçon. Il y a plus important que ton apparence…

Ma main gauche se crispe. Mes doigts se replient parce que j'ai arrêté de penser que je devais me détendre.

– Je suis fort pour oublier.

– C'est une manière de fuir.

Elle écrase sa cigarette dans le cendrier.

– Ta mémoire immédiate est plutôt au point. Si tu ralentis et que tu te concentres, tu te débrouilles bien. Et tu m'as dit qu'il te restait de l'intelligence.

Cette fois, ma main droite forme un poing. La colère monte si vite que mes joues s'embrasent, mais je ravale mes méchants commentaires. *J'implose.* C'est ce qu'ils disaient à Carter. Les personnes atteintes de lésions au cerveau ne se mettent pas vraiment en colère. *Elles implosent.*

Je respire doucement. J'arrive à me calmer suffisamment pour réussir à parler :

– Les autres élèves vont être furieux après moi. Ils vont me maltraiter et m'insulter, comme Todd. La plupart ne voudront pas être vus en ma compagnie.

Mama Rush hoche la tête.

– Comme Todd et peut-être Leza aussi. Elle a passé des moments difficiles. Ton geste l'a profondément perturbée. Mais c'est à elle de te le dire. Et tous ces garçons de ton équipe de foot ou de golf, tu as passé beaucoup de temps à les envoyer balader. Tu étais toujours en colère. Quant à ceux qui te parleront, ce sera sans doute pour te poser la question.

Je hoquette.

– Je ne sais pas. En réalité, je ne sais pas.

Mama montre mon cahier.

– Leza m'a raconté que tu gardes tes souvenirs dans ce cahier. Comme certaines personnes ici, au Palais. Elles écrivent des listes pour ne pas oublier.

Elle a lu. Leza a lu des trucs que j'ai écrits dans mon cahier. Mes joues sont de nouveau brûlantes. Cette fois, pas de colère. Je suis gêné. Morve, morve. Implose.

Mais je n'implose pas. Je ne peux pas avec Mama Rush. Je fais glisser le cahier vers elle.

Elle hausse ses sourcils crépus. Elle allume une autre cigarette.

Elle ouvre le cahier et regarde. Elle sort une des pages déchirées de la pochette et l'étale devant elle. Elle pose son paquet de cigarettes dessus pour la maintenir à plat. Puis elle me redonne le cahier.

– Écoute, mon garçon. On va commencer tout de suite. Pendant que je sors mes cadeaux et que je les étale sur la table, tu prends ce crayon attaché à ton cahier et tu prépares une nouvelle liste. Une liste de *Pourquoi*. Tu comprends ?

– Possibilités.

Je m'oblige à respirer lentement. À réfléchir lentement.

– Pas de pragmatique. Pas de banalités. Pas d'assurances ni de djinns.

– C'est ça.

Elle tapote du bout du doigt la feuille qu'elle a étalée sur la table.

– Ça, c'est ta liste de choses à faire. Celle que tu as écrite à l'hôpital. C'est bien, mais tu peux faire mieux. Je vais la garder avec moi pour le moment et on la relira ensemble quand ce sera le moment. Toi, tu me dresses une liste de Pourquoi et tu y travailles.

– Pragmatique.

J'essaie de sourire, mais mes lèvres et ma gorge sont coincées.

– Très bien. Maintenant, au travail. Moi aussi, je m'y mets.

Je commence à travailler. À côté de moi, j'entends le bruit du sac plastique et des poteries. Et Mama Rush qui marmonne toute seule. Je ne lève pas les yeux de mon cahier. Mama Rush pourrait me cogner sur la preuve de ma stupidité.

En mordillant mon crayon et en essayant de ne pas lever la tête, j'écris une nouvelle liste.

1. Secrètement homosexuel.

2. Fait quelque chose de mal et me suis senti coupable.

3. Ma vie était nulle.

4. J'ai entendu des voix qui m'ont ordonné de me suicider.

5. Mes parents sont en fait frère et sœur/des extra-terrestres/des violeurs d'enfants.

Quand j'ai fini, j'ose enfin redresser la tête.

Mama Rush est entre deux cigarettes. La moitié de la table est couverte de morceaux de poterie. Au moins sept ou huit objets que j'avais fabriqués pour elle pendant les récréations. Je reconnais un morceau de cendrier, un pot de fleurs, un tout petit bout d'un drôle de cochon qui était censé servir de tirelire. Je crois que je l'ai fabriqué à mon deuxième ou troisième hôpital.

– Cassé, je dis d'un ton triste et pas si triste en même temps.

Mama Rush m'inflige son regard qui tue.

– Toi le premier, dit-elle.

Je lui passe la liste. Mon cœur bat vraiment très fort. Peut-être qu'elle sait quelque chose que j'ignore. Elle est intelligente et elle me connaît depuis longtemps.

Elle lit. Ses yeux bougent et suivent les lignes. Elle lit ma liste au moins deux fois. Après un instant, elle émet un grognement.

– Tu n'as rien trouvé de mieux ?

Elle froisse la liste et la jette sur la table. La liste atterrit sur ma mauvaise main. Le papier tombe sur mes doigts crispés. La peau noire du front de Mama est encore plus ridée avec ce regard.

Je grimace. Quand j'étais petit, je détestais la voir froncer les sourcils comme ça. En général, ça voulait dire qu'elle allait appeler mes parents ou m'interdire de jouer dans sa cour pendant quelques jours, ou, pire, m'infliger un de ses sermons qui me faisaient regretter qu'elle ne me frappe pas.

– Tu te mets un revolver sur la tempe, tu t'exploses le cerveau et tout ce que tu trouves comme explication, c'est une histoire de parents extraterrestres et incestueux.

Elle grogne encore. Ça fait comme un point d'exclamation.

– Il y a d'autres trucs…

Je me tortille sur ma chaise.

– Homosexuel, coupable, assurances. Tête de bois !

– Si tu es homosexuel, moi je suis un père Noël noir et je vis au pôle Nord. Réfléchis. Quand est-ce que tu as eu envie de pincer les fesses d'un garçon la dernière fois ?

Je hausse les épaules.

– J'ai oublié presque toute une année. Peut-être que des choses ont changé. Tout a changé Après. Peut-être Avant. Non ?

– Rien ne change à ce point.

Mama Rush prend une cigarette et l'allume dans un même geste.

– Tu agissais étrangement, mais pas de cette manière. Tu étais en colère et tu ne supportais personne. Tu ne mangeais presque rien. Tu ne dormais presque pas. Tu semblais toujours fatigué et mal dans ta peau. Tu étais très renfermé. Todd ne m'a pas dit pourquoi il avait arrêté de te fréquenter, mais je sais que tu étais déprimé. J'ai pensé que tu prenais peut-être de la drogue. Tu voulais être le meilleur et certains gamins prennent des trucs pour améliorer leurs performances, pour être plus rapides ou au contraire plus posés…

Je défroisse la liste et je reprends le crayon. Je raye le numéro 1 et je le remplace par *Drogues ?* Mais quel genre de drogue ? Herbe, stéroïdes, héroïne, méthadone ? Je me demande si je dois toutes les écrire sur ma feuille.

– Ça pourrait aussi être une histoire de femme. Du moins, à ton âge, de fille.

Je vais en bas de la liste et j'écris un numéro 6. *Elana Arroyo.*

Mama jette un coup d'œil à ma liste. Elle lit et s'immobilise.

– C'est la fille pour qui Todd et toi vous vous êtes disputés. Ça commence à prendre forme.

– Pourquoi on s'est battus exactement ? Tu le sais ?

– Non. J'aimerais bien, mais Todd ne parlait jamais de filles à la maison. Il faudra que tu lui poses directement la question.

J'allais lui demander comment je pourrais faire, alors qu'il m'a promis de me casser la figure. Mais son attention est de nouveau accaparée par les objets cassés.

– Ces cadeaux… merci d'avoir essayé, Jersey. Reviens samedi. Reviens chaque samedi passer quelques heures avec moi et on verra.

Elle baisse sa cigarette et laisse la fumée nous environner.

– J'imagine que nous découvrirons que certaines choses peuvent être réparées et que d'autres sont trop cassées.

Je pense à Elana, à Todd et à Leza, à Papa et Maman, au lycée et aux réunions, à la femme assurance dans sa robe rouge. Aux preuves de ma stupidité. Trois.

– Assurance bleu, je murmure.

Mama Rush prend une grosse bouffée et acquiesce solennellement.

6

Je fais un rêve… mes deux jambes et mes deux bras fonctionnent… je n'ai pas de cicatrice… je suis assis sur le bord de mon lit, vêtu de mon uniforme d'aspirant, et je tiens un revolver. La poussière de ma chambre danse dans les rayons du soleil et efface les marques de coups de pied dans les murs et dans la porte. Mon tapis avec le ballon de football, celui que Mama Rush m'a donné quand je suis entré dans l'équipe, il y a des années, est bien plié et posé sur ma commode. Comme ça, je ne le salirai pas. Je le regarde une dernière fois avant de retourner à mon occupation. Mes doigts me picotent pendant que je mets le revolver dans ma bouche. Je referme mes lèvres autour du métal froid. Ça a un goût de graisse et de poussière. Je ne peux pas. Pas dans la bouche. Je tremble, mais je mets le revolver sur ma tempe. J'enfonce le canon. Je pense à la drogue et aux filles et au contact du canon sur ma peau, je me sens tellement coupable, ma vie est nulle et il y a beaucoup de poussière dans ma chambre. À des endroits que je n'avais même pas soupçonnés. Je presse la détente, je regarde la pous-

sière et je sens ma main qui tremble et je ne pense à rien et il y a un bruit et du feu et puis la douleur et je tombe, je tombe. Ma tête en mille morceaux se répand sur mon oreiller.

Pourquoi restes-tu dans cette chambre ?

Le murmure de J.A. à mon oreille me réveille. Je faisais un rêve. Toujours le même. Celui où je me tue. J'ai mal à la tête. J'ai envie de vomir et ma mauvaise main est tellement repliée que je dois tirer sur mes doigts pour les allonger. En soupirant, je regarde vers mon placard où j'ai rangé mon appareillage pour mon bras et ma jambe.

Pourquoi restes-tu dans cette chambre ?

Cette fois, le ton de J.A. est presque menaçant. Comme s'il était furieux. Depuis trois jours, depuis que je suis allé voir Mama Rush, il me parle de plus en plus souvent. Il parle presque tout le temps quand je suis dans ma chambre. Il parle, il parle, surtout quand je suis couché et que j'essaie de m'endormir. Surtout quand j'ai mal à la tête.

Je me redresse lentement, je cligne des yeux et je me dis que j'aimerais mieux la pluie plutôt que ce soleil qui m'éblouit. Les rayons du soleil sont comme des pics à glace qu'on m'enfoncerait dans les yeux.

Ou des balles de revolver.

– La ferme, J.A.

Je me bouche une oreille avec ma bonne main, mais ça ne sert à rien. Quand il se remet à parler, c'est à l'intérieur de ma tête.

La balle, elle t'a fait comme une lance, comme si quelqu'un t'avait transpercé avec un…

Je me lève trop vite, je perds l'équilibre, je retombe en arrière, ma tête manque de cogner le mur.

– La ferme !

Cette fois, en plissant les yeux, je distingue une forme brillante dans le soleil. La forme ressemble à la silhouette chatoyante d'un garçon de haute taille. Il a l'air fort et en bonne santé, comme un athlète.

Non. Ce n'est pas possible. Je me suis trompé. Ce ne sont que les rayons du soleil qui éclairent la poussière de ma chambre et laissent dans l'obscurité les endroits où j'ai cogné les murs et la porte…

L'image disparaît.

Je me mords la lèvre, très fort pour avoir moins mal à la tête. Je m'assois sur mon lit et je plie ma mauvaise main. Puis j'étire ma mauvaise jambe, pour être sûr de ne pas retomber.

– Je ne sais pas pourquoi je reste dans cette chambre.

Je suis bien obligé de le reconnaître. Je me lève.

– Peut-être que les réponses sont ici. Du moins, une partie des réponses.

C'est une mauvaise idée. Tu t'es fait mal à toi-même dans cette pièce.

– Non, c'est pas moi. C'est toi !

Peut-être que tu ne te serais pas tiré une balle dans la tête si tu n'avais pas eu cette chambre.

La voix de J.A. est lointaine et hésitante. Elle me parvient comme à travers un tuyau ou une bouche d'aération. Ses mots résonnent et se cognent contre les murs.

– Tuyau.

Je regarde autour de moi, mais je ne vois pas de tuyau. La bouche d'aération de ma chambre est dans le plancher et personne ne parle dedans.

– Bouche d'aération.

Tu aurais dû t'installer dans la chambre d'amis, insiste J.A. *Tout serait plus facile là-bas.*

– Banalités de tuyau d'aération.

C'est dur de l'ignorer, mais je n'ai pas le choix. J.A. est un démon, qui m'aiguillonne sans cesse. Entre lui, mon mal de tête, mon bras et ma main, il me faut une éternité pour m'habiller.

Pourquoi ne déménages-tu pas dans la chambre d'amis ? demande J.A. alors que j'enfile ma chaussette gauche.

– Pour la même raison que je ne veux pas changer de lycée.

J'imagine J.A. sous la forme du garçon chatoyant et sportif, poussière dans le soleil de tout à l'heure.

– Banalités. J'ai besoin de vérités et les choses… les choses n'ont pas forcément à être faciles.

Ça lui cloue le bec assez longtemps pour que je mette ma chaussette droite et que je desserre les Velcro de mes tennis. Sa question suivante est plus calme, moins geignarde.

Pourquoi les choses ne seraient pas faciles ? Tu te sens coupable ?

– Non, oui, enfin, peut-être un peu. Je ne sais pas. Facile.

Je glisse d'abord un pied, puis l'autre, dans mes tennis et je ferme les Velcro.

– Je ne me rappelle rien de ce que j'ai fait. Facile. Je ne devrais pas me sentir coupable puisque je ne me rappelle rien. Je ne suis pas un criminel qui ment pour sortir de prison. Coupable. Facile.

J.A. reste silencieux pendant que je me peigne, que je mets ma chemise dans mon pantalon, que je vérifie que je n'ai pas oublié de mettre du déodorant, que je vérifie trois fois que j'ai l'argent pour aller au Palais en taxi cet après-midi. Mama Rush m'a dit qu'elle m'attendait vers trois heures et j'ai prévu d'arriver un peu avant. J'ai lu et relu le numéro 1 de la liste des Pourquoi. J'ai même demandé à Papa de me donner les résultats de tous les tests que j'ai subis à l'hôpital. Je suis sûr à presque 100 % que je n'ai pas pris de drogues. Du moins pas le jour où je me suis suicidé. Je veux dire où j'ai essayé de me suicider. J'ai encore deux ou trois choses à vérifier et je serai prêt à répondre aux questions de Mama Rush.

– Tuyaux, bouche d'aération, je suis prêt pour les questions.

J'acquiesce devant le miroir et je ne prête aucune attention à la silhouette du garçon chatoyant qui danse devant ma fenêtre. J.A. n'existe pas pour de vrai. Il ne peut pas exister pour de vrai. Il n'est rien d'autre que les tuyaux-bouches d'aération, une obsession dont mon cerveau n'arrive pas à se débarrasser.

J'espère que tu as raison, murmure-t-il alors que je prends mon cahier de mémoire et que je m'apprête à sortir de ma chambre.

Je ne sais pas s'il fait allusion au fait que je suis prêt pour les questions de Mama Rush ou au fait qu'il n'existe pas plus que les tuyaux-bouches d'aération.

Dans la cuisine, je retrouve mes parents en carton, souriants à la table du petit déjeuner.

– Vous n'êtes pas obligés de me préparer le petit déjeuner tous les matins, je dis le plus gentiment possible. Chatoyant. Tuyaux d'aération. Je veux dire, on ne partageait pas souvent nos repas avant, non ?

Papa hausse les épaules. Maman ne répond pas.

Je retiens un soupir et je m'assois. Je pose mon cahier sur la table. La ficelle du crayon est de plus en plus sale. Il va falloir que j'en change, mais je ne suis pas sûr de savoir faire un nœud et je ne veux pas demander à mes parents en carton de m'aider.

– Chatoyant, je marmonne en regardant le bol devant moi.

– Tu sors ça d'où, chatoyant ? demande Maman sans lever la tête.

Je suis tellement surpris de l'entendre parler que je lâche la cuiller que je viens de prendre. Elle rebondit sur le bol avant de tomber par terre.

– Dang. Désolé. Je vais la ramasser.

– Non ! crient mes parents tous les deux en même temps, mais je me penche pour prendre la cuiller.

– Wouah !

J'ai la tête qui tourne. La pièce tangue. En haut en bas, en haut en bas. Mon corps penche, lourdement. En bas. Mon bon côté s'écrase sur le sol. Ma joue s'aplatit sur le lino froid. Bang, aïe, mes genoux, mes dents.

Mes oreilles sonnent, mais ça s'arrête très vite. Impeccable. Je n'ai même pas renversé la chaise.

– Oh, mon Dieu.

Papa se jette à genoux pour m'aider.

J'essaie de le repousser.

– Ça va. Je sais comment…

Papa me redresse comme si j'avais six ou sept ans. Et il me serre contre lui en me berçant. Puis il me rassoit sur ma chaise et même me tend ma cuiller. Je me demande s'il va me coller un biberon dans la bouche, mais il ne le fait pas, Dieu merci.

Pendant un instant, nous sommes tous assis, Papa et Maman, les yeux rivés sur la table, et moi en train de calculer mentalement le nombre de nouveaux bleus récoltés. Cuiller. J'ai déjà beaucoup de bleus. Et je voulais essayer de voir Leza pour lui poser des questions avant d'aller voir Mama Rush. La dernière fois, j'avais de la morve sur le visage, et cette fois, j'aurai des bleus. Leza va vraiment penser que je suis un sale monstre.

Je me rappelle soudain que Maman m'a posé une question, mais je n'arrive pas à me la rappeler. Je lui demande et elle se contente de secouer la tête.

Je compte jusqu'à dix, je prends mon crayon et je le fais rouler sur la couverture de mon cahier.

– Est-ce que je me droguais ?

Mes parents me regardent, statufiés au beau milieu d'une bouchée du petit déjeuner super-nutritif de Papa. Il a ajouté au porridge une tartine de pain complet, couverte de confiture sans sucre qui ressemble à de la colle mélangée à du Fanta raisin.

C'est Maman qui se déstatufie la première.

– Pardon ?

Papa ne mâche plus son porridge et sa colle au Fanta, mais il ne semble pas capable de parler.

– Herbe, meth, acides, alcool, stéroïdes, crack…

– Je sais ce que c'est de la drogue, Jersey, me coupe Maman d'une voix claire et précise de banquière. Et bien sûr que non. Pourquoi poses-tu cette question ?

Je tapote mon crayon sur la table et je hausse les épaules.

– J'ai juste besoin de savoir si je prenais de la drogue. Si c'est le cas, vous pouvez me le dire. J'ai lu tous les rapports de tous les hôpitaux et je n'ai pas trouvé de Fanta, je veux dire de tests positifs. Colle.

Papa repose sa cuiller pleine.

– C'est pour ça que tu voulais lire tous ces papiers ? Je croyais que tu essayais de… Bien sûr que non, tu ne te droguais pas. Tu étais un bon élève et un excellent sportif. Tu étais un garçon sage.

Je vois Mama Rush le djinn atterrir juste derrière Papa, de la colle dans la main gauche, du Fanta dans la droite. *Tu étais un garçon sage*, me murmure-t-elle. *Étais* comme dans *n'es pas*…

Maman me regarde, les sourcils froncés.

J'ai envie de dire au djinn de la fermer et de dégager, que je n'ai pas besoin d'un gros malin de djinn dans la cuisine, alors que j'ai déjà un fantôme meurtrier dans ma chambre, mais je n'ouvre pas la bouche. Pragmatique, Hatch. Colle au Fanta. Maman me regarde, les sourcils froncés. Papa ne mange toujours pas.

D'accord, peut-être que je n'étais pas un monstre, du moins pas le genre de monstre qui se drogue. Mais je ne peux quand même pas rayer cette possibilité de la liste juste parce que mes parents le disent et que les tests le disent aussi. Il faut que j'en parle à quelqu'un d'autre. Sinon Mama Rush ne sera pas satisfaite. Moi non plus. Fanta. C'est pour ça qu'il faut que je parle à Leza. Elle était en primaire à ce moment-là, mais elle est maligne et elle sait plein de trucs. Déjà avant, elle savait toujours plein de trucs.

Évidemment, on est samedi, comme la semaine dernière, ce qui veut dire que Todd sera probablement là et que probablement, il m'écrabouillera le crâne. Pour le moment, mon crâne va à peu près bien, contrairement à ce qu'il y a dedans. Je cligne des yeux, très vite, et je continue jusqu'à ce que le djinn derrière Papa disparaisse.

Feignant un courage que je ne ressens pas vraiment, j'avale une grande bouchée de tartine de colle au Fanta. C'est encore plus dégoûtant que ça en a l'air. On dirait que Papa a ajouté du papier mâché à sa mixture. Berk. C'est la première fois que je suis content de ne plus sentir autant le goût des choses.

– Les médecins t'ont prévenu que tu aurais besoin de te concentrer plus quand tu serais sorti de l'hôpital, dit Maman.

Sa voix tremble un peu.

– J'aimerais que tu parviennes à te concentrer sur une conversation normale sans nous sortir des questions complètement extravagantes !

Elle n'a toujours pas recommencé à manger. Papa oui. Il enfourne son porridge. Tout à coup, il s'arrête et dit :

– Sonya. Tu sais qu'il ne peut pas s'en empêcher. C'est pire quand il est fatigué ou nerveux. Il a besoin d'un temps d'adaptation. Tu te souviens ?

Maman se raidit, mais elle ne baisse pas les armes.

– Il n'allait pas aussi mal à Carter, même quand il était nerveux. Je pense qu'il peut s'empêcher de poser des questions idiotes.

– Cellules du cerveau, je dis et je pose ma cuiller en faisant attention de ne pas la faire tomber. Questions idiotes ? Quelles questions idiotes ?

– À propos de drogue ou d'Elana Arroyo.

Maman me regarde un peu comme Mama Rush. On dirait qu'elle compte les cellules de mon cerveau.

– Et cette façon que tu as de parler tout seul… c'est vrai ou est-ce que… tu te moques de nous ?

– Sonya !

Papa pose sa main sur la main de Maman.

– Tous les médecins nous ont dit…

Il essaie de l'obliger à le regarder mais elle résiste.

– Nous devons appeler l'hôpital, dit-elle. Voir s'ils peuvent lui obtenir plus rapidement un rendez-vous avec ce spécialiste. Et aussi s'ils peuvent accélérer le mouvement pour les sessions de conseil. Jersey a besoin d'aide.

– Aide. Carter. Moquer. Cellules du cerveau.

Je fais de gros efforts pour essayer de comprendre ce qu'elle dit. Mais tout ce que j'arrive à faire, c'est répéter certains mots.

– Arroyo. Parler. Spécialiste.

– Arrête ça !

Maman retire sa main de sous la main de Papa et se lève si vite qu'elle bouscule la table. Mon porridge éclabousse ma tartine de colle au Fanta.

– Concentre-toi et arrête ça !

Arrête. Arrête. Arrête quoi ?

Ou alors, elle parle à Papa et lui demande de lâcher sa main. En dehors de l'hôpital, c'est plus difficile. Plus difficile de réfléchir sous pression. Beaucoup de pression.

– Je suis désolé, je dis, juste au cas où.

Pragmatique.

Mais pas comme il faut.

Maman se transforme de nouveau en statue de glace aux lèvres qui bougent. Je me suis gouré. Papa s'est gouré avec ses tartines. Avec son porridge aussi.

– Statue de glace gouré.

Je n'arrive pas à garder la bouche assez fermée pour m'empêcher de parler. Il me faut une chaussette. Il me faut vraiment une chaussette.

– Allons discuter tous les deux, dit Papa en se levant.

Il passe son bras autour des épaules de Maman. Elle le repousse puis s'éloigne en marmonnant quelque chose à propos de banque ou d'hôpital, je ne sais pas trop.

Papa me lance un drôle de regard.

– C'est… ah… tu sais… c'est une femme. Tu comprends ?

– Euh… oui.

J'acquiesce, mais en vrai, je ne comprends pas. Je ne comprends rien du tout. Quelque chose ne va pas avec Maman. Du moins, je crois que quelque chose ne va pas, mais je ne sais pas quoi et je ne sais pas non plus quoi faire.

Quelque chose ne va pas avec Papa non plus. Il a l'air déchiré comme s'il voulait en même temps rester avec moi et courir après Maman.

– J'ai une liste, je dis tout à coup.

Ma langue est pâteuse et collante. À cause de la colle au Fanta.

– Faut que j'y aille, tu devrais aller t'occuper de la glace. Je veux dire de Maman. J'ai vraiment besoin d'une chaussette.

– D'accord, Jersey.

Papa s'éloigne. Il n'arrive pas à sourire pour de vrai. Il quitte la cuisine en disant :

– Ne t'approche pas de chez les Rush. Ils… ils ne sont pas très à l'aise avec… avec ce qui s'est passé. D'accord ?

Pas d'accord. Je serre les dents.

Moi non plus, je ne suis pas très à l'aise. J'ai besoin d'obtenir des réponses. Avant que J.A. trouve le moyen de vraiment s'installer dans ma tête et de me tuer à nouveau. Avant que je reproche à ma mère d'être trop bizarre. Avant que Mama Rush n'appuie sur ma cicatrice-preuve de ma stupidité parce que je ne travaille pas assez vite sur la liste.

Parce que.

Un peu essoufflé, je me lève. Je prends mon bol de porridge et je le remplis d'eau du robinet. Puis je retourne à la table, je prends le bol de Maman et je fais la même chose. Et en dernier le bol de Papa. Le porridge va se transformer en véritable colle si je ne fais pas tremper les bols. Ça, je l'ai appris à Carter.

– Porridge, colle au Fanta.

Les tartines, je les jette. C'est le mieux.

Quelque part dans la maison, j'entends des bribes de la dispute de mes parents.

– Exprès… il ne pense jamais à ce que les autres peuvent ressentir… il ne pense qu'à lui…

Ça c'est Maman.

– Carter… lésion du cerveau… tolérer… soutien…

Ça c'est Papa.

Maman : « Il n'y a aucune amélioration. »

Papa : « Ne réagis pas comme… »

Je passe l'éponge sur la table. C'est un peu long parce que je ne peux pas essuyer d'une main et récupérer les miettes de l'autre. Je finis par utiliser le pan de ma chemise pour tout rattraper, comme je faisais à l'hôpital.

Papa : « Faut de nouvelles choses… »

Maman : « Va te faire voir ! »

Ou peut-être « Je vais au travail ». Je ne sais pas trop.

Après avoir jeté les miettes, il faut que j'enlève les taches de gras sur ma chemise avec de l'eau chaude. Ça va. Ça part bien. Mes parents finissent par se taire. Je ne comprends pas où est le problème. Mais de toute façon, c'est le genre de truc que je ne comprends jamais.

C'est une manière de fuir, répète la voix de Mama Rush dans ma tête. *Tu m'as dit qu'il te restait de l'intelligence.*

– Pardon, pardon, colle, je murmure en chantonnant pour ne pas l'entendre. Pardon, colle, pardon, colle, pardon, pardon, colle.

Le plus silencieusement possible, je prends mon cahier de mémoire et je file droit là où Papa m'a interdit de me rendre.

7

– Je ne sais pas trop si j'ai envie de savoir pourquoi tu es tout mouillé, me dit Leza en s'appuyant contre l'encadrement de la porte.

Elle porte un survêtement comme la dernière fois. Un qui a l'air tout doux. Vert et doré, aux couleurs du lycée.

Je baisse les yeux vers ma chemise et mon jean. Il y a une tache d'eau qui s'étale sur mon estomac et le devant de mon pantalon. Comme si j'avais pissé en oubliant d'ouvrir ma braguette. Génial. Je cache la tache du mieux que je peux avec mon cahier.

– Pisser. Je veux dire : pipi. Non, non, non, attends. Je sais. J'ai fait la vaisselle. Miettes et colle. Et… tout ça.

Elle est tellement jolie. Je n'arriverai jamais à penser tranquillement avec Leza. Et encore moins à parler tranquillement. En dehors de l'hôpital, c'est plus difficile de parler. Plus difficile de penser. De toute façon, je n'aurais sans doute jamais pu parler tranquillement avec Leza même si je n'avais pas eu un trou dans la tête. Mais elle a l'air de s'en fiche. Si je mets de côté son physique à couper le souffle, je trouve qu'elle ressemble à Mama Rush. Elle n'est pas du genre à faire un flan de rien du tout.

– Todd est au lac, m'informe-t-elle. Et mes parents sont à l'université. Ils participent à une action de charité. Je reviens juste d'aller courir.

– Est-ce que tu vas devenir assistante sociale ? je débite, parce que je suis encore en train de penser à Mama Rush.

Leza fait une grimace puis éclate de rire.

– Tu es vraiment bizarre, tu sais. Mais bizarre chouette. Bizarre amusant. Que veux-tu, Jersey ?

– Drogues, je réponds, tout content du compliment qu'elle vient de m'adresser.

Je plaque aussitôt ma main sur ma bouche. C'est sûr. Il faut absolument que j'aie toujours une chaussette avec moi. Je ne vais plus jamais oser ouvrir la bouche. Qui sait ce qui risque d'en sortir ?

Heureusement, Leza ne me claque pas la porte au nez. Au lieu de ça, elle ferme les yeux et secoue la tête.

– C'est pour la liste que tu as faite avec Mama Rush, c'est ça ?

Quand elle rouvre les yeux, j'acquiesce.

– Je sais que tu dois la lui rapporter cet après-midi. Si on allait jusque chez toi ? On pourrait s'installer dans ta cour. J'ai encore un peu de temps devant moi et je peux peut-être te donner un coup de main.

– Oui. Je veux dire : merci. C'est génial.

Cette exclamation me rapporte un sourire et un bras pour m'aider à descendre, ciel-enfer, les marches du porche et à franchir le portillon de la cour de chez moi sans tomber sur ma tête déjà très abîmée. J'ai coincé mon cahier de mémoire sous mon mauvais bras et le crayon, au bout de la ficelle, rebondit sur ma chemise mouillée. Ça me gêne. Leza n'a l'air gênée par rien.

Peut-être qu'avec elle, je n'aurais pas autant besoin d'une chaussette.

Nous nous asseyons à la table de pin juste devant le patio. À travers la porte vitrée, on voit tout le salon. Si je tourne un peu la tête, j'aperçois également la fenêtre de ma chambre, mais je ne le fais pas parce que j'ai peur de voir J.A. en train de nous observer, Leza et moi. S'il continue à traîner dans les parages, je devrai avoir recours à un exorciste. Mais je ne veux pas penser aux fantômes et aux exorcistes maintenant. Alors que Leza est assise avec moi à la table de pin, verte et dorée, et si jolie et prête à m'aider et… tout ça.

– Je n'ai pas besoin de chaussette, je dis.

Ma mauvaise main se tord. Je grimace.

– Bon, maintenant, explique-moi cette histoire de chaussette.

Elle se penche sur la table et attrape mon cahier sous mon bras. Gracieusement, elle feuillette les dernières pages et le repose sur la table de façon à ce que la liste soit face à moi. Elle pose le crayon à côté de la liste.

Bizarrement, la gentillesse de Leza ajoutée à la douleur dans ma main me donne envie de pleurer. Non, non! Je ne veux pas pleurer. Pleurer, c'est pour les filles et les bébés, et je suis un garçon en compagnie d'une jolie fille par une journée ensoleillée. Pas de pleurs. Pas de larme. Rien de tout ça.

– Ça va ?

Leza me prend la main.

– Si tu ne veux pas m'expliquer pour la chaussette, tu n'es pas obligé.

– Non, je… la chaussette.

Une larme roule sur ma joue et j'essaie de l'essuyer très vite avant que Leza la voie. Elle ne dit rien, alors je peux espérer qu'elle n'a rien remarqué. Mais je suis quand même inquiet. Et si elle avait vu ?

– Une seconde.

Je compte jusqu'à dix, j'utilise ma bonne main pour détordre mes doigts crispés, j'observe la table et les branches du chêne qui se balancent au-dessus de Leza et une fourmi qui monte lentement sur l'écorce. Respire. Respire. Les larmes restent dans ma tête. Quand je suis sûr que je ne vais pas dire un truc complètement bizarroïde, je me lance.

– Les idioties que je dis sans arrêt… Si j'avais une chaussette, je me l'enfoncerais dans la bouche.

Leza pose ses coudes sur la table et appuie son menton sur ses poings.

– Tu veux dire… tu mettrais une chaussette dans ta bouche devant tout le monde ?

Mes joues me chauffent un peu.

– Oui, c'est ça.

– Ça peut marcher.

Elle hausse une épaule.

– Mais tu risquerais d'avoir des morceaux de laine dans la bouche.

– Marcher laine.

Je pose ma main sur mon cahier de mémoire.

– C'est mieux que certaines choses que je sors des fois. Voleurs et meurtriers et assurances et tout ça. Ah oui, et sable et morve aussi.

Je ferme les yeux, prends une inspiration et compte jusqu'à cinq.

– Tu as déjà lu tout ça, non ?

C'est au tour de Leza d'avoir l'air un peu gênée. Ça se voit à ses yeux. Tout à coup, on dirait les yeux d'un bébé chien et plus ceux d'une fille.

– Un petit peu. Je suis désolée. Quand je l'ai ramassé…

– Non, non, pas désolée.

Je pousse le cahier vers elle.

– Je veux dire ne sois pas désolée. Ça va. Tu sais déjà que je suis idiot.

Leza prend le cahier mais elle me jette un regard assassin en plissant les yeux exactement comme Mama Rush juste avant qu'elle utilise sa langue comme un fouet. Par réflexe, je me recule.

– Tu as raison de te méfier ! grogne Leza. Je n'ai pas l'intention de perdre mon temps avec toi si tu continues de te dévaloriser tout le temps. Te considérer comme un gros nul te transforme en…

– Gros nul.

Les mots sont sortis tout seuls de ma bouche. Mama Rush nous a répété ça au moins un millier de fois. *Te considérer comme un gros nul te transforme en gros nul. Si tu ne penses pas de bien de toi, personne d'autre ne le fera.*

Leza a toujours le même regard.

– D'accord, je me hâte d'ajouter.

« D'accord » est le seul mot qu'un Rush en colère est capable d'entendre. Ah non, il y a aussi « oui » et « désolé ». Ça, je ne l'ai pas oublié. Je n'ai pas du tout envie de finir cette conversation avec un œil au beurre noir.

– Je veux bien être gentille avec toi, je veux bien t'aider et être ton amie, mais je ne veux pas que tu penses que j'ai pitié de toi ou je ne sais quoi, Jersey.

Leza parle vite. Sa voix monte et descend comme celle d'un prêcheur en train de lire la Bible.

– Sinon, ça ne marchera jamais entre nous, tu as compris ?

– Compris ? Je veux dire : oui.

Ne pas sourire. Sinon elle va te frapper avec ton cahier. Tu sais qu'elle en est capable. Je pose ma main sur ma bouche en essayant de faire comme si de rien n'était. Sous ma paume, mes lèvres s'agitent, je ne peux rien faire pour les en empêcher. Leza a dit qu'elle voulait bien être mon amie. Todd est parti parce qu'il me déteste et tout change, mais Leza a changé, elle est plus grande et plus jolie et gentille et elle va être mon amie.

Quelque chose se détend en moi et, avant que je m'en rende compte, les larmes reviennent.

– Peut-être que tu as besoin d'une chaussette, dit Leza en tapotant la couverture blanche de mon cahier de mémoire. Surtout si tu dois couler du nez et mettre de la morve partout.

Son visage se durcit. Elle réfléchit très fort.

– Jersey… dis-moi… comment va ta mère ?

Je hausse les épaules, essayant de ravaler mes larmes.

– Bien, je crois. Chaussette. Elle ne parle pas beaucoup.

– Alors, ça va.

Leza laisse échapper un soupir.

– Je me demandais. J'espérais qu'elle allait bien.

Elle ouvre mon cahier.

– Bon, voyons voir cette liste.

Je m'essuie les yeux et je me gratte mes trois cicatrices pendant qu'elle lit dans sa tête. Puis elle lit à voix haute.

1. Drogues ?

2. Fait quelque chose de mal et me suis senti coupable.

3. Ma vie était nulle.

4. J'ai entendu des voix qui m'ont ordonné de me suicider.

5. Mes parents sont en fait frère et sœur/des extra-terrestres/des violeurs d'enfants.

6. Elana Arroyo.

– Le premier, sur les drogues. Je crois que tu peux l'éliminer.

Leza prend le crayon et raye mon numéro 1. Mais je trouve que c'est trop facile.

– Tu es sûre ? Je veux dire : il y a l'herbe, la méthadone et d'autres trucs. Peut-être que j'en prenais.

Je tripote mes doigts recroquevillés en essayant de ne pas penser que le soleil commence à me faire mal à la tête.

– On ne peut être sûrs de rien, puisque tu ne te rappelles pas, mais franchement, je ne crois pas que tu avais ce problème. Tu avais été recruté à la formation d'aspirant de la marine et tu faisais partie de deux équipes de sport. Tes entraîneurs faisaient tous des contrôles-surprises.

Leza gribouille quelques notes au bas de la page face à la liste.

– Et puis, Todd n'a jamais parlé de ça et je n'ai entendu aucune rumeur de ce genre. Crois-moi, je suis au courant de toutes les rumeurs.

– Mes parents disent comme toi pour la drogue mais je me suis dit qu'ils n'étaient peut-être pas au courant. Rumeurs crayons. Contrôles-surprises. Je n'avais pas pensé aux contrôles-surprises.

Éliminer le numéro 1 me semblait OK maintenant. Pas d'herbe, pas de méthadone. Enfin, peut-être un peu, qui sait ? Mais ce n'était pas ça le problème. Ce n'était pas à cause des drogues que j'avais appuyé sur la détente. Je souris à Leza mais pas longtemps parce que mes mains me font mal et ma tête aussi.

Elle ne me sourit pas. Elle regarde la liste, très concentrée.

– La plupart du temps, les parents ne sont au courant de rien. Parce que personne ne les informe et ils ne savent pas voir. Enfin, je crois.

– Les tiens aussi ?

C'est comme si quelqu'un m'enfonçait lentement un tournevis dans le crâne juste au-dessus de l'œil droit. Et il y a aussi un étau qui m'enserre les mains, de plus en plus fort.

– Mes parents travaillent beaucoup, mais ma mère est comme Mama Rush. Elle pose tout le temps des questions, elle essaie toujours d'être impliquée.

– Ma mère va à la banque.

Leza est toute bizarre à nouveau, on la croirait presque sur le point de pleurer.

– Oui, elle va beaucoup à la banque, maintenant, dit-elle.

Elle n'y allait pas si souvent avant. Enfin, je ne crois pas. C'est Papa qui travaillait tout le temps. Maintenant, il prépare du porridge et des tartines de colle au jus de raisin.

– Ta mère… ta mère est sans doute encore bouleversée par… tu sais… par ce qui s'est passé. Par ce qu'elle a vu.

Leza pose ses yeux sur le crayon.

– Tout ce sang et… et toi…

Je lâche ma main tordue et je commence à me masser les tempes. Le mal de tête sépare mon cerveau en deux. D'un côté, les mots de Leza, de l'autre, les images. Du sang, beaucoup de sang, des bassines de sang, des piscines de sang, comme de la peinture rouge qui coule sur la table, sur la terrasse, dans le jardin.

– Mais je n'étais pas mort, j'arrive tout juste à articuler en essayant d'effacer de ma tête la peinture-sang. Je suis vivant et je suis allé dans plein d'hôpitaux et j'ai été soigné et j'ai vu des psys et tout ça.

– Tu crois que ça suffit à tout effacer? me demande Leza comme si elle se posait vraiment la question.

Ce n'est pas comme Mama Rush. Quand Mama Rush pose une question, c'est qu'elle connaît la réponse.

– Je… je… ne sais pas. Je croyais que oui. Je croyais que ça aurait dû suffire. Peinture-sang.

J'arrête de me masser la tempe et je me mets la main sur la bouche pour m'empêcher de parler.

Leza regarde toujours le crayon.

– Tu as parlé de tout ça avec elle ?

La question est simple mais je me raidis encore plus. On a essayé d'en parler avec Maman et les psys, plein de fois. Ça se terminait toujours avec moi, furieux et bouleversé parce qu'elle m'accusait de tout un tas de choses dont je ne me souvenais même pas. Peinture-sang. Au début, elle pleurait. Après, elle a commencé à se mettre en colère. Quand je suis arrivé à Carter, elle a arrêté d'en parler. Elle ne disait plus rien là-dessus. Sur la balle que je me suis tirée dans la tête. On a juste laissé tomber puisque de toute façon, je ne pouvais pas me rappeler pourquoi j'avais fait ça.

– Tout ce sang…

Je répète les mots que Leza a prononcés il y a une minute. Je cligne des yeux pour que le sang disparaisse. Il s'efface un peu mais ma tête me fait de plus en plus mal.

– Peinture-sang.

Leza toussote.

– Si on parlait d'autre chose ?

Sa voix est bizarre et, quand je la regarde, je vois qu'elle a des larmes qui essaient de sortir.

– Ça t'a fait quoi ? Je veux dire : tu as trouvé ça dégueu ou débile ou c'était juste « Tiens, je connaissais le type qui s'est tiré une balle dans la tête » ?

– Pourquoi tu me demandes ça ?

Leza se redresse et, de nouveau, elle ressemble à Mama Rush sur le point de se battre.

– Qu'est-ce que tu crois ? Tu crois que… Eh bien, oui ! Oui, ça m'a fait quelque chose ! J'ai complètement perdu les pédales pendant un temps. Je n'ai pas été la seule. Il y en a eu d'autres ici. Elle, par exemple.

Elle pose le doigt sur le numéro 6 de la liste. Elana Arroyo.

– Le numéro que vous demandez n'est plus en service… je marmonne.

– Tu as essayé de l'appeler ?

Leza ouvre la bouche, puis la referme. Elle a l'air moitié choquée, moitié furieuse.

– Elle a déménagé il y a six mois. Pour prendre un nouveau départ. Si tu veux en savoir plus sur elle, tu devras demander à Todd. Et si j'étais toi, je ne m'y risquerais pas. En tout cas, pas tout de suite.

Elle tourne la tête vers les fenêtres de ma maison. Elle est nerveuse. Prête à décamper. Mille questions s'entrechoquent dans ma tête. Leza peut se lever et partir à tout moment maintenant et je n'aurai peut-être plus l'occasion de lui parler. Elle pourrait me fermer la porte au nez. Elle a sûrement décidé de le faire de toute façon. Elle est prête à partir. Si je pleure, j'aurai de la morve sur le visage et, la prochaine fois, c'est sûr, elle me fermera la porte au nez. Et je ne veux pas, non pas du tout, qu'elle me ferme la porte au nez.

– Ne ferme pas la porte, s'il te plaît.

Je lui tends ma bonne main et elle me laisse lui toucher le poignet. Sa peau est si douce que ma langue se tord dans ma bouche.

– Peu importe.

Elle prend une grande inspiration puis expire doucement.

– Je sais que tu ne fais pas exprès d'être complètement à côté de la plaque. C'est vrai ?

– C'est vrai, je répète.

Normalement, je peux répéter les derniers mots des autres sans dire de bêtise.

– Pas à côté de la plaque, pas de porte.

Leza hoche la tête en retirant son poignet de l'étreinte de mes doigts tordus.

– Tu sais, je crois que tu peux aussi barrer le 4 et le 5 de ta liste. Ça m'étonnerait que tu entendes des voix…

Je secoue la tête et je la regarde tracer un trait sur le numéro 4.

– Et si tes parents sont des extraterrestres, les miens viennent de la même planète. L'histoire de frère et sœur est complètement idiote et ma famille connaît la tienne depuis que tu as cinq ans.

Leza parle très vite, comme moi parfois, quand j'essaie de penser à autre chose qu'aux larmes qui coulent dans ma tête.

– Je peux te promettre que si tes parents abusaient de toi, Mama Rush les aurait tués et brûlés dans le jardin. Tu crois vraiment qu'elle laisserait un enfant dans ce genre de situation ?

– Non.

Elle n'a même pas respiré une seule fois. Enfin je crois. Je lui poserais la question si je n'avais pas peur de sortir des bêtises. La peinture-sang a presque disparu, mais ma tête et mes mains me font toujours très mal.

Leza tapote le crayon sur le cahier.

– Il nous reste : tu as fait un truc horrible, ta vie était nulle et ton ex-petite amie.

Je ne sais pas quoi ajouter. Je me contente de « oui ». Je commence à avoir du mal à comprendre ce qu'elle dit.

– Bon.

Leza se lève.

– On avance. Maintenant, tu peux apporter ça à Mama Rush et travailler là-dessus avec elle. Moi, je dois aller faire des courses.

Elle s'en va si vite que j'ai à peine le temps de crier :

– Merci !

Elle a déjà disparu.

8

Trois heures et tout va bien.

J'ai toujours eu envie de crier un truc bizarroïde comme ça. Mais je sais que je ne dois pas crier. Crier, c'est mal. On me jetterait probablement à la porte. Et puis, je suis assis avec Mama Rush dans le patio du Palais et si je crie, Mama Rush risque de me donner un coup de cendrier.

Ne pas crier.

Mais Mama Rush a réparé un de mes cadeaux. Le cendrier, évidemment. Comme ça, elle n'a plus besoin des cendriers à pied, sauf pour me frapper avec si je crie. Elle a posé le cendrier réparé sur la table entre nous et fait tomber ses cendres dedans en lisant mes notes et la liste. Elle secoue sa cigarette toutes les deux secondes, la lumière de l'après-midi éclaire le filet de colle qui tient les deux parties du cendrier.

Ne pas crier « colle ».

J'aime bien la regarder faire tomber ses cendres dans le cendrier. J'ai modelé cette terre et j'ai imprimé mes empreintes sur le fond et les bords. Je l'ai même peinte en vert pour que ce soit plus gai que la terre brune. C'était sans doute une erreur. Les cendres brûlent la peinture et forment des petites taches noires sur le vert. Ça ne sent pas très bon. Et les taches noires font ressembler le cendrier à une carapace de tortue.

Ne pas crier « tortue ».

Pas de doute, c'est un cendrier fabriqué par un type atteint de lésions au cerveau. C'est un cendrier atteint de lésions au cerveau.

Ne pas crier, ne pas crier, ne pas crier.

– Ton écriture est devenue vraiment vilaine, grommelle Mama Rush en remontant la manche de son T-shirt violet extralarge.

Violet comme son scooter.

– La prochaine fois, prends ton temps pour écrire.

– Cendrier lésions au cerveau, je crie.

Je pose ma main sur ma bouche, je prends une inspiration et je dis d'une voix plus calme :

– Tortue. Carapace de tortue.

Mama Rush grogne et lève les yeux du cahier.

– J'arrête pas de te le dire, relax, Jersey. Au moins avec moi. Arrête d'essayer d'être parfait. Si tu as besoin de dire des bêtises, alors vas-y. Ou bien compte jusqu'à dix ou récite-toi l'alphabet.

Je compte jusqu'à dix pendant qu'elle lit. Quand je l'ai fait trois fois de suite, j'entame l'alphabet. J'ai trop envie de crier mais je me retiens.

La porte à double battant s'ouvre sur un grand gars. Il a un scooter gris orné de flammes orange. Ses jambes recouvrent une partie des flammes, et on dirait que ses mollets sont en feu. Son scooter pète quand il ralentit.

Ne pas crier péter. C'est plus difficile en dehors de l'hôpital. Un, deux, trois, quatre, cinq… tout sauf « péter », sept, huit, neuf, dix, A, B, C, D, E, les « tortues lésions au cerveau » sont mieux que les « péter ».

Je tripote le crayon attaché à mon cahier de mémoire que Mama Rush continue à lire. Elle me tape sur la main jusqu'à ce que je lâche le crayon, sans faire tomber sa cigarette.

– Reste tranquille. Encore une petite minute.

X, Y, Z. Un, deux, trois, ne pas crier péter. Quatre, cinq, six. Pas péter. Pas de tortues lésions au cerveau. Pas crier. Sept, huit, neuf, dix.

Le type sur son scooter gris avec les flammes tourne autour des tables. Sans arrêt. Il ne semble pas aller quelque part. Il n'a pas de cigarettes dans la poche de sa chemise. Pas fumer. Juste tourner. Il tourne de plus en plus vite et de plus en plus près des tables. Je le fixe. Le gris de son scooter brille dans le soleil. Je n'ai plus mal à la tête, mais mes cicatrices me lancent. C'est à cause du gris argent qui brille. Ma mauvaise main se tord.

– C'est Gros Larry, dit Mama Rush sans lever la tête en tournant une page du cahier.

Plic, plic, plic, fait sa cigarette contre le cendrier tortue réparé avec sa ligne de colle.

– Ne fais pas attention à lui. Il a eu une attaque et depuis, il ne peut plus parler.

Gros Larry. Énorme Larry. Bloqueur dans l'équipe de foot. Ne pas crier Larry. Larry ressemble à Frankenstein avec son regard vide et sa mâchoire qui pend. Son bras droit est en écharpe contre sa poitrine. Ses gros doigts tordus pointent en dehors de l'écharpe. Le côté droit de sa bouche tombe, comme son œil droit.

Gros Larry, le bloqueur Frankenstein sur son scooter gris argent, ne peut pas parler. Il ne sait plus parler. Il a perdu toute sa force du côté droit comme j'ai perdu la force de mon côté gauche. Mais il peut conduire son scooter. Il passe devant nous assez vite. À chaque fois, il se rapproche.

– Peut pas parler.

Je le regarde tourner.

– Un, deux, trois, quatre. Larry Frankenstein bloqueur. Peut pas parler. Cinq, six, sept. Il ne va pas très bien. Huit, neuf, dix. Frankenstein cinglé. Ne pas dire « cinglé ».

Mama Rush me jette un coup d'œil.

– Il ne peut pas parler mais il entend très bien. Arrête de l'embêter, sinon il va te rouler sur les doigts de pied.

Elle reprend sa lecture.

Je ferme la bouche. Je remue mes doigts de pied dans mes tennis et je range mes pieds sous la table. Quand est-ce que je vais me décider à prendre cette fichue chaussette ? C'est une bonne idée, même si Leza pense que j'aurais des morceaux de laine dans la bouche.

Gros Larry fonce vers nous. Il ne semble pas vouloir freiner. Est-ce que son scooter a des freins ? Oui, sûrement, sinon les gens se feraient mal aux bras, aux jambes ou à la tête en se cognant pour s'arrêter. Ils ressembleraient tous à des tortues atteintes de lésions au cerveau. Et Mama Rush aurait fait exprès de foncer dans certaines personnes et elle aurait été arrêtée par la police. Les freins de Gros Larry sont peut-être cassés.

– A, B, C, D, E, F, G…

– Une toute petite minute.

Mama Rush tapote le bout de ses doigts sur le cahier. Le crayon accroché à la ficelle suit le rythme.

– J'essaie de réfléchir.

Tranquille, tranquille, tranquille, ne crie pas, reste tranquille. A, B, C, un, deux, trois. Tranquille. Pourquoi est-ce que Gros Larry et son scooter d'argent n'inquiètent pas Mama Rush ? Peut-être qu'elle ne le voit pas. Gros Larry ne peut pas parler, et si Mama Rush avait perdu ses yeux ? Tranquille.

– Est-ce que tu as eu une attaque ? je lâche.

Elle ne lève même pas les yeux vers moi.

Pas parler. Pas voir. Pas pragmatique. J'ai des preuves de ma stupidité sur la tête. J'ai peur que Gros Larry trouve le moyen de rouler sur mes orteils et y laisse des preuves de ma stupidité. Et s'il se cogne dans Mama Rush et qu'il la blesse ?

Mon estomac se tord.

Je ne supporterais pas de la voir blessée. Elle est si vieille, elle se casserait comme le cendrier. On ne pourrait pas la réparer avec de la colle. Tortues atteintes de lésions au cerveau. Si Gros Larry blesse Mama Rush, il faudra que je le frappe. Au moins, il n'a qu'un seul bon côté, comme moi. Ça me laisse une chance.

– Tu as barré la drogue, finit par dire Mama Rush.

J'essaie de faire taire le refrain sur Gros Larry la tortue dans ma tête pour pouvoir la regarder. Derrière nous,

Gros Larry cogne dans une chaise. La chaise tombe. Il n'est plus qu'à quelques tables de nous. À son prochain tour, il sera obligé de nous cogner.

– Frankenstein conduit mal, je marmonne. Tortues.

Puis j'ajoute :

– On a barré la drogue. Nous deux, Leza et moi. Leza m'a aidé. Les notes. Elle a parlé des contrôles. Elle avait raison pour les contrôles. Et aussi, elle a parlé des rumeurs qu'elle n'a pas entendues.

Mama Rush hoche la tête.

– J'ai lu ces notes plusieurs fois et je suis d'accord avec elle. Je suis contente aussi, même si d'un certain côté, c'est dommage. La drogue aurait été une réponse facile. Mais j'ai l'impression que rien ne va être facile dans cette histoire. Cette liste est peut-être trop simple d'ailleurs. Mais bon, c'est un début.

Elle pousse le cahier vers moi.

– Ton hypothèse sur les voix dans ta tête ou toutes ces bêtises sur tes parents étaient ridicules depuis le début.

Gros Larry tourne un peu plus loin maintenant. Le cliquetis du briquet de Mama Rush m'apprend qu'elle s'en fiche autant que quand il était près.

– Deux, trois, six, je dis en lisant les chiffres sur la liste. B, C, F.

~~*1. Drogues ?*~~

2. Fait quelque chose de mal et me suis senti coupable.

3. Ma vie était nulle.

~~*4. J'ai entendu des voix qui m'ont ordonné de me suicider.*~~

~~*5. Mes parents sont en fait frère et sœur/des extra-terrestres/des violeurs d'enfants.*~~

6. Elana Arroyo. Demander à Todd.

– B, C, F. Hmmm.

Mama Rush tape trois fois sa cigarette sur le bord du cendrier.

– Deux, trois, six. Tu as réfléchi à ça avant de le dire ?

Je hausse les épaules et je ferme le cahier.

– Il me reste de l'intelligence.

Et je ris.

Mama Rush tire sur sa cigarette. Gros Larry se rapproche. Il n'est qu'à quelques centimètres du scooter de Mama Rush. Il est tout rouge maintenant et on dirait qu'il va se mettre à pleurer. Je me trémousse sur ma chaise. Mon cerveau se remplit de mots que j'ai envie de lui crier. J'ai de nouveau mal à la tête, peut-être parce que je crispe ma main et que je serre les dents.

Frankenstein, va-t'en !

Tu me déranges !

Ne fais pas mal à Mama Rush !

La voix dans ma tête ressemble à celle de J.A. et aussi à la mienne.

– Nous allons devoir essayer de savoir si tu étais heureux ou pas, dit Mama Rush.

Elle semble perdue dans ses pensées. Son ton tranquille calme le tonnerre qui roule dans mes oreilles.

– Qu'est-ce qui, selon toi, aurait pu rendre ta vie « nulle » ?

Éloigne-toi !

Frankenstein, idiot – et d'abord, qui te laisse conduire ?

Les tortues atteintes de lésions au cerveau ne devraient pas avoir le droit de conduire !

Rentre dans ta carapace !

Mes yeux ne quittent pas Gros Larry et son scooter argenté et ses épaules qui tremblent. Je ne vois qu'un côté de son visage.

– Hé, mon garçon, tu es censé réfléchir à ce qui aurait pu rendre ta vie nulle.

Je sursaute. Ah oui. C'est à mon tour de parler.

Mama Rush tapote sa cigarette contre la tortue.

– Numéro 3. Ou C, si tu veux. « Ma vie était nulle. »

Le grondement dans ma tête se calme un peu. Je réussis à regarder Mama Rush. Elle est environnée d'un nuage de fumée. Le soleil se reflète sur ses lunettes et éclaire son T-shirt violet.

– Ma vie était nulle, je répète, en espérant de toutes mes forces que Gros Larry s'arrête là, maintenant tout de suite.

Il fonce vers Mama Rush, elle ne le regarde même pas.

Ma langue se mélange avec mes dents. Je ne peux pas crier.

Mama Rush ne regarde toujours pas vers Gros Larry, mais elle dirige sa main vers lui et l'agite. La main qui tient la cigarette.

Gros Larry grogne. Le scooter argenté ralentit tout à coup. Il s'arrête juste devant la main de Mama Rush. Ma mâchoire pend comme la sienne maintenant. Je suis assis comme un stupide Frankenstein et les épaules de

Gros Larry se mettent à trembler encore plus fort et il sanglote. Son visage est si rouge qu'il est presque violet comme le T-shirt de Mama Rush.

– Une minute, me dit Mama Rush.

Elle pose sa cigarette dans le cendrier tortue et se tourne vers l'homme qui pleure.

– Qu'est-ce qui t'arrive ? Est-ce qu'Attila-la-Rouge a encore été méchante avec toi ?

Le visage de Gros Larry est tout gonflé.

Va-t-il se mettre à crier ? Oui, sûrement. Et alors, moi aussi, je vais crier.

Il ouvre grand la bouche et émet un petit bruit. C'est un mot. Une moitié de mot. La moitié d'un gros mot.

Mama Rush descend de son scooter, fait deux pas un peu raides vers lui et entoure de ses deux bras violets son visage violet aussi.

Gros Larry lève la main vers l'épaule de Mama Rush. Ses sanglots sont plus forts puis s'apaisent. Au bout d'un moment, ses épaules tremblent encore mais il ne fait plus aucun bruit. Le regarder pleurer, ça me donne l'impression d'avoir la gorge enserrée dans un étau brûlant.

Combien de temps ça va durer ?

Mon mal de tête me fait grimacer.

Va-t'en, Frankenstein !

Rentre dans ta carapace !

Je tape le crayon sur la table et après sur le cendrier tortue. Je mélange les cendres avec le crayon.

Si je ne rentre pas avant Papa qui est sorti pour sa petite balade du samedi, il va s'inquiéter. Je pense que Maman sait où je suis puisqu'elle a laissé juste l'argent qu'il me fallait pour le taxi. Je l'ai trouvé sur ma commode quand je suis rentré dans la maison après avoir réfléchi avec Leza. C'est peut-être Papa qui l'a laissé mais Papa m'a dit de ne pas m'approcher de chez les Rush. Il ne parlait pas de Mama Rush. Je ne crois pas. Maintenant, elle vit au Palais avec la moquette bleu roi, pas chez les Rush. Et puis, je m'approcherais de Mama Rush de toute façon, même s'il me l'interdisait.

Ma tête me fait mal. Va-t'en. Va-t'en. Rentre dans ta carapace. Va-t'en, va-t'en, va-t'en. Le crayon rebondit sur mon cahier. Il fait beaucoup de bruit. Mais au bout de quelques secondes, je me rends compte que c'est moi qui fais rebondir le crayon sur le cahier et qui provoque tout ce bruit. J'arrête.

Est-ce qu'ils vont arrêter de se faire des câlins ?

Les garçons et les filles qui sortent ensemble se font des câlins tout le temps et… Oh, zut ! Est-ce que Gros Larry est le petit ami dont Mama Rush m'a parlé ? Je ne lui ai pas demandé son nom, sans doute parce que je ne voulais pas que ma tête de tortue atteinte de lésions au cerveau soit encore plus pleine. Non, non, je ne veux pas que Frankenstein soit le petit ami de Mama Rush.

– Ça y est ? demande Mama Rush.

Je sursaute parce que je viens de comprendre qu'elle ne s'adresse pas à moi. Pour toute réponse, Gros Larry renifle et s'écarte un peu d'elle. Il s'essuie les yeux avec une des manches de Mama Rush. Elle n'a même pas l'air dégoûté. Moi oui.

Silencieusement, Gros Larry recule son scooter, fait le tour de Mama Rush et sort du patio. La porte automatique à double battant s'ouvre puis se referme derrière lui. Mama Rush remonte sur son scooter et prend une cigarette.

Je tire à nouveau sur la ficelle de mon crayon et elle me donne une tape sur la main. Son briquet cogne mes jointures.

– Aïe !

Je lâche le crayon et je retire ma main. Mon mouvement brusque aggrave la douleur dans ma tête.

– Tu es très malpoli, tu sais ?

Mama Rush me regarde en levant son briquet vers sa cigarette. Elle fait tourner la molette jusqu'à ce que la flamme sorte.

Est-ce qu'elle va me jeter le briquet au visage ? J'ai intérêt à rester sur mes gardes.

– Ne le jette pas. Je veux dire : désolé.

– Tu n'es pas désolé.

Elle désigne la porte du patio du bout de sa cigarette allumée.

– Cet homme ne peut pas parler. Il peut penser, il a toute sa tête. Il sait ce qu'il veut dire mais il ne parvient pas à prononcer un mot. Sauf des mots pour lesquels sa mère lui retournerait une gifle bien sentie. Est-ce que tu as la moindre idée de ce qu'il ressent ?

J'ouvre la bouche comme un idiot. Puis je serre les lèvres.

– Bien sûr que non, tu n'en as pas la moindre idée. En tout cas, tu n'en avais pas la moindre idée avant d'être dans le même état.

Elle montre mes cicatrices.

– Des gamins pourris et égoïstes. Toi, Todd ou Leza. Aucun d'entre vous n'a jamais eu à affronter une vraie difficulté jusqu'à ce que tu appuies sur la détente.

Je grince des dents. Ma cicatrice me fait mal. On m'enfonce des couteaux dans la tête. Je veux prendre le crayon. Je le veux si fort que ma bonne main tremble.

Égoïste. Pense-t-elle que je me suis tiré une balle dans la tête parce que j'étais égoïste ?

Mama Rush se penche vers moi, suivie par son nuage de fumée. Elle ressemble toujours à un djinn, mais un djinn en colère vêtu d'un T-shirt violet, prêt à me transformer en tortue atteinte de lésions au cerveau et à m'envoyer au beau milieu du Sahara sans une réserve d'eau.

– Ta vie n'était pas nulle, mais tu t'es persuadé qu'elle l'était.

Elle est très fâchée et elle regarde sans cesse la porte du patio comme si Gros Larry allait réapparaître.

– Tu as tout fait pour être débordé et paniqué et après tu en as voulu à tout le monde de l'être.

Je compte jusqu'à dix et me récite l'alphabet. Je ferme les paupières pour ne plus voir ce crayon que je veux attraper. Quand j'ai enfin trouvé le courage, je les rouvre. Les éclairs autour de la tête de Mama Rush ne sont plus que des étincelles. Elle ne me jette pas le cendrier. Elle se calme.

Elle se réinstalle sur son scooter. Ses lèvres bougent. J'ai comme l'impression qu'elle compte jusqu'à dix et se récite l'alphabet. Comme l'impression qu'elle a envie de crier.

– Désolé, je murmure entre mes dents toujours serrées.

Je ne sais pas vraiment de quoi je suis désolé sauf que je ne veux pas qu'elle soit en colère. Et je ne veux pas qu'elle me trouve égoïste.

Je ne suis pas égoïste. Les gens égoïstes sont mesquins. Les gens égoïstes ne pensent jamais à ce que les autres ressentent.

Tu es tellement égocentrique que tu penses sûrement que je suis en colère contre toi.

Je secoue la tête. Non. Mais cette voix. J'ai entendu cette voix crier. Qu'est-ce que… une voix de fille ? Ce n'était pas celle de Maman, ni celle de Mama Rush. On aurait dit Leza.

– Égoïste, je répète à voix haute.

Je frotte la preuve de ma stupidité sur ma tempe.

– Égocentrique.

Mama Rush respire doucement, puis se concentre sur sa cigarette pendant une minute. Peut-être plus. Je réussis à ne pas répéter égoïste et égocentrique, à ne pas réciter l'alphabet, à ne pas compter.

Quand Mama Rush reprend la parole, sa voix est de nouveau normale. J'arrête de croire qu'elle va me lancer des objets.

– Ce que je t'ai dit était… dur, commence-t-elle.

Elle s'agite sur son scooter, puis désigne la porte du patio du menton.

– Mais tu dois savoir, pour le cas où ça se reproduit. Un homme ne peut pas supporter si longtemps son propre silence. La frustration de Gros Larry est tellement forte qu'il finit par craquer. Un peu d'écoute, un peu de tendresse le remet d'aplomb et lui permet de reprendre le fil de sa vie.

Je comprends. Égoïste. Égocentrique. Je comprends. Gros Larry encaisse et finit par s'effondrer. Je vois Maman dans ma tête. Je l'imagine en train de péter un câble à la banque. Je la vois en train de déchirer des liasses de billets, de crier et de jeter des stylos-billes aux clients et aux employés. Peut-être qu'une femme non plus ne peut pas supporter si longtemps son propre silence.

Pourquoi est-ce que je pense à Maman ?

Il faut que j'arrête. Si je me mets à sourire à la pensée de Maman en pleine crise à la banque, Mama Rush risque de prendre des mesures contre moi. Égoïste, égoïste, égoïste. Je me répète le mot pour éloigner un peu mon mal de tête.

– Il t'a perturbé, hein, Jersey ?

Je ne veux pas répondre, mais ça sort tout seul. Je regarde la porte du patio en espérant que Gros Larry ne va pas arriver.

– Oui.

– Il t'a fait peur ?

– Un peu.

– Parce que tu ne le comprends pas.

– Oui, sans doute.

Je hausse les épaules machinalement et Mama Rush me jette un regard noir. Il me faut absolument une chaussette *et* des poids sur mes épaules pour m'empêcher de les hausser si je veux survivre à mes rencontres avec Mama Rush au Palais. Au moins, elle ne se jette pas sur moi pour me tordre les bras.

– La peur est naturelle quand on ne comprend pas quelque chose.

Elle tapote sa cigarette contre le bord du cendrier.

– Et le silence de Gros Larry perturbe les gens encore plus que tes blablas absurdes.

Ses mots résonnent dans ma tête.

Gros Larry.

Moi.

Lui silencieux, moi toujours en train de parler.

Deux tortues atteintes de lésions au cerveau qui rendent les gens nerveux.

Mon estomac est tout bizarre, à l'envers on dirait.

Est-ce que les gens me voient vraiment comme ils voient Gros Larry, comme un Frankenstein plein de cicatrices et… et… ?

Je me mords la lèvre, je regarde le cendrier, la ligne de colle et les taches noires sur la peinture verte.

– Réfléchis à ce « ma vie était nulle ». Tu voulais toujours faire mieux que tout le monde, tu n'arrêtais jamais. Cherche dans cette direction.

Mama Rush me sourit à travers son voile de djinn. Son visage devient flou, c'est parce que je me retiens de pleurer. Elle continue de sourire et je me demande si elle est de nouveau en train de compter jusqu'à dix. Ou vingt. Ou trente.

En me levant, je cogne le cendrier sur pied. Frankenstein. Mais elle ne dit rien, elle me passe la main dans le dos quand je l'embrasse sur la joue.

9

Pendant un long, long moment, jusqu'à ce que mon mal de tête arrête de me donner envie de hurler, je fais les cent pas devant le Palais. Puis je m'assois sur un banc et je serre mon cahier contre moi et je pense. J'ai croisé Gros Larry et j'ai réussi à lui sourire même si en fait j'avais envie de vomir. Il n'a pas remarqué. Je me suis demandé s'il avait lui aussi besoin d'un cahier de mémoire, mais je n'ai pas voulu lui demander.

Quand j'appelle le taxi, il fait presque nuit. Je ne le fais que parce que Meki Sanshu directrice de résidence et Attila-la-Rouge me prête son téléphone.

Je la dérange. Exactement comme Gros Larry me dérange. Je le comprends maintenant. Mais je n'aime pas ça.

Le chauffeur de taxi me jette un drôle de regard quand je monte. Je le dérange aussi.

Gros Larry et moi, on dérange sans doute presque tout le monde.

Pendant le trajet, j'entends dans ma tête des bribes de ma conversation avec Mama Rush. Et je me rappelle cette drôle de voix qui criait sur moi. Une voix de fille, j'en suis presque sûr.

Tu es tellement égocentrique que tu penses sûrement que je suis en colère contre toi.

Ça ne s'arrête pas même quand j'écris la phrase dans mon cahier. Je l'écris cinq fois. Et après je remplis toute une page. Si j'étais égocentrique avant de me tirer une balle dans la tête, les gens devaient être furieux après moi et ils ont pu crier exactement comme ça.

D'après Mama Rush, je voulais toujours faire mieux que les autres et j'en faisais beaucoup trop. Ma vie était peut-être nulle parce que j'étais égoïste et que personne ne m'aimait. Todd ne me parlait plus. Il n'était peut-être pas le seul. Peut-être que j'étais vraiment égoïste et que je voulais toujours faire mieux que les autres. Peut-être que c'est pour ça que Maman n'a plus l'air de beaucoup m'aimer non plus. Peut-être que je l'ai blessée en étant égoïste. Et à la façon qu'elle a de me regarder maintenant…

Ma gorge se serre, ma tête me fait mal.

Et à la façon que Maman a de me regarder maintenant, j'ai l'impression d'être Gros Larry.

Frankenstein.

Frankenstein sale monstre.

Je referme mon cahier pour essayer de forcer les mots à rester dedans.

Quand je sors du taxi, je tends le reste de mon argent au chauffeur. Et j'essaie de ne pas voir s'il est en train de me dévisager. S'il est en train de penser que je suis Gros

Larry. Si je lui donne trop d'argent. Je ne veux pas être égoïste.

Et chaussette ou pas, je vais essayer de suivre les conseils des médecins : je vais faire des efforts et me concentrer… et la fermer.

Je remonte l'allée jusque chez moi, je vacille devant la porte, je frotte mes cicatrices, je suis plus déterminé que jamais. Quoi qu'il arrive, je vais la fermer. Concentre-toi. Concentre-toi.

La porte d'entrée se cogne contre le mur quand je l'ouvre. Je fronce les sourcils. Égoïste. Je ne me suis pas concentré suffisamment. Je l'ai poussée trop fort. J'aurais dû penser au bruit. Si Papa et Maman sont à la maison en train de lire ou de parler, ce bruit risque de les effrayer.

– Jersey.

Maman sort de la cuisine en courant.

Elle vient vers moi et me serre contre elle de toutes ses forces. Puis elle me repousse et me secoue. Ça me fait mal à la tête. Je laisse tomber mon cahier et, sous la douleur, je ferme les yeux.

– Où étais-tu ?

Maman me secoue encore.

– Il fait nuit ! Tu devrais être à la maison depuis une heure.

Papa arrive derrière elle et ils me regardent tous les deux. Les yeux de Maman sont rouges et gonflés. Le visage de Papa est immobile et beaucoup trop calme.

Je me rends compte que j'ouvre et ferme la bouche. Rien ne sort. Ciment. J'ai deux fois plus mal à la tête. Ma vue se trouble. J'arrive à peine à garder les yeux ouverts. Je veux m'excuser pour ne pas avoir fait assez d'efforts depuis que je suis sorti de Carter. Je veux m'excuser pour le bruit que j'ai fait avec la porte. C'était égoïste. Rester dehors tard pour réfléchir était égoïste aussi, mais je ne sais pas comment le dire. Que pourrais-je dire qui ne soit pas complètement idiot ? Que pourrais-je dire qui ne soit pas de trop ?

Égoïste, égoïste, égoïste.

– Jersey !

Maman serre mes épaules.

– Est-ce que tu vas me répondre ?

Je suis désolé, désolé, désolé. Mes mains se crispent. Mes cicatrices me lancent. Idiot, égoïste, égoïste, égoïste.

Maman me lâche.

J'essaie de parler alors qu'elle recule. Comme j'ai reculé devant Gros Larry.

– Sonya.

L'avertissement dans la voix de Papa fait son chemin à travers mon mal de tête, mais ne brise pas le ciment.

– Quoi ! J'essaie juste d'être utile !

La voix aiguë de Maman enfonce des clous dans mon crâne.

– Qu'est-ce que je suis censée faire ?

– Laisse-lui un peu d'espace. Laisse-le reprendre ses esprits.

Soudain, j'ai froid comme si un vent glacé traversait la pièce.

Quand j'arrive enfin à retrouver une vue à peu près claire, Maman est partie. Elle est partie avec le vent glacé.

Avant de dire quelque chose d'idiot ou d'égoïste, je ramasse mon cahier et je me dirige vers l'escalier. Vent glacé. Je frissonne. Mes pieds sont lourds. Je monte les marches. Ciel, enfer, ciel, enfer. Un, deux, trois, arrête tes blablas absurdes. *Tu es tellement égocentrique que tu penses sûrement que je suis en colère contre toi.*

Vent glacé. Le palier est interminable mais j'arrive quand même à ma chambre. J'entre.

Ah, te voilà !

La voix de J.A. me frappe comme une gifle en plein visage. Un nouveau vent glacé.

Je fronce les sourcils et je me bouche les oreilles. Mais ça ne sert à rien. Il parle encore plus fort.

Égoïste, égoïste, égoïste. Tu as l'air tout bizarre, Frankenstein. Pourquoi est-ce que tu ne téléphonerais pas à quelqu'un pour lui raconter à quel point tu te sens bizarre ? Oh, attends.

Il rit. Son rire, on dirait de l'acide. *Tu ne peux appeler personne ? Tu n'as personne à appeler.*

Je ferme la porte. Je réussis à ne pas la claquer.

Je ne peux appeler personne. Même pas le spécialiste. Pas avant six mois, le rendez-vous.

Mon matelas s'affaisse sous mon poids. Il n'y a qu'une personne que je peux appeler : Leza. Mais elle est très occupée et je ne veux pas la déranger. Sinon, elle risque de ne plus jamais vouloir me parler. Mama Rush est sans doute couchée. Et aucun de mes anciens amis n'est venu me voir à l'hôpital. Aucun de mes anciens amis ne veut plus me parler. Mes amis de Carter sont occupés avec l'emploi du temps de Carter. Peut-être que je n'ai plus d'anciens amis. Peut-être qu'ils m'avaient tous laissé tomber avant le Big Bang, comme Todd. Peut-être que je n'ai plus d'amis du tout, même à Carter.

Parce que tu étais égoïste, égoïste. Égoïste Avant. Égoïste Après.

Si je pouvais trouver J.A. dans mon cerveau et l'étrangler, je le ferais. Je l'étoufferais et je le secouerais aussi fort que Maman a envie de me secouer. Qu'est-ce qui ne va pas avec moi ? Je n'arrive pas à la fermer quand il le faut et je n'arrive pas à parler quand c'est nécessaire. Je ne suis qu'une tortue atteinte de lésions au cerveau. Je ne suis qu'un cendrier cassé avec des cicatrices de colle et des taches de brûlé. Et ma tête me fait très, très, très mal.

Je pose mon cahier à côté de moi et j'enfouis mon visage dans mes mains.

Tu es tellement égocentrique que tu penses sûrement que je suis en colère contre toi.

Quelqu'un me touche, me câline, me serre contre lui, me demande si je vais bien.

Je redresse la tête.

Papa.

Dans ma chambre.

Il me caresse les cheveux. Sa main tremble.

– … Je ne veux pas que tu te mettes la pression, je ne veux pas que tu te sentes mal.

Il allume la lampe de chevet. Je pousse un petit cri. La lumière me fait mal aux yeux.

– Je suis désolé. Tu as mal à la tête ? Tu veux que j'aille te chercher de l'aspirine ?

Avant que j'aie le temps de répondre, il est déjà parti.

Le temps est comme arrêté. Au moins, J.A. s'est tu. Il en assez dit, de toute façon.

Quand Papa revient avec l'aspirine, l'eau et son air inquiet, je lui demande de prendre mon appareillage dans mon placard. Il m'aide à l'enfiler. Il a toujours l'air nerveux et anxieux. J'essaie de replier mes doigts autour du plastique rigide. Mon poignet est mal mis, tout raide. Mon pauvre cerveau repense à Gros Larry qui tourne et tourne dans le patio.

Il t'a perturbé, hein, Jersey ?

Je n'étais pas vraiment perturbé. Mama Rush avait raison. J'avais peur. Peur de ce qu'il pouvait faire, comme Papa a peur que je me sente mal.

Frankenstein, sale monstre.

– Tu... tu crois...

Ma voix s'éraille.

– Chut.

Papa s'assoit près de moi et garde son bras autour de mes épaules. Je bois une gorgée dans le verre qu'il m'a apporté. Il me tend les cachets d'aspirine. Je les prends. Une nouvelle gorgée et ma gorge se desserre un peu.

– Tu crois que je suis Gros Larry, je dis.

Papa me regarde.

Je soupire.

– Non, attends. Pas Gros Larry. Frankenstein. Pas Frankenstein. Mais tu crois que...

– Ça va, Jersey. Tu n'es pas obligé de parler.

Papa me serre un peu contre lui.

– Je veux juste m'assurer que tu vas bien.

– Tu crois… tu veux t'assurer que je ne vais pas craquer comme Gros Larry. Je veux dire : que je ne vais pas craquer.

J'ai envie de dire craquer une nouvelle fois. Partir en vrille et faire un truc idiot, ou devenir violet et éclater en sanglots. Ou pire.

L'expression stupéfaite de Papa, ses yeux qui clignent à toute vitesse me disent que j'ai raison.

Il pense que si je suis trop perturbé, je vais craquer. Il n'a pas peur que je roule trop vite avec mon scooter ou que je me mette à chialer, il a peur que je me tire une balle dans la tête, comme la dernière fois.

J'ai besoin de lui dire que je le comprends. Ou de lui demander si je ne me trompe pas. Ou si je suis égoïste. Mais tout ce que j'arrive à faire, c'est finir mon verre et le reposer et dire :

– Je ne le ferai pas.

Je le dis encore et encore et encore.

Papa me serre plus fort contre lui et cligne à nouveau des yeux.

Maman ne vient jamais dans ma chambre.

10

Je fais un rêve… mes deux jambes et mes deux bras fonctionnent… je n'ai pas de cicatrice… je suis assis sur le bord de mon lit, vêtu de mon uniforme d'aspirant, et je tiens un revolver. La poussière de ma chambre danse dans les rayons du soleil et efface les marques de coups de pied dans les murs et dans la porte. Mon tapis avec le ballon de football, celui que Mama Rush m'a donné quand je suis entré dans l'équipe, il y a des années, est bien plié et posé sur ma commode. Comme ça, je ne le salirai pas. Je le regarde une dernière fois avant de retourner à mon occupation. Mes doigts me picotent pendant que je mets le revolver dans ma bouche. Je referme mes lèvres autour du métal froid. Ça a un goût de graisse et de poussière. Je ne peux pas. Pas dans la bouche. Je tremble, mais je mets le revolver sur ma tempe. J'enfonce le canon. Je pense à mon égoïsme, aux autres qui ne me supportent plus, qui sont en colère après moi. Je pense que je n'ai pas d'amis. J'ai honte. Je me déteste. Je déteste ma chambre et toute la poussière qui danse à des endroits que je n'avais pas soupçonnés. Je presse la détente, je regarde la poussière et je sens ma main qui tremble et il y a un bruit et du feu et puis la douleur et je tombe, je tombe. Ma tête en mille morceaux se répand sur mon oreiller.

Tu ne devrais pas retourner au lycée.

J.A. n'a pas arrêté de parler depuis que je me suis réveillé, il y a deux heures. De toute façon, plus je me tais, plus il parle. *Tu parles de plus en plus mal. De plus en plus. Tu ne peux pas y retourner. Soit tu vas sortir des conneries quand tu devras te taire, soit tu vas te transformer en statue quand il faudra parler.*

Je n'ai pas le temps de me battre contre lui. Alors je l'ignore.

J'ai mal à la cheville et au poignet. Ils sont raides d'être restés dans l'appareillage toute la nuit. Pour la première fois depuis que je suis rentré à la maison. Mes cheveux sont encore humides de la douche, mon jean est trop lourd et trop serré. Porter un jean, c'est bien ? Je suis resté dans un centre neuropsychiatrique pendant un an et le seul endroit où je suis allé depuis ma sortie, c'est le Palais. Je ne suis pas tout à fait sûr de ce que je dois porter. Un T-shirt vert uni et un jean, ça me semble neutre. Mais le bouton et la fermeture Éclair du jean, c'est pas facile. Pragmatique. Même les tortues atteintes de lésions au cerveau savent qu'on ne peut pas aller au lycée habillé comme un simple d'esprit.

Dans le temps, les simples d'esprit arrachaient les têtes de poulets vivants avec leurs dents pendant les carnavals.

J'ai lu ça un jour dans le dictionnaire. Têtes de poulets. C'est écœurant.

– Têtes de poulets.

Oh, génial. Te voilà avec une nouvelle connerie à sortir. Pourquoi est-ce que tu es si sûr que c'est une bonne idée de retourner au lycée ?

– Réponses.

Je me bagarre avec ma chaussette gauche. C'est pas facile de l'enfiler à mon mauvais pied. Ma cheville ne se plie pas. Et enfiler une chaussette avec une seule main, c'est super dur. Je suis bien content de ne pas être une fille, je n'arriverais jamais à attacher mon soutien-gorge.

– Soutien-gorge, je marmonne. Tête de poulet. Hors de l'hôpital, c'est plus difficile, mais je peux le faire. Obtenir des réponses. Soutien-gorge.

Tu vois. Tu fais ça tout le temps. J.A. est énervé. *Fais ton entrée dans le hall principal et crie : « Soutien-gorge ! Tête de poulet ! » Tout va très bien se passer !*

– Je ne crierai pas « soutien-gorge » ou « tête de poulet » ou « simple d'esprit ».

J'ai fini avec ma chaussette et je commence avec la chaussure. Je me demande pourquoi je prends la peine de rassurer le fantôme qui a essayé de me tuer.

– Va te faire voir, j'ajoute pour que tout soit clair entre nous. Soutien-gorge. Chaussette. Faire voir.

Il faut que j'arrête de l'écouter, mais c'est difficile. Il parle si fort que je n'arrive pas à l'ignorer.

Reste à la maison. Même Mama Rush pense que tu ne devrais pas remettre les pieds là-bas.

– J'y vais.

J'ai mes deux chaussures. Papa me les lacera. Je ne veux pas prendre celles avec les Velcro pour le lycée. Cicatrices ou pas, je sais que les Velcro, c'est carrément pas à la mode.

Ne parle pas de soutien-gorge. Ne parle de rien. C'est une mauvaise idée. Je te préviens. Le lycée va être un désastre encore pire que tout ce que tu peux imaginer.

– Soutien-gorge, je répète sans pouvoir m'en empêcher. Imagine des soutiens-gorge.

L'envie de crier « tête de poulet » me submerge.

Mon réveil cliquette. Les numéros viennent de changer.

Je prends mon cahier de mémoire.

Hatch Jersey.

Il est l'heure. Je vais sûrement trouver une solution à ce problème de soutien-gorge-tête de poulet.

– Oh non, c'est pas vrai, tu ne t'es quand même pas mis une vieille chaussette dans la bouche ?

Leza est entre le rire et la stupéfaction horrifiée. Elle descend les marches de l'entrée du lycée à ma rencontre.

Elle porte un chouette jean et un T-shirt des Soldats verts, l'équipe de foot du lycée.

Je regarde mon jean. Je crois que ça va.

Elle avait raison pour la chaussette. J'ai des bouts de laine dans la bouche, mais ça me rappelle que je dois la fermer. Papa a finalement accepté de me déposer. À la demande du proviseur, je suis arrivé une heure après le début des cours, à neuf heures. Je suis censé rencontrer mon tuteur, celui qui va m'aider pour les cours, avant d'aller en classe. Dès que Papa est parti, j'ai sorti la chaussette de mon sac et je l'ai mise là où elle me serait le plus utile.

Mais Leza est horrifiée. Elle s'est décrêpé les cheveux. Elle a juste des petites boucles à l'extrémité. Je trouve ça chouette. Elle est très jolie. Je ne pensais pas qu'elle m'attendrait, surtout que je n'arrive qu'à neuf heures.

Elle m'enlève la chaussette – maintenant humide – de la bouche. Avant que j'aie pu dire quelque chose, elle la jette dans les buissons. Puis elle se tourne vers moi et agite son doigt sous mon nez.

– Plus de chaussette !

– Plus de chaussette, je répète. Je ne veux plus être égoïste et je ne porte pas de soutien-gorge.

Je me mords la langue. Très fort. J'ai de la laine dans les dents.

Leza secoue la tête.

– Je suis contente de savoir que tu ne portes pas de sous-vêtements féminins, mais ne parle plus de soutien-gorge et suis-moi. Mme Wenchel t'attend dans le bureau.

Elle m'aide à monter les marches en se tenant de mon mauvais côté pour soutenir mon épaule. Mon cahier de mémoire me semble lourd. J'ai besoin d'un nouveau sac. Le cahier est peut-être une aussi mauvaise idée que la chaussette, surtout si quelqu'un le lit.

Hatch Jersey.

Je grimace à chaque marche. Et je grimace en me rappelant qu'avant je les grimpais en courant. J'en sautais même une ou deux, des fois. La sueur perle à mon front. Ciel, enfer, ciel, enfer.

– Il y a une rampe de l'autre côté, près du gymnase, m'informe Leza quand nous sommes enfin arrivés en haut. Ce serait plus facile.

– Comme les Velcro, je réponds en regardant mes chaussures.

Leza suit mon regard. Elle penche la tête d'un côté. Elle réfléchit.

– Oh, je comprends.

Elle me prend le bras et m'entraîne vers l'entrée principale.

– Tu t'es dit qu'on risquait de se moquer de toi si tu mettais des chaussures à Velcro.

– Ouais.

Elle hausse les épaules.

– Tu as peut-être raison. Je vais regarder à la maison, je crois que j'ai des lacets-spirales. Je te les apporterai. Je n'ai pas d'entraînement ce soir.

– Des lacets-spirales.

J'essaie d'ouvrir la porte pour elle, mais elle est trop lourde.

Leza attend pendant que je pousse de toutes mes forces.

– Oui. C'est pratique. C'est des lacets que tu n'as pas besoin de nouer. C'est un genre de compromis.

J'arrive enfin à ouvrir la porte. Leza me sourit et nous entrons. Mon cœur danse le hip-hop parce que quand elle sourit, elle est encore plus jolie, et elle va m'apporter des lacets.

Lacets.

Elle me prend mon cahier, l'ouvre et note où se trouve l'entrée avec la rampe d'accès. Puis elle me fait écrire *lacets*. Mais ça, je ne risque pas d'oublier.

Je souris et Leza me dit :

– Ferme ton cahier et dépêche-toi. On va être en retard.

À l'intérieur du bâtiment, il fait un peu plus frais que dehors. Ça sent le casier renfermé et l'eau de Javel. Le hall est vide. Sans doute que tout le monde est en classe. Leza et moi passons devant l'amphi principal et nous marchons vers l'administration. Une petite femme aux cheveux rouges, vêtue d'une robe noire, nous attend devant la porte du bureau. Elle semble toute tassée sur elle-même, et sombre et nerveuse, comme si elle s'apprêtait à se rendre à un enterrement. Lacets. J'espère que ce n'est pas Mme Wenchel.

Zut, je ne dois pas penser enterrement ou lacets ou soutien-gorge ou tête de poulet. Leza a jeté ma chaussette. Lacets. Mon sac me fait mal à l'épaule. Je transpire et mon jean est trop étroit. Une femme en deuil m'attend. Si Leza n'était pas avec moi, je serais rentré retrouver J.A. Il se serait moqué de moi et m'aurait sans doute obligé à reconnaître qu'il avait raison.

On approche du bureau, la femme en deuil lève le bras.

– Bonjour, Jersey. Je suis Alice Wenchel, ta tutrice.

Ma tutrice ! Tutrice ! Enterrement. Lacets. Pitié ! Pas ça ! J'ouvre la bouche pour dire : « Ah non, pas question. Pas question. »

Mais ce qui sort, c'est : « Tête de poulet, soutien-gorge. »

Alice Wenchel écarquille les yeux.

Leza fronce le nez.

– On dirait que c'est pire quand tu es en public.

J'ai envie de me cogner la tête contre le mur. Concentre-toi. Concentre-toi ! Pourquoi est-ce que j'oublie de me concentrer ? Après Gros Larry, j'ai juré de ne plus jamais oublier. Ne pas oublier. Plus jamais.

À cet instant, les portes de l'amphi s'ouvrent.

Des voix résonnent dans le hall. La moitié des élèves du lycée sont tout à coup autour de nous.

Est-ce que j'ai de la sueur au-dessus de la lèvre ? Je m'essuie le visage avec ma bonne main, au cas où.

Mme Wenchel observe la foule, m'adresse un grand sourire. On dirait le sourire de mon père quand il devient bizarre.

– Désolée, me dit-elle. Ils sont tous un peu excités.

Des profs passent pas loin.

Ils me regardent, puis essaient de faire comme s'ils ne m'avaient pas regardé.

La plupart des élèves me dévisagent sans se cacher. Je reconnais des gars de l'équipe de foot, de golf et de natation. Ils portent des T-shirts des Soldats verts et font bien attention de ne pas tourner la tête vers moi. Comme s'ils ne voulaient surtout pas me voir. Ils m'ignorent, comme moi avec J.A. Ils n'ont pas envie que je reprenne les cours avec eux.

Est-ce qu'Avant je marchais comme eux ? Vite, d'un pas assuré.

Oui, je sais que je marchais comme ça mais j'ai du mal à y croire.

Je ferme les yeux et je détourne la tête.

Quand je les rouvre, Todd passe un peu plus loin, accompagné d'une très jolie fille aux cheveux noirs. Il a la tête penchée et il tient la fille par les épaules.

Qui est-ce ?

Je me penche en avant et je plisse les yeux. Je fais même un pas en avant. Todd me jette un regard plein de haine. Je recule. À Leza, il lance juste un regard noir. Et puis, avec la fille, il s'éloigne en marchant plus vite.

Tu es tellement égocentrique que tu penses sûrement que je suis en colère contre toi.

La phrase se répète à l'infini dans ma tête, de plus en plus vite, de plus en plus aiguë. Mon cahier saute dans mes mains comme s'il voulait s'ouvrir aux pages où je l'ai écrite et écrite et écrite.

Est-ce que cette fille avec Todd est celle qui m'a dit ça ? Qui m'a crié ça ?

Est-ce que c'est Elana Arroyo ? Elle ressemble à la photo. Elana a-t-elle vraiment déménagé ? Leza a dit qu'Elana avait déménagé.

– Leza ?

Je l'appelle sans penser que j'aurais pu sortir n'importe quel mot absurde.

– C'était une réunion.

Leza est un peu gênée.

– Tu sais, pour informer les gens de ton arrivée. Pour leur rappeler de ne pas te poser de questions.

Je me tourne vers elle.

– Quoi ?

Elle montre l'amphi du doigt.

– Le proviseur a pensé que les spécialistes des crises devaient prévenir tous les élèves de ta présence.

– Une réunion de crise… pour moi ?

Les profs et les élèves qui me dévisageaient. Je comprends mieux maintenant. J'aurais aussi bien pu être sur l'estrade avec les spécialistes. Ils auraient pu me montrer du doigt et soupirer et prendre leur air sérieux comme les médecins au département lésions du cerveau à l'hôpital.

Le simplet est de retour. Il va arracher les têtes de poulets vivants avec les dents.

Mme Wenchel parle, mais je ne l'entends pas. Il y a trop de bruit dans ma tête. Ma peau autour de mes cicatrices me tire. Je serre les dents. Le hall devient un peu flou, mais je ne vais pas pleurer. Je préfère mourir.

Leza passe sa main sur mon bon bras.

– Ça va aller, Jersey ? Je te verrai aux interclasses et au réfectoire.

– Tu es ma tutrice, toi aussi ?

La question est sortie toute seule de ma bouche. Mais elle n'est pas méchante. Du moins j'espère qu'elle ne semblait pas méchante.

– D'une certaine façon.

Le sourire de Leza est un peu plus vrai que celui de tout le monde.

– Mais je suis surtout ton amie. Il faut que j'y aille.

Elle disparaît dans la foule et me laisse avec Mme Wenchel.

Mme Wenchel a les cheveux rouges et une robe noire et j'ai vraiment, vraiment, vraiment envie de retourner dehors pour récupérer ma chaussette.

En fait, je n'en ai pas besoin de ma chaussette. Je suis tellement occupé à prendre des notes et à suivre les cours que je ne parle pas. Quand je ne prends pas de notes, je fais des listes de trucs dont je vais avoir besoin.

1. Trouver un autre sac à dos.
2. Trouver des crayons qui ne se cassent pas aussi facilement.
3. Trouver des Bic.
4. Trouver un magnétophone.

Et je fais des listes de trucs que je n'ai pas besoin de dire à voix haute.

1. J'ai besoin de cours particuliers en maths.
2. Est-ce que je suis obligé de faire des maths ?
3. Est-ce que les maths, c'était aussi ennuyeux avant ? Demander à Papa.
4. La prof de SVT me déteste.
5. Mme Wenchel a un bouton sur le nez.
6. Mme Wenchel ne devrait pas avoir de bouton sur le nez.

Mme Wenchel essaie de regarder ce que j'écris, alors je cache ma feuille avec mon mauvais bras. Après, je fais des listes de trucs que je dis tout le temps à voix haute, en espérant que comme ça, je vais arrêter de les dire.

1. Wenchel bouton.
2. Enterrement.
3. Bouton enterrement.

4. Simplet.

5. Poulet.

6. Soutien-gorge.

7. Soutien-gorge de poulet.

8. Tutrice.

9. Tu es tellement égocentrique que tu penses sûrement que je suis en colère contre toi.

Concentre-toi. Je dois me concentrer mais c'est difficile. Wenchel bouton.

Je retrouve Leza pour le déjeuner. Elle m'attend devant le self, là où tout le monde fait la queue.

Mme Wenchel commence à faire la queue à côté de nous mais Leza lui lance un coup d'œil à la Mama Rush. Elle la regarde par en dessous avec des yeux noirs.

– Vous devez aussi rester pour le déjeuner ? lui demande-t-elle.

– Euh… oui, en principe oui. mais… bon.

Mme Wenchel croise les doigts.

– Je pense que je peux m'asseoir un peu plus loin avec les profs. Tant que je garde Jersey à l'œil.

« Faites donc ça. » Leza ne le dit pas à voix haute mais ses yeux le crient pour elle. Elle prend mon cahier, entoure la ficelle sale autour de la couverture et glisse le crayon dans la spirale. Puis elle le tend à Mme Wenchel.

– Vous pouvez prendre ça ? Pour que Jersey ne le salisse pas en mangeant.

Mme Wenchel semble contrariée mais elle prend le cahier et le glisse sous son plateau. C'est à son tour de se servir, elle choisit une assiette de salade.

– On dirait que tu es un prisonnier libéré sur parole, grommelle Leza.

Après un moment, elle me pousse vers le self.

– Hamburgers, ça te va ?

– Bien sûr. Pourquoi est-ce qu'elle doit me surveiller ?

Leza hausse les épaules.

– J'en sais rien. Ils doivent avoir peur d'être poursuivis en justice si tu tombes dans l'escalier et que tu te blesses.

– Ma tête est déjà cassée, de toute façon. Tu crois qu'elle va lire mon cahier ?

– Qu'est-ce que tu veux dans ton hamburger, Jersey ? Non, elle ne va pas lire ton cahier. Dc toute façon, tu écris trop mal pour qu'elle y comprenne quelque chose. Tu peux me faire confiance.

– Écriture. Tu crois que je vais avoir besoin de mon cahier ? Hamburger.

– Non.

– Mais si je…

– Arrête de parler de ce cahier, Jersey.

– D'accord.

Du coup, on parle de hamburgers et d'autres trucs mais pas du cahier jusqu'à ce que Leza pose mon assiette à côté de la sienne sur son plateau et qu'on aille vers les tables.

Et là, on tombe face à Todd qui porte un plateau avec deux assiettes. Plats chauds, sauce brune sur un truc qui ressemble à du pain au maïs mais qui n'en est sans doute pas.

Todd me jette un regard noir avant de se tourner vers Leza.

– Qu'est-ce que tu fabriques avec lui ?

Leza bombe le torse. Exactement comme elle faisait quand elle était petite. Elle serre les poings.

– Je l'aide. Comme *tu* devrais le faire.

Je me demande s'il ne serait pas mieux que je récupère mon hamburger avant qu'il finisse sur le nez de Todd.

– Ne me dis pas ce que je dois faire !

Todd grogne.

– Tu sais très bien ce que je pense de tout ça.

Est-ce que je lui demande pourquoi il me déteste ? Ou est-ce que je lui pose des questions sur Elana Arroyo ? Il est juste devant moi. C'est peut-être le moment. Mais Todd peut se mettre à jeter sa nourriture. Leza aussi. Et cette sauce brune a l'air chaude.

– Vis ta vie, alors, lâche Leza.

Elle désigne une table du menton. Une table pleine de pom-pom girls avec des T-shirts des Soldats verts – l'équipe du lycée – et de filles habillées normalement en rose et blanc. Elles sont jolies.

Ce sont les tables occupées par les membres des équipes de sport du lycée.

Certains lèvent les yeux vers moi. Un me regarde rapidement avant de pencher de nouveau la tête vers son assiette.

Est-ce que je le connais ?

Oui, sûrement. Avant, je m'asseyais là.

Avant.

Comment ma vie pouvait-elle être nulle si je ne prenais pas de drogue, si mes parents n'étaient pas frère et sœur, si je n'entendais pas des voix et si j'étais assis avec les sportifs du lycée et des jolies filles ? Je fixe ces garçons et ces filles. Je les fixe. Ils sont bien coiffés. Ils sont bien habillés. Ils n'ont pas de cicatrices.

Avant, je leur ressemblais. J'étais comme eux. Je m'asseyais à ces tables. Golf, foot, j'avais ma place auprès d'eux, je parlais avec eux, je riais avec eux. C'est vrai. Mama Rush et Leza m'ont dit que j'étais devenu différent en troisième. Toujours impeccable. Habillé. Coiffé. Peut-être que je ne m'asseyais plus avec eux quand j'étais en troisième. Peut-être que j'étais trop occupé. Coiffé. Peut-être que tout le monde était en colère après moi. Golf et football. Peut-être que je n'étais plus aussi parfait, ou alors trop parfait.

Relax, Jersey.

La voix de djinn de Mama Rush résonne dans ma tête. Leza et Todd s'envoient encore une pique ou deux. Et puis, Todd va s'asseoir à côté d'une fille. Elle se passe la main dans les cheveux avant de prendre le plateau que lui tend Todd. Cheveux noirs.

Elana. Elle ressemble à Elana. Sur la photo. Dans ma tête. Elana de quand j'étais parfait et occupé et assis avec les autres avec une vie qui n'était pas nulle. Elana a déménagé.

A-t-elle déménagé ?

Je serre les dents.

Relax, Jersey.

Comment est-ce que je pourrais me relaxer ? J'ai besoin au contraire de rester sur mes gardes. De faire attention à ma bouche. Je dois me concentrer. Me concentrer.

– Arrête de les regarder comme ça, me murmure Leza.

– Je dois poser des questions à Todd. Tu ne peux pas lui demander de venir parler avec moi, juste cinq minutes ?

– Non.

Elle me tire par l'épaule et m'entraîne à travers le self. On passe devant un groupe de profs. Mme Wenchel est assise avec eux dans sa robe de deuil et mon cahier sous son plateau. On se dirige droit vers une table où sont assis des jolies filles et un ou deux garçons.

Les pom-pom girls.

Oh, non.

Relax, Jersey.

Si j'avais porté mon plateau moi-même, je l'aurais laissé tomber. Heureusement que je ne peux pas porter mon plateau moi-même.

– Viens ! m'ordonne Leza en me tirant presque. Ce ne sont que les juniors et ce sont toutes mes amies. Tu n'as qu'à manger sans parler. Tout va bien se passer.

Le nombre incalculable d'horreurs qui pourraient sortir de ma bouche, même pleine de nourriture, envoie mon cœur heurter violemment ma cage thoracique.

Relax... relax... relax...

Leza avait réussi à me traîner presque jusqu'à la table quand je me suis dégagé.

– Il faut que... je dois aller... Tu sais. Aller.

J'ai désigné les toilettes du menton.

Leza hausse les épaules et acquiesce. Elle pose son plateau entre deux filles blondes et chuchote à l'une d'entre elles de se retourner. Elle le fait. Les autres aussi, du coup. Elles me regardent sans surprise, comme si elles avaient déjà donné leur accord pour ma présence ici.

Le simplet peut s'asseoir à notre table s'il n'arrache pas de tête de poulet avec les dents.

Ses cicatrices sont vraiment écœurantes vues de près.

Comment on peut lui faire dire des trucs idiots pour qu'il les répète après à tout le monde dans le lycée ?

Les pom-pom girls deviennent floues.

Leza mange une bouchée de son hamburger.

Je pars vers les toilettes et j'y reste pendant tout le déjeuner. J'y reste jusqu'à ce que Mme Wenchel vienne frapper à la porte et me demande de sortir. On arrive presque en retard en classe. Et je ne vois Leza nulle part.

Dernière heure. Je suis dans le fond de la classe, dans un coin. Pourquoi est-ce qu'elle me regarde tout le temps ? La prof d'éco ne me quitte pas des yeux. Comme le prof de SVT et celui de maths. Ils reluquent le monstre. Le monstre avec ses cicatrices et son manque de pragmatisme. Je ne suis plus du tout pragmatique. J'ai envie de sautiller en faisant des bruits de singe. Oui, regardez-moi ! Pourquoi se priver ? Si Mme Wenchel n'avait pas été là, j'aurais sans doute fait des bruits de singe. Des bruits de singe pragmatique.

– Singe, je dis à voix basse. Singe pragmatique.

La prof d'éco écarquille les yeux. Elle a les cheveux blancs et des grandes lunettes. Elle s'est ratée en se mettant son rouge à lèvres. On dirait que sa lèvre supérieure monte jusqu'à son nez. Mais ça ne l'empêche pas de me dévisager.

– Singe pragmatique.

– Jersey, murmure Mme Wenchel. Chut !

J'ouvre mon cahier de mémoire et j'écris *singe pragmatique* cinq fois de suite aussi vite que je peux.

Quelques élèves jettent un coup d'œil vers nous, mais se retournent tout de suite. Grosse-lèvre parle d'organisations caritatives. J'essaie d'écouter. J'ouvre mon cahier d'économie et je le pose par-dessus mon cahier de mémoire. J'essaie de prendre des notes mais dès que j'ai envie de dire « singe pragmatique », je l'écris dans mon cahier de mémoire. Ma main est toute raide. Ma tête est lourde, lourde. Sieste de singe pragmatique. Si seulement je pouvais fermer les yeux.

Mme Wenchel me frappe sur l'épaule.

– Ne t'endors pas, murmure-t-elle. Prends le cours en notes. Arrête d'écrire dans ce journal.

Mon estomac gargouille. Les élèves se tournent vers moi. Grosse-lèvre me fixe encore avant de recommencer à parler. Fermer les yeux.

Mme Wenchel me donne un coup de coude. Si je lui en donne un aussi, je serai probablement renvoyé. Sieste de singe pragmatique.

Je ne lui donne pas de coup de coude.

Je ne lui donne pas de coup.

Pourtant, j'en ai envie. Et j'ai aussi envie de cogner sur tout le monde dans cette classe. Singe. Sieste de singe.

J'ai essayé de discuter avec le formateur des aspirants avant ce cours, mais il m'a à peine écouté.

Pas grand-chose à te dire, Hatch. Les boutons de son uniforme brillaient. Ses fausses dents brillaient. Le soleil brillait, ses élèves faisaient des exercices derrière lui. Il m'a dit que je n'avais plus les capacités physiques pour reprendre l'uniforme. *Mais redresse le menton, tu retrouveras une autre activité.*

L'entraîneur de l'équipe de foot a été pire.

Comment ça va, Hatch ? Il m'a donné une grande tape dans le dos. Si fort que j'ai failli tomber. *Viens me voir si tu veux t'occuper des serviettes pour les douches.*

Sieste de singe.

Serviettes pour les douches.

Serviettes pour les douches.

Activité.

J'étais receveur. Maintenant, je suis juste bon à ramasser les serviettes dans les douches. L'entraîneur de mon ancienne équipe de golf est parti depuis plus d'un an. C'est du moins ce que m'a dit Wenchel. De toute façon, je ne crois pas que je serais allé le voir. Serviettes pour les douches. J'ai croisé des profs que j'avais eus en première année. Ils ont été plutôt gentils. Mais ils étaient occupés. Moi aussi je suis occupé. Pas à ramasser les serviettes dans les douches. Sieste de singe. J'ai besoin de faire une sieste de singe.

J'ai mal partout. On dirait que j'ai fait dix tours de stade. Alors que je suis juste resté assis. Pourquoi est-ce que je suis si fatigué d'être resté assis ? À Carter, j'avais des séances de rééducation entrecoupées de longs moments de… rien. Beaucoup de temps libre. Je n'avais pas des heures de cours, des profs, des serviettes pour les douches, des notes, des Grosse-lèvre, des Wenchel qui me donne des coups de coude, et de l'inquiétude parce que Leza doit être très en colère.

1. Grosse-lèvre.
2. Grosse-lèvre.
3. Grosse-lèvre.
4. Grosse-lèvre.
5. Grosse-lèvre.

Quand la sonnerie retentit, j'ai envie de pousser un cri de joie, mais je n'en ai plus la force. Mon estomac gargouille de nouveau. Mme Wenchel soupire, elle secoue la tête et s'en va. Grosse-lèvre la suit. Sieste de singe. Enfin.

En regardant dans mon cahier de mémoire, je retrouve la sortie avec la rampe. Je fais le tour du lycée pour me placer là où Maman doit venir me chercher.

Sa voiture est déjà là.

– Merci, merci, merci, je marmonne en glissant mon cahier de mémoire sous mon mauvais bras.

Je m'immobilise une seconde. Mon estomac gargouille encore. Quelqu'un rit.

Je lève les yeux. Leza était juste derrière moi.

– Trouillard ! me dit-elle.

Elle glousse tout en s'assurant que mon cahier de mémoire ne risque pas de tomber. Son sourire me fait du bien. Ça me redonne un peu d'énergie pour marcher jusqu'à la voiture. Leza farfouille dans son sac et en sort un truc enveloppé de serviettes en papier. Elle me le tend. Mon hamburger. Froid. Mais il est bon quand même.

Leza se remet à rire.

– Ne t'étouffe pas, tes parents me tueraient.

J'essaie de répondre mais j'ai la bouche pleine. J'avale.

– Demain, tu manges avec moi. Si ce n'est pas demain, ce sera après-demain, ou le jour suivant. Je n'ai pas l'intention d'abandonner.

Tout en mâchant, j'examine son visage et j'acquiesce. Tous les membres de la famille Rush ont un problème avec le mot « non ». Alors, j'essaie même pas de l'utiliser.

Leza m'accompagne jusqu'à la voiture et m'ouvre la portière. J'ai du mal à m'installer parce que je ne veux surtout pas lâcher mon hamburger. Leza disparaît au milieu des autres élèves et Maman grimace à la vue de mon hamburger. Mais elle ne dit rien. Et même, elle me le tient pour que je puisse attacher ma ceinture et poser mon cahier sur mes genoux.

Dès qu'elle me le redonne, je reprends une bouchée.

– Ne mange pas si vite, me dit Maman machinalement en démarrant. Concentre-toi. Tu te souviens. Le médecin a dit…

– … des petites bouchées, je grommelle en avalant steak, pain et cornichons.

J'ai entendu « petites bouchées » mille fois par jour à l'hôpital entre le moment où je me levais et le moment où je me couchais. Petites bouchées. Le médecin n'a sûrement jamais eu aussi faim que moi et puis, maintenant, j'arrive à manger sans m'étouffer. Pas de problème. Mais je ne veux pas être un Gros Larry, alors je me concentre et je prends des petites bouchées. Pourquoi est-ce que Maman est toujours aussi tendue ? Ne lui pose pas cette question. Concentre-toi. Petites bouchées.

Très vite, je finis mon hamburger. Et mon estomac continue à gargouiller.

– Tu as passé une bonne journée ? demande Maman sans quitter la route des yeux.

– Oui, ça va.

Silence.

Maman ne tourne pas la tête.

– Je… je suis fière de toi. Tu as été très courageux. Je suis très fière de toi, Jersey. Tu n'as pas rencontré des problèmes avec les cours ?

– Non.

Je m'étire et je bâille.

– Mais il y avait une femme en deuil pendant la réunion sur moi. C'était pas drôle.

Maman hoche la tête.

– Le proviseur nous avait prévenus qu'il ferait appel aux spécialistes, une nouvelle fois. Qu'est-ce que c'est, cette histoire de femme en deuil ?

Je la regarde. Son visage est neutre et ses doigts tapotent le volant.

– Tu savais pour la réunion ?

Je parle plus fort que je ne voudrais. Égoïste. Égocentrique. Je voudrais qu'elle me regarde.

Je fais mon Gros Larry.

Maman ne répond pas. Ses doigts arrêtent de tapoter.

Je me concentre et j'essaie de parler moins fort.

– Pourquoi vous ne me l'avez pas dit ?

– Nous n'avons pas… je crois que nous n'y avons pas pensé, tout simplement.

Son visage est toujours neutre. Ses doigts ne recommencent pas à bouger.

Mes joues deviennent chaudes. Et probablement rouges. Je serre les dents, mais je ne craque pas. Je ne veux pas. Pas de Gros Larry. Pas moi. Je vais mettre mon appareillage tous les soirs et me forcer à la fermer, comme on m'a appris à Carter. Je me détends en récitant l'alphabet dans ma tête. Encore et encore. Puis j'ouvre mon cahier de mémoire et j'écris l'alphabet. C'est tout ce que je trouve pour réussir à la fermer.

Concentre-toi. Petites bouchées.

Maman et moi parcourons le reste du trajet sans dire un mot.

es tellement égocentrique je fais un rêve mes deux jambes et tu je n'ai pas de cicatrice, fière de toi mon chéri. Jersey c chanceux fière pragmatique est-ce que la maison va bien ? canards balle marteau Jersey Hatch, pourquoi est-ce que tu t'es tiré une balle dans la tête ?

11

Trois semaines. J'ai survécu trois semaines.

Mais le réfectoire est très, très bruyant. Et il y fait chaud aussi. Même si je suis assis avec Leza et les pom-pom girls, le bruit et la chaleur me dérangent. La chaleur me dérange beaucoup. Quand j'ai chaud, tout est pire. Pour la première fois depuis la reprise des cours, j'ai oublié mon cahier de mémoire. Du coup, je me sens encore plus mal que d'habitude. Le cahier est sur ma commode à la maison. Au moins j'ai des lacets. Leza m'a donné trois paquets de lacets-spirales, de différentes couleurs. Aujourd'hui je porte les verts. Chaussures blanches. Lacets verts. Je me demande si ça aurait fait bien, les bleus. Si je n'avais pas oublié mon cahier, ça irait mieux. Mais surtout je pense à Wenchel.

Si je suis obligé de passer encore une journée avec Wenchel, je craque. Un, deux, trois, quatre, cinq, six, sept, huit, neuf, dix, encore, un, deux… cheveux rouges. Robes noires. Sourires nerveux. Trois, quatre, cinq… à chaque fois que je pense à elle, mes cicatrices me lancent. Ça ne m'aide pas beaucoup de compter.

Pragmatique. Je dois me contenir. Je ne veux pas être un Gros Larry et je sais que les profs sont super vigilants et sur leurs gardes. Ils ont peur que je me fasse encore du mal. Comme Papa. Mais en fait, c'est à Wenchel que je veux faire du mal.

– Ça ne fait que trois semaines.

Leza est obligée de crier pour se faire entendre dans le réfectoire. Quelque chose sent les aisselles mal lavées. C'est peut-être les oignons dans le hot-dog de Leza.

– Elle est sûrement obligée de te suivre comme ton ombre pendant le premier mois…

Personne ne semble remarquer l'odeur d'oignons aux aisselles, alors j'essaie de ne pas froncer le nez. Lacets. Lacets verts.

Une amie de Leza avale une grosse bouchée de salade et puis s'essuie la bouche.

– Wenchel est vraiment grave. Tu devrais peut-être te plaindre et leur demander de te refiler une autre baby-sitter.

Elle s'essuie de nouveau la bouche et je regarde les cacahouètes dans mon assiette. J'ai pris des cacahouètes parce que c'est la seule chose que je peux manger devant les pom-pom girls sans trop risquer de m'étouffer ou de tout recracher sur ma chemise. Petites bouchées. Au moins, quand je mange des cacahouètes, je n'ai pas besoin de baby-sitter.

– Cacahouètes, Wenchel, je marmonne.

Pourtant je serre les dents pour m'empêcher de parler.

– Aisselles. Lacets. Petites bouchées. Cacahouètes et oignons.

Leza rit. Ses amies aussi. Moi, je fais comme à chaque fois. J'ai la gorge qui se serre, j'essaie de me concentrer, je deviens tout rouge et je mets ma main devant ma bouche en espérant que je n'aie pas l'air de mettre ma main devant ma bouche. Leza n'essaie pas de me torturer en me faisant manger avec les pom-pom girls. Ses amies sont gentilles, et c'est bien d'avoir une place à leur table – surtout dans une zone sans Wenchel – mais bon. Manger avec des pom-pom girls n'est pas si facile, même avec des pom-pom girls juniors. Elles sont si jolies et elles n'ont pas de cicatrices. Et elles ne mangent pas de cacahouètes non plus.

Salade, salade, salade.

– Laitue, je grommelle.

Pourtant, j'ai le poing presque dans la bouche.

– Wenchel. Pue. Oignons. Cacahouètes.

– Pets de grenouille ! dit Leza.

– Crotte de crapaud, ajoute une de ses amies.

– Mouche à bouse, continue une autre beaucoup trop fort.

– Pétasse à roulettes, reprend Leza. Pets de grenouille et pétasse à roulettes !

– Arrête ça ! je dis à Leza en lui donnant un coup sur l'épaule avec ma bonne main.

– Pets de grenouille !

Tout le monde rit. Même moi.

Leza lève le bras pour se protéger, continue de rire et réussit en même temps à avaler la dernière bouchée de son hot-dog aux oignons qui puent. Leza ne mange presque jamais de salade. Elle s'enfile des tonnes d'aliments mauvais pour la santé et elle les élimine pendant l'entraînement. Elle me l'a expliqué. Elle dit aussi pets de grenouille et pétasse à roulettes et d'autres trucs. C'est sa nouvelle stratégie. Leur nouvelle stratégie à Mama Rush et elle.

Tu ne peux pas t'en empêcher, mon garçon, et tu ne peux pas te promener dans l'école avec une chaussette dans la bouche. Alors pourquoi ne pas en faire ta marque de fabrique ?

Pets de grenouille.

Ma nouvelle « marque de fabrique ».

Ouais.

Pragmatique.

Malgré tout, Leza m'aime bien. Je l'aime bien moi aussi. Beaucoup.

Je regarde mes lacets verts et je reprends des cacahouètes. Je ne dis rien même si pets de grenouille et pétasse à roulettes reviennent souvent dans ma tête. Rire de ma grande bouche m'aide à la rapetisser. Du moins pendant un temps.

Il faut que je réfléchisse. Faut que j'essaie sans mon cahier de mémoire.

Après un pot à crayons recollé et un pot de fleurs raccommodé, Mama Rush et moi avons décidé de rayer *Ma vie était nulle* de la liste.

Le verre à dents ne retient pas l'eau. Le pot de fleurs a une grosse fissure sur le bord. Le pot à crayons n'a que trois côtés à peu près droits. Le quatrième a l'air d'avoir été piétiné par une souris mangeuse de terre cuite.

Certains de tes cadeaux ne sont pas vraiment réparables, mais on peut peut-être en tirer quelque chose. Comme les lacets qu'on n'attache pas. Comme les cacahouètes. Ce n'est pas vraiment un repas, mais c'en est un quand même. Heureusement qu'il y en a toujours plein au self.

J'étais presque sûr que ma vie n'était pas nulle Avant, depuis que Mama Rush s'était mise en colère sur ce sujet, mais j'ai quand même pris soin de vérifier. J'ai pris des tas de notes pour elle. Elles sont dans mon cahier de mémoire sur ma commode. *Ma vie était nulle* a une page pour lui tout seul.

D'après Papa : Bien sûr que non, mon fils, ta vie n'était pas nulle du tout. Du moins je l'espère. Tu penses que ta vie était nulle ? Si tu veux qu'on en discute, je suis là pour toi. Tu veux des tartines et de la confiture ?

D'après Maman : J'aimerais que tu arrêtes de poser des questions ridicules. Est-ce que tu as fait tes devoirs ? Je suis fière de toi, Jersey. Ça va être difficile pour toi de suivre les cours. Essaie de ne pas te laisser distraire par des bêtises.

D'après Todd : Dégage de là, monstre !

D'après Leza : La vie de tout le monde est nulle parfois. Tu as sûrement eu des journées moins bonnes que d'autres, mais rien qui vaille la peine de se faire sauter la cervelle.

D'après Mama Rush : Je sais que tu ne veux pas vraiment me poser la question.

D'après moi : Je ne me rappelle pas. Mais je me rappelle des moments bien avant que je me tire une balle dans la tête. Leza a sûrement raison. Maman aussi.

À présent, j'essaie de savoir si j'ai fait quelque chose de mal. Quelque chose d'assez mal pour que je me sente coupable. D'assez mal pour avoir envie de me tirer une balle dans la tête.

Leza pose son pouce sur la cicatrice de ma tempe.

– À quoi tu penses, Jersey ?

– Pets de grenouille.

Je lui lance une cacahouète. Elle me la renvoie. Les autres filles rient et continuent à papoter.

Je regarde la plus âgée. Elle n'était pas à ce lycée quand je me suis suicidé. Aucune d'entre elles n'était encore là. Leza est la seule qui m'a connu Avant. Mais elle était beaucoup plus jeune à ce moment-là.

C'est bizarre. Je mange avec des plus jeunes. Comme un bébé. Leza n'a jamais entendu parler de quelque chose de mal que j'aurais fait. Ce qui ne l'a pas empêchée de me dire que, parfois, j'étais « vraiment borné ». Pourtant, elle m'aimait bien.

Je ne savais pas que j'avais été borné. Je ne savais pas non plus que j'avais été égoïste avant l'histoire de Gros Larry. Peut-être que j'étais borné. Est-ce que j'étais assez borné pour me tirer une balle dans la tête ?

– Borné, je marmonne. Tirer.

Les filles rient trop fort pour m'entendre. Tant mieux. Je n'ai pas très envie d'un nouveau tour de pétasses à roulettes.

Je vais aux toilettes. Wenchel ne me suit pas, heureusement. Le premier jour, elle a essayé. Je ne crois pas que je pourrais pisser avec elle à côté. Je ne devrais pas penser à pisser parce que je vais le dire à voix haute.

Pas pisser. Pas pisser.

Je me débats avec ma fermeture Éclair, j'arrive à la descendre, je commence à pisser… quand la porte s'ouvre brusquement.

Pendant une horrible seconde, je crois que c'est Wenchel, et je n'arrive plus à pisser mais quand je tourne la tête, je vois que ce n'est pas elle.

C'est pire.

Trois types – Kerry et Zéro, de l'équipe de golf, et Todd.

Si tu remets les pieds ici, je te casse la gueule.

Je baisse la tête.

Je ne veux pas me pisser dessus, ni pisser sur eux sans faire exprès. Pas pisser. Pas pisser.

Todd me regarde et va à l'urinoir loin de moi. Zéro et Kerry se donnent un coup de coude puis viennent pisser à côté de moi. J'essaie de finir mais je n'y arrive pas.

Si tu remets les pieds ici, je te casse la gueule.

– Tu te débrouilles pas mal avec une seule main, lance Zéro.

Il a un jean et un T-shirt des Soldats verts.

Je hoche la tête et je regarde le mur.

– Ça doit quand même pas être facile de remonter ta fermeture Éclair et de fermer le bouton.

– Bouton. C'est pas un vrai bouton, c'est une pression. Et des lacets verts.

Zéro se met à rire.

Il est gentil ou il se moque de moi ?

Vite, vite, vite, pas pisser. Pas boutons. Boutons. Pas boutons.

Pourquoi est-ce que je suis si nerveux? C'est idiot. Je les connais. C'étaient mes potes Avant. C'étaient mes potes. Ils ne me parlent plus mais je ne crois pas qu'ils me détestent.

Kerry a un pantalon kaki et un T-shirt blanc. Bien repassés, sans une tache. Il est toujours super *clean*, Kerry. Je me rappelle bien ça.

– Tes cicatrices sont vraiment écœurantes, Hatch.

Il pousse un long soupir, comme s'il avait un gros problème.

– Tu étais vraiment obligé de te faire sauter le caisson? Et pourquoi t'as fait ça d'ailleurs?

J'ai l'estomac noué. J'entends J.A. crier depuis la maison: *Sors d'ici! Vous faisiez ce genre de trucs ensemble Avant! Il n'essaie pas d'être gentil! Sors d'ici!*

Mais je n'ai pas fini de pisser.

Kerry et Zéro non plus n'ont pas fini.

– Eh Kerry, s'exclame Zéro. T'as entendu tous ces psys pendant la réunion. On ne doit pas lui demander pourquoi il a fait ça. Ça pourrait le perturber, le pauvre petit chéri.

Il a fini de pisser. Il remonte sa fermeture Éclair très vite et sans difficulté.

– Tu me battais au golf, avant, Hatch.

Il secoue la tête.

– Monsieur Je-réussis-tout-ce-que-je-fais. Monsieur Je-suis-meilleur-que-vous. Regarde-toi maintenant. Je parie que tu te pinces quand tu remontes ta braguette. T'as besoin d'aide? Je ne voudrais pas que ton truc ait des cicatrices aussi.

– Pas d'aide, merci.

Je ne voulais pas répondre, mais ma bouche a décidé pour moi. Je deviens rouge.

– Pas de cicatrice.

Sors d'ici.

Kerry ricane.

J'essaie de remettre tout à sa place avant de refermer mon pantalon. Pets de grenouille. Je n'y arrive pas. Au moins, j'ai remonté mon caleçon. Pisser. Pisser. Pisser. Les toilettes me semblent plus petites que quand j'y suis entré tout à l'heure. Je veux sortir. Mais je dois me laver les mains avant. Et aussi remonter ma fermeture Éclair. Sauf que j'y arrive pas.

Serrer d'abord et remonter. Remonter. Serrer et remonter. J'essaie de rapprocher les deux parties métalliques…

– Oh merde, va falloir qu'on appelle sa baby-sitter ! s'écrie Kerry. Pauvre petit Jersey qui n'arrive pas à se reculotter.

Todd ne dit rien. Il est silencieux.

Zéro me frappe. Sur mon bon côté. Je tombe. Je n'arrive pas à garder l'équilibre. Je tombe sur Kerry.

– Qu'est-ce que… ? crie Kerry.

Il me repousse avec son épaule et se tourne vers moi. Je sens quelque chose de chaud sur mes genoux.

De la pisse. De la pisse de Kerry.

De la pisse de Kerry sur moi.

– Oh !

Il rit et se retourne vers l'urinoir pour terminer.

– Je suis vraiment désolé.

Il n'est pas désolé.

Je regarde mon pantalon. Mes joues sont brûlantes. Je lâche ma braguette et je serre le poing. Je m'imagine cogner Kerry en plein dans la bouche. Ou peut-être Zéro, parce qu'il rit aussi. Ou Todd. Oui, Todd. Parce qu'il ne dit rien.

Mon pantalon.

Mon pantalon est mouillé.

Zéro arrête de rire et dit :

– Bien visé, Kerry. Tu tentes le Mulligan ?

Vocabulaire de joueurs de golf.

– On a entendu Leza et ses copines parler avec toi. Si on dit des conneries, tu les répètes, c'est ça ?

Je pourrais frapper Zéro, il se cognera peut-être contre un urinoir et il la fermera. Si je cogne Kerry, il repissera sans doute sur moi. Je lève mon poing. Zéro rit encore plus fort.

– Vas-y, Hatch, m'encourage Kerry. Tu crois que tu peux le faire ? Pauvre Hatch, t'es qu'un gros naze. Gros naze, gros naze. Tu peux dire ça : gros naze ?

– Gros naze.

Je prends mon élan.

Quelqu'un arrête mon poing et m'oblige à me tourner.

Je suis face à Todd. J'essaie de bouger le poing mais ça ne sert à rien. Les lèvres de Todd sont serrées et ses yeux lancent des éclairs. Il est en colère. Très en colère.

– Il a pissé, je crie. Pourquoi ? Gros naze. C'est lui qui a pissé, pas moi.

Todd me retourne et me pousse dans le dos. J'agite les bras et je cours pour ne pas tomber par terre. Je m'accroche à un lavabo. Et puis je me dirige vers la porte. Gros naze.

Zéro et Kerry se marrent.

Todd ne dit rien. Rien.

Gros naze.

Sors d'ici.

Je ne me suis pas lavé les mains.

Je sors.

Je chancelle jusqu'à la porte, je l'ouvre et je tombe sur Wenchel. Elle a les yeux près de sortir de leurs orbites. Sa bouche est ouverte. Je fais demi-tour pour ne pas la voir.

Et là, je tombe sur Leza. Avec une fille. Une fille aux cheveux noirs et aux yeux noirs.

Tu es tellement égocentrique que tu penses sûrement que je suis en colère contre toi.

La voix crie si fort dans ma tête que je sursaute.

– Égocentrique, j'éructe. Égoïste. Pisser. Pets de grenouille… grenouille… grenouille…

Leza ferme les yeux et secoue la tête très vite.

J'ai envie de m'enfoncer le poing dans la bouche, mais je ne me suis pas lavé les mains.

Elana Arroyo est devant moi. Elle porte un jean et un T-shirt jaune. Elle est là. Devant moi. Elle n'a pas déménagé. Elle est là. Devant moi.

– G-g-g-g-grenouille.

Je prends une longue inspiration.

– Grenouille égoïste. Désolé.

La fille – Elana ? Est-ce que c'est Elana ? Oui, c'est elle. Forcément.

Elle me regarde fixement. Elle est très mal à l'aise.

Leza secoue toujours la tête.

Je ne peux pas m'empêcher de l'imiter. Et puis j'essaie de me reprendre.

– Je ne suis pas un Gros Larry. Elana ?

– Arrête, Jersey !

Leza a le même ton que Mama Rush.

– Ce n'est pas Elana !

Mme Wenchel s'approche de nous, mais Leza la pétrifie d'un seul regard. Un regard à la Mama Rush.

Elana qui n'est pas Elana fait un pas en arrière.

Qu'est-ce que j'ai dit ?

Si je m'étais lavé les mains, j'aurais essayé de la toucher.

– Je suis désolé, je répète.

Est-ce que je suis encore égoïste ?

Elana.

Pas Elana.

La porte des toilettes s'ouvre.

Quelqu'un me bouscule et vient se placer entre Elana-pas-Elana en T-shirt jaune et moi.

Todd.

– Qu'est-ce que je lui ai fait ? je demande très vite avant qu'il parte. Pourquoi on s'est disputés à propos d'Elana ? Et elle ? Elana, je veux dire. Disputer.

Todd pivote sur ses talons et plonge ses yeux dans les miens.

– Qu'est-ce que tu viens de dire ?

– Rien, Todd.

Leza répond à ma place comme si j'étais incapable de le faire.

– Va-t'en et emmène ta petite amie.

– Je ne t'ai rien demandé, lâche Todd.

Mais Elana – non, non, non. Je plisse les yeux pour mieux la détailler. Elle ne ressemble pas vraiment à Elana. Elle a le visage plus rond. Un nez plus grand. La petite amie de Todd qui ressemble à Elana dit quelque chose. Elle parle à voix basse. Je ne l'entends pas.

Todd se tourne vers elle. Ses épaules s'affaissent. Il inspire. Puis il hoche la tête et prend la main de la fille. Ils s'éloignent sans se retourner.

– Pets de grenouille.

Je veux leur demander de rester, de me répondre, de me raconter ce qui s'est passé avec Elana quand Leza me donne un coup dans la tête. Pas un petit coup. Mes oreilles sonnent.

Wenchel s'écrie :

– Leza !

– Jersey !

Leza me frappe de nouveau avant que j'aie eu le temps de me protéger de mon bras.

– Qu'est-ce qui t'est passé par la tête ? Tu l'as appelée Elana ! Et Todd ! Tu arrives avec tes pets de grenouille et tes Gros Larry et tu balances le passé, comme ça ! Je devrais te frapper jusqu'à ce que tu tombes. Et referme ta braguette !

Wenchel ne bouge plus.

Moi non plus.

Je regarde ma braguette. Elle est toujours grande ouverte. On voit mon caleçon.

La porte des toilettes s'ouvre de nouveau. Sur Kerry et Zéro. Ils me bousculent en passant. Ils rient. Wenchel les appelle, mais ils ne s'arrêtent pas.

Je regarde mon caleçon et je pense à Todd et à sa petite amie. À pisser et à grenouille. Et à Leza qui me trouve stupide. Et à d'autres trucs égoïstes.

– Tu t'es uriné dessus, grommelle Leza. Je te jure que vraiment…

Je ne sais pas ce qu'elle dit après parce que je tourne les talons et je retourne dans les toilettes.

Cette fois, je m'enferme.

Ça sent vraiment mauvais mais je reste quand même longtemps. Je ne retourne pas en cours.

Wenchel ne vient pas me chercher.

Leza non plus.

12

– Alicia est rentrée chez elle hier.

C’est une des infirmières de Carter. Je ne sais pas laquelle. Elle a pris une voix haut perchée pour répondre à ma question.

– Non, je suis désolée, elle n’a pas laissé de numéro où la joindre et Hank est au cinéma avec le reste de la bande.

La bande. Quand j’étais à l’hôpital, moi aussi, je faisais partie de la bande.

Je le dis à l’infirmière. Elle soupire.

– Il faut que tu avances, Jersey. Tu as ta vie. Ta vraie vie. Mais je dirai à Hank que tu as appelé. Au revoir.

Le téléphone émet un bruit sourd dans mon oreille. Ça me rappelle que je dois raccrocher.

Je me replonge dans mon algèbre. De l’algèbre et encore de l’algèbre… jusqu’à ce que mes paupières se ferment. Ce qui ne tarde pas.

$2x + 6 = 12$

$2x$. Je soupire et je me balance d'avant en arrière sur mon lit. x, y, x, y. Quand je ferme les yeux, je vois des x et des y.

– x, x, x.

8, murmure J.A. *La réponse est 8.*

Je me redresse et je griffonne un 8. C'est sans doute faux. Je déteste la géométrie mais pas autant que l'algèbre. On faisait de la géométrie il y a deux jours. C'était mieux, mais je déteste ça quand même. Je déteste aussi le français mais en français au moins, les x et les y ne sont que des lettres et ne se prennent pas pour des chiffres. À part essayer de joindre Alicia qui est rentrée chez elle, Hank ou la bande dont je ne fais plus partie, je passe mon temps à travailler sur des x et des y.

Au moins, je ne me suis pas pissé dessus à l'école. Et je ne me suis pas fait pisser dessus non plus. Personne ne m'a pissé dessus depuis quatre jours. Et Leza ne me fait pas la tête. Tant mieux parce que je ne pourrais pas supporter qu'elle me fasse la tête. Les pom-pom girls non plus ne me font pas la tête. Je ne me suis pas étouffé avec des cacahouètes et je n'ai pas dit « pétasse à roulettes ». Mais la petite amie de Todd s'en va dès qu'elle me voit arriver.

Je ne peux pas lui en vouloir.

Je ne suis qu'un Gros Larry + $2x$ = 12 pour elle. Un Gros Larry avec la braguette ouverte et le caleçon qui sort. Un Gros Larry avec de la pisse sur son pantalon et le poing de Todd sous le nez. J'ai eu 12 au contrôle d'éducation civique et 14 en SVT.

Je soupire.

– x. Gros Larry.

Crétin, dit J.A.

– Crétin. x. Gros Larry.

J'ai envie de parler à Leza mais on est vendredi soir et elle est sortie. Mama Rush aussi est sortie. Mes parents regardent un match de foot. Je suis monté dans ma chambre en début de soirée. Je n'aime pas regarder le foot. Ça me rend triste.

Samedi, je dois voir Mama Rush. Lui dire si j'ai fait quelque chose de mal et si je me suis senti coupable. Demain. Je suis presque sûr que j'ai fait quelque chose de mal, mais je ne sais pas quoi.

J.A. rit. *Tu as probablement fait beaucoup de mal.*

– Pas moi. Toi. Gros Larry.

Tu as dû te sentir coupable. Je parie que tu as rendu Elana Arroyo malheureuse.

– C'est pas vrai. Je ne sais même pas si je suis souvent sorti avec elle. Ni combien de temps.

Je pose les yeux sur ma feuille. $2x + 6 = 12$. $x = 8$. Ça a l'air faux. Crétin.

Tu es sans doute sortie avec elle pendant longtemps. Peut-être que tu l'as obligée à faire des choses qu'elle ne voulait pas faire. Peut-être que tu l'as volée à Todd et que tu l'as mise enceinte. C'est pour ça que Todd…

– La ferme !

Tu l'as fait pleurer. Tu as fait pleurer tout le monde. 8 est le bon résultat. Laisse 8.

– 8.

Les cris me font tourner la tête vers la porte. C'est dans la télé ?

Non.

Ce sont encore Papa et Maman qui se disputent.

– Gros Larry.

Je ferme mon livre de maths. Est-ce que je travaillais le week-end avant d'avoir des preuves de ma stupidité sur la tête ? Sans doute pas.

J.A. rit de nouveau. *Bien sûr que non. Tu ne passais pas tes week-ends à la maison. Tu avais des cœurs à briser.*

– *x* ! Je n'ai pas brisé de cœurs.

Je jette le livre de maths. Il atterrit sur le tapis avec le ballon de foot. Juste à côté de mon livre de sciences et de mon livre d'anglais. Juste à côté de mon appareillage pour mon bras et ma jambe. Juste à côté de mon cahier de mémoire. *Hatch Jersey*, par terre.

– Crétin.

Mes parents… non, seulement mon père monte l'escalier. Il crie. Je ne distingue pas les mots qu'il prononce mais ce sont des mots de colère. Maman aussi crie toujours, mais pas si fort, et elle reste en bas de l'escalier. Je dis :

– Au football, on doit s'attaquer.

Ils se détestent maintenant. C'est pour ça que Maman n'est presque jamais à la maison. C'est ta faute. Ils s'aimaient avant que tu appuies sur la détente.

Je ne peux pas m'empêcher de regarder là d'où vient la voix étouffée de J.A.

– C'est toi qui as appuyé sur la détente.

Il ne répond pas. J.A. n'est pas là. Il n'a jamais été là. *x*, *y*. Crétin multiplié par crétin. Je plisse les yeux vers le coin le plus sombre de ma chambre. Peut-être que si je regarde mieux, je le verrai.

La porte de ma chambre s'ouvre.

Je sursaute.

– Crétin ! Oh, pardon. Désolé, Papa.

Papa hausse les épaules.

– Ce n'est pas grave.

Éclairé par les lumières du palier et celle de ma chambre, il est tout blanc et il a l'air triste.

– Je venais… je venais juste m'excuser pour le bruit.

Il frotte ses mains l'une contre l'autre.

– Je ne veux pas que ça te perturbe. Ta mère et moi allons arranger tout ça.

Bizarre. Il regarde J.A. dans le coin de la chambre lui aussi.

– D'accord.

Crétin. Pets de grenouille. Pétasse à roulettes. Si j'avais dit crétin à Maman, elle m'aurait tué. Ou giflé. En tout cas, elle aurait fait quelque chose.

Maintenant, Papa pose les yeux sur mes livres par terre.

– Tu travailles un vendredi soir ?

– Oui. Il faut que je rattrape. Que je fasse des efforts. Tu sais ?

Il a l'air moins triste. Et puis la porte d'entrée claque et une voiture démarre. Il a l'air triste de nouveau.

– Désolé, crétin. Je veux dire, la dispute. Vous vous disputez. C'est ma faute. Parce que je suis un Gros Larry. Désolé.

Papa se frotte encore les mains, mais cette fois, il n'arrête pas.

– Je ne sais pas de quoi tu parles, mon fils. Ta mère et moi sommes en désaccord sur beaucoup de choses. Ce soir, c'était le programme télé. Ça n'avait rien à voir avec toi.

C'est difficile de faire bouger mes lèvres. Et encore plus dur d'avaler ma salive. J'ai envie qu'il parte pour pouvoir parler à J.A. C'est plus facile de parler à J.A. qu'à Papa. $2x + 6 =$ J.A. Et puis, Papa ment.

– Ça a toujours à voir avec moi. J'ai fait quelque chose de méchant.

– Tu penses encore à ça ? Écoute-moi, Jersey, honnêtement, tu dois laisser le passé derrière toi.

Frotte, frotte et frotte les mains.

– Tu avais l'habitude de rester bloqué sur les choses quand elles ne se passaient pas comme tu le voulais. Ne sois plus comme ça. Ne sois plus comme… tu sais… Comme avant.

– Avant que j'appuie sur la détente ? Crétin, crétin.

Papa arrête de frotter ses mains l'une contre l'autre.

Mon cerveau continue de tourner et tourner.

J'ai appuyé sur la détente. Je me suis suicidé. Je me suis suicidé avec son revolver.

Qu'est-ce qui ne va pas chez moi ?

Pragmatique.

Son revolver.

J'ai un drôle de goût dans la bouche. Graisse et poussière. Je sens le métal froid sur mes lèvres et sur ma tête. Il fouille et fouille dans ma tête. Je serre les dents. Fort. Pets de grenouille, pets de grenouille, pets de grenouille, un, deux, trois, quatre, cinq, six, sept… son revolver, son revolver. Je suis injuste. Ce n'est pas sa faute. Gros Larry. Calme-toi. Égoïste. Concentre-toi. Fais des efforts. Calme-toi.

Papa regarde le tapis au lieu de me regarder moi.

– Oui, avant que tu appuies sur la détente. Tu as bien sûr mis des gens en colère, tu t'es fait du mal aussi… mais je n'ai jamais pensé que tu avais fait quelque chose de méchant. C'est comme ça. Et la dispute de ce soir n'avait rien à voir avec toi.

Il renifle, sort et ferme la porte derrière lui avant que j'aie eu le temps d'ajouter quelque chose. Le plancher grince sous ses pas. Il va dans sa chambre.

Je reste assis comme ça, longtemps. Je serre les poings. Je me concentre, j'ouvre les poings. Poings, mains, poings, mains. J.A. ne dit plus rien. Crétin. Il ne parle que quand je n'ai pas envie de l'entendre. x, x, x, x, y. Poings, mains. Est-ce que c'était égoïste de poser la question à Papa ? De l'obliger à me parler ? Oui, c'était sûrement égoïste. Pets de grenouille.

Un poing, deux poings. $2x + 6$ = poings.

– Tu devrais t'excuser d'être aussi stupide.

Mes mots tombent à plat dans la chambre.

J.A. ne répond toujours pas.

– Tu n'as qu'à aller sur le palier et dire : « Je suis désolé d'être bizarre. » Je suis fort pour les excuses.

Poings, mains. Poings, mains.

Après une minute ou deux d'inspiration-expiration, je me lève. Je trébuche sur les livres et mon appareillage. Je me rassois.

Très gracieux. J.A. se moque de moi. D'une voix triste.

– C'est maintenant que tu te mets à parler !

Je donne un coup de pied dans mon livre de maths qui est juste au-dessus de mon livre de sciences. Crétin. Cette fois, quand je me lève, je reste debout.

– Très gracieux.

C'est une mauvaise idée. Tu devrais le laisser un peu seul. Il n'a pas envie de te parler.

– Je vais juste m'excuser. Après, je le laisse tranquille.

Mets ton appareillage et couche-toi. La voix de J.A. est de plus en plus triste. Ça me fiche la trouille.

– Juste une seconde. Gracieux. x et y.

Je me dirige vers la porte de ma chambre avant qu'il puisse me retenir. Il ne me rappelle pas. Je titube sur le palier. Le plancher grince.

La maison est tellement silencieuse que je m'immobilise. Je ne dois surtout pas faire de bruit. Pour ne pas déranger Maman. Mais Maman est partie à son bureau ou à l'endroit où elle va quand elle est en colère. Gracieux. Je ne dérange personne. Pas encore. x, y, $2x$.

Je reprends ma marche, vers la chambre de Papa et Maman. En m'approchant, je distingue des cliquetis et des frottements. Comme les trottinements d'une souris. D'une énorme souris. Papa-souris, peut-être. Sa porte est ouverte. La lampe de chevet est allumée et il y a de la lumière dans la salle de bains. Papa doit être dans la penderie que Maman appelle « la réserve ». C'est un endroit plein de vêtements de Maman et Papa, plein de chaussures, de sacs, de valises et de boîtes. Il y a aussi des boîtes de dossiers avec les impôts, des photos et ce que Maman appelle ses « bazars ». Certaines boîtes ont des étiquettes, beaucoup n'en ont pas. $2x$ + boîtes = foutoir. Gracieux.

Papa est dans la réserve, dans le foutoir. *x*. *y*.

Je le rejoins. Il est devant une boîte ouverte, il regarde quelque chose. Je ne vois pas quoi. La boîte est marron et Papa touche cette chose, comme si c'était un chaton ou un autre petit animal.

– Papa ?

Il referme brusquement le couvercle de la boîte.

– Pardon.

Je frotte mes mains l'une contre l'autre comme lui tout à l'heure dans ma chambre. Ma mauvaise main est tout engourdie et froide.

– Je veux dire : pardon pour t'avoir fait peur et pardon pour tout à l'heure.

Je m'approche et Papa éloigne la boîte.

– Tu n'as pas à t'excuser. Je t'ai déjà dit que ta mère et moi ne nous disputions pas à cause de toi.

Il se répète.

Me croit-il complètement stupide ? Gracieux. Crétin. J'arrête de me frotter les mains et je serre les poings mais je ne fais pas exprès. J'essaie de me détendre. Poings, mains, respire. Un, deux, trois… poings, mains, respire.

Papa tousse et pousse la boîte marron sur une étagère au-dessus de sa tête. Quand il me regarde de nouveau, je suis prêt.

– Je suis désolé de t'avoir posé des questions tout à l'heure.

J'ai parlé très vite avant de dire *x* ou *y* ou de le traiter de crétin.

– Je suis désolé de… rester bloqué sur les choses. Et tout ça.

– Tu ne peux pas faire autrement. Je le comprends.

Papa passe sa paume sur ses genoux comme s'il s'essuyait la main. Puis il me tapote l'épaule.

– Non.

Poings, mains, respire. Poings, mains, respire.

– Je peux. Je peux faire mieux… si je ralentis. Si je me concentre.

Poings, mains…

– Si je fais attention comme j'ai appris à Carter.

– C'est bien.

Papa m'entraîne hors de la réserve à foutoir.

– Alors, je suis désolé.

Poings, mains, respire. J'y arrive. Je me concentre. Je fais des efforts. Je suis pragmatique. Pourquoi est-ce que Maman n'est pas là pour voir ça ? Elle serait moins en colère. Un tout petit peu moins.

– D'accord ?

Papa s'arrête, pose ses mains sur mes épaules et me tourne face à lui. Ses yeux sont rouges.

– Oui et non. Je ne veux pas que tu te stresses à la maison. Je veux au contraire que tu te détendes. Tu comprends ?

– Euh… oui.

Je cligne des yeux. Je ne comprends pas. Enfin pas vraiment. Un peu.

Papa serre mes épaules.

– Parle comme tu veux, ne te surveille pas. Parle-moi plus souvent. Dis-moi ce qui te passe par la tête. C'est chez toi ici, tu dois t'y sentir en confiance, détendu et en paix.

Ici ?

Je manque de rigoler, mais je fais poings-mains-respire et je pense à pétasse à roulettes et pets de grenouille et $2x + 6 = 12, x = 8.8$ n'a pas l'air d'être juste, même dans ma tête.

Ici, avec J.A. et Maman et un couvre-lit de la mauvaise couleur et le tapis avec le ballon de foot que j'avais plié et toutes les photos de fantômes ? Je dois me sentir détendu ? $2x$, $2x$, $2x$.

– Détendu.

C'est sorti tout seul.

Papa sourit.

– Oui. Ne t'inquiète pas tout le temps. Dis ce que tu veux. Demande ce que tu veux.

– Mais Maman ne le fait pas. Se détendre.

Je me mords la lèvre, j'inspire et je ralentis.

– Je veux dire : elle n'aime pas quand je demande. Quand je dis n'importe quoi. Gros Larry.

– Elle va s'y faire. Donne-lui un peu de temps, Jersey.

Il me presse de nouveau les épaules. Il me sourit encore. Papa a vraiment l'air de croire ce qu'il dit.

Je ne peux pas être en colère s'il y croit vraiment. Mama Rush se fâcherait si je disais ça, moi. Gracieux. Mais je ne suis pas Mama Rush. Je n'ai pas de robe. Ni de cigarette. Alors, je ne me mets pas en colère.

– Un type m'a pissé dessus au lycée. Crétin.

Je me mords la lèvre de nouveau. Pour m'empêcher de prononcer les cinq ou six mots absurdes qui se pressent dans ma bouche.

– Il faut que je mange des cacahouètes avec les pompom girls et je ne veux plus de baby-sitter. Plus de Wenchel en deuil. S'il te plaît.

Papa me lâche les épaules. À sa tête, on pourrait croire qu'il essaie de raccommoder une déchirure dans son crâne. Deux fois, il ouvre la bouche et la referme. Il se gratte le crâne là où il aurait une cicatrice s'il s'était suicidé lui aussi. Mais Papa n'est pas du genre à se suicider. Il n'appuierait pas sur la détente. Gracieux crétin.

Tout à coup, son visage s'éclaire.

– Wenchel, Wenchel avec la robe noire. Tu ne veux plus qu'elle t'escorte au lycée ?

– Non !

Je pousse un soupir de soulagement.

– Je veux dire oui ! Plus de Wenchel.

– Même si des types te pissent dessus ?

Il reprend mon épaule mais avec une seule main cette fois.

– Oui. Même avec la pisse. Plus de Wenchel.

Je souris. Enfin, avec la moitié de ma bouche. C'est déjà bien.

Papa me sourit aussi.

– J'appellerai le lycée et je verrai ce que je peux faire. Maintenant, j'ai faim. Viens avec moi, on va se réchauffer une pizza.

J'acquiesce.

– Pizza Wenchel.

Mon estomac gargouille. Pourtant, j'ai mangé du rôti il y a moins d'une heure pour le dîner.

Un sourire jusqu'aux oreilles, Papa passe son bras autour de mes épaules. Il dit :

– Alors comme ça, tu déjeunes avec Leza Rush et les pom-pom girls ? Moi aussi, je mangerais des cacahouètes à ta place. Tu ne risques pas de t'en renverser sur le T-shirt.

13

Je fais un rêve… mes deux jambes et mes deux bras fonctionnent… je n'ai pas de cicatrice… je suis assis sur le bord de mon lit, vêtu de mon uniforme d'aspirant, et je tiens un revolver dans une main et une boîte en carton marron dans l'autre. La poussière de ma chambre danse dans les rayons du soleil et efface les marques de coups de pied dans les murs et dans la porte. Mon tapis avec le ballon de football, celui que Mama Rush m'a donné quand je suis entré dans l'équipe, il y a des années, est bien plié et posé sur ma commode. Comme ça, je ne le salirai pas. Je le regarde une dernière fois avant de retourner à mon occupation. Mes doigts me picotent quand je touche la boîte. Dedans, il y a une preuve. Dedans, il y a une raison. Tout le monde comprendra en voyant ce que contient la boîte. Je mets le revolver dans ma bouche. Je referme mes lèvres autour du métal froid. Ça a un goût de graisse et de poussière. Je ne peux pas. Pas dans la bouche. Je tremble, mais je mets le revolver sur ma tempe. J'enfonce le canon. Je pense à ce qu'il y a dans la boîte et à toute la poussière qui danse à des endroits que je n'avais pas soupçonnés. Je presse la détente, je regarde la boîte et la poussière et je sens ma main qui tremble et il y a un bruit et du feu et puis la douleur et je tombe, je tombe. Ma tête en mille morceaux se répand sur mon oreiller…

La boîte. La boîte dans le placard de Papa.

J'écris à propos de la boîte dans mon cahier de mémoire. Je m'endors en pensant à la boîte. Je me réveille parce que je cogne l'appareillage de mon bras contre ma cicatrice et je pense à la boîte. Je me lève et je m'habille en pensant à la boîte.

Il faut que tu ailles voir ce qu'elle contient, murmure J.A. pendant que je mets mes tennis. Avec les lacets-spirales verts.

– Boîte, moite, droite. Elle est à Papa, cette boîte. Et Papa a des problèmes en ce moment. Plus tard. J'irai voir plus tard.

Quand je tire sur les lacets, ils reprennent aussitôt leur forme en tire-bouchon.

– Boîte, déboîte.

Et si elle contient quelque chose d'important ?

– Je n'irai pas regarder dans la boîte. Déboîte, déboîte.

Je sais qu'elle contient quelque chose d'important. Tu dois découvrir ce que c'est.

Je tire de nouveau sur mes lacets et je me lève.

– Pas de boîte, je dis à voix haute au cas où, pour une fois, J.A. aurait décidé de m'écouter. Pas de moite, pas de droite.

C'est peut-être un document médical. Ou une photo. Et si c'était une lettre écrite par toi ? Si ça se trouve, tu as laissé une lettre et ton père l'a cachée.

– Papa ne cache rien. Déboîte. Il est en train de s'habiller.

C'est peut-être une cassette audio. Tu as peut-être laissé un enregistrement.

Je chantonne pour ne plus l'entendre.

Non, c'est sans doute une lettre que tu as laissée. Tu dis peut-être quelque chose sur lui dans cette lettre. C'est pour ça qu'il la cache. Ou alors, elle révèle un truc vraiment horrible que tu as fait et il dissimule les preuves.

Je chantonne plus fort et je ramasse mon cahier de mémoire avant de me diriger vers la porte. Maintenant je ne veux plus oublier mon cahier de mémoire. Je l'ai même écrit dans mon cahier.

Oui, c'est ça. Une lettre. Ou un indice qui pourrait te faire arrêter.

Je suis sorti sur le palier et j'ai fermé la porte. J'entends toujours J.A. mais je ne veux pas penser à ce qu'il dit. Je n'ai pas laissé de lettre avant de me suicider. Si je l'avais fait, Papa ne la cacherait pas.

Est-ce qu'il me la cacherait ?

Une lettre. Dans la boîte.

Je serre la couverture de mon cahier de mémoire et je traîne ma mauvaise jambe vers l'escalier. Peut-être que si je pense à mes lacets, je vais arrêter de penser à une lettre. Les lacets, c'est mieux que les lettres. Si je dis lacets, je ne vais pas embêter Papa. Mais si je dis lettre comme cette lettre dans la boîte, il risque de comprendre de quoi je parle. Et peut-être, il se mettra en colère. Ou pire. Il sera triste.

Pas de lettre. Je ne dis pas « lettre ». Je vais dire « lacets ». Ou « pets de grenouille ». Ou n'importe quoi.

Quand j'arrive dans la cuisine, Papa est en train de me préparer du porridge. Maman est peut-être encore en train de dormir. On est samedi et maintenant, elle dort tard, même si avant, elle ne faisait jamais ça. Lettre. Boîte. Lacets. Lacets !

Papa doit se rendre à une conférence. Il sera absent deux jours. Formation continue. Peut-être qu'en suivant une formation continue, je comprendrais les maths et la géo et les SVT. Oui, c'est possible pour la géo, mais sans doute pas pour les maths. Ni pour les SVT.

Il n'y a sans doute rien du tout dans cette boîte. Surtout pas une lettre.

– Lettre… euh, je veux dire : géo, je dis en m'asseyant. Formation continue.

Pas « lettre ».

Je mélange mon porridge. Il colle à la cuiller. Non, non, non, pas « lettre ».

Papa grogne et mange une cuillerée de porridge. Puis il mord dans un reste de pizza froide. Je ne sais pas comment il fait pour manger de la pizza et du porridge mais en tout cas, il y arrive. Il rajoute du lait. Dégueu.

– Si tu veux, Jersey, on passe un marché : tu vas à ma formation et moi, je fais tes devoirs.

Les sourcils de Papa s'agitent comme des chenilles.

– Mes SVT et mes maths aussi ? Formation continue. Lait-pizza.

– Tu as des maths ? Ah, beurk. Non, je retire ma proposition.

Papa sourit. Ses cernes paraissent encore plus grands. Il a vraiment besoin de se raser.

Raser. Raser. Raser.

Papa me propose une part de pizza froide. Je refuse. Je compte dans ma tête et je le laisse me faire des tartines de colle goût raisin parce que ça lui fait plaisir. Je les trempe dans mon porridge. Avec le porridge, les tartines de Papa ont un peu moins le goût de colle. Et ça ne ressemble pas non plus à la pizza au lait. Enfin, je ne crois pas. J'arrive à avaler une bouchée. Le porridge, ça aide, mais on dirait quand même de la colle au raisin.

– Est-ce que… est-ce que Maman dort encore ?

Papa renifle et pose sa pizza.

– Elle a passé la nuit à la banque. Ils ont un audit la semaine prochaine. Rien de vraiment spécial comme audit, mais ça lui donne beaucoup de travail en plus.

Les cernes sous ses yeux se creusent quand il parle.

J'ai lu une histoire pour enfants comme ça, une fois. À chaque fois que le petit garçon mentait, ses cernes s'agrandissaient. Non, attends, non, son nez s'allongeait. Oui, c'est ça, son nez s'allongeait.

– Nez, je dis.

Mais ça fait comme si j'avais dit « nan », à cause de la tartine collante et du porridge. « Nan » ressemble à nez, pas à « lettre », alors, ça va. Nan, nan, nan.

– Tu vois Mama Rush aujourd'hui, Jersey ?

– Nan. Attends ! Oui ! Colle.

– D'accord.

Papa sourit et avale la dernière bouchée de sa pizza aux poivrons.

– Finis ton petit déjeuner, je te dépose en allant à ma formation.

– Je te l'ai déjà dit, mon garçon, tu es trop tendu.

Quand Mama Rush parle, on dirait un chien qui grogne. Elle regarde mon cahier de mémoire.

– Décrispe-toi.

Je prends une longue inspiration. J'essaie que mon visage ait l'air détendu. Mais ça ressemble à quoi, un visage détendu ? Mains sur la table. On respire lentement. Aie l'air détendu. Détendu.

Le soleil brille.

La chaleur monte autour de notre table dans le patio. Je ne vois pas Gros Larry. Pas pour l'instant. Mes yeux vont du cochon-tirelire en terre réparé avec de la colle posé sur la table à la porte du patio. Comme si la porte allait s'ouvrir brusquement. Je suis trop tendu, mon garçon. Et je transpire derrière les oreilles. Dégueu. Des oreilles humides. C'est pire que la pizza au lait. Mais ce n'est pas pire que le cochon en terre réparé avec de la colle.

Décrispe-toi. Décrispe-toi. Je suis trop tendu, mon garçon. Oreilles humides. Le cochon ressemble à un cochon extraterrestre avec les fesses à la place de la tête. Son nez est tout écrasé. Une de ses oreilles pendouille sur le côté. Il n'a pas de queue et il lui manque une patte arrière. Une de ses pattes avant ressemble à mes lacets-spirales et le reste est plein d'aspérités. Oreilles humides. Il fait chaud. Je crois que Mama Rush a collé des bouts de son nez écrasé sur ses flancs. Ou alors, ce sont des morceaux qui viennent d'autres poteries. Je ne suis pas sûr. De toute façon, ses flancs sont aussi irréguliers que tout le reste du corps. Il est vraiment moche, ce cochon-tirelire en terre.

C'est vrai, mais tu peux y mettre des pièces. C'est déjà pas mal.

C'est ce que Mama Rush a dit en le posant sur la table. On peut y mettre des pièces. Elle feuillette mon cahier de mémoire et essaie de déchiffrer mes pattes de mouches. Oreilles humides. Sa robe est rouge et elle a un ruban autour de son chignon.

– Il te faudrait un ordinateur portable.

Ses yeux se posent sur la porte du patio puis reviennent au cahier.

– Peut-être qu'il y a de l'argent dans cette boîte qui t'inquiète tant. Si c'est le cas, ton père pourrait t'acheter un ordinateur. Comme ça, je pourrai lire ce que tu écris.

– Lacets. Je crois qu'il y a une lettre dans la boîte. Peut-être. Ou de l'argent.

Je jette un regard en coin vers la porte du patio et je m'essuie derrière les oreilles.

– Ou une cassette. Des documents secrets sur moi. Peut-être que j'ai écrit une lettre.

Mama Rush fait sortir la fumée de sa cigarette par le nez.

– Ça m'étonnerait que ton père te cache une chose comme celle-là. Vous avez vu des psychologues tous ensemble, et il sait que tu cherches des réponses.

Elle a les yeux fixés sur la porte du patio. Alors, moi aussi je la regarde. La table est chaude sous la paume de ma main. À cause du soleil. Il n'y a pas de vent. Rien ne bouge. Ça sent l'humidité, la cigarette et la colle et aussi un peu le parfum et les fleurs. La porte du patio ne s'ouvre pas.

– Psychologues. Lacets. Réponses. Et s'il pense que la lettre est trop… triste ?

Je n'arrive pas à quitter la porte des yeux. J'aimerais bien que Mama Rush arrête de la regarder, comme ça moi aussi, je pourrais arrêter.

– Il peut penser que c'est mieux que je ne sache pas. Il a peut-être peur que ça me fasse du mal.

Elle réfléchit à ça pendant la moitié de sa cigarette. Nous fixons la porte tous les deux. De la fumée environne le cochon à face de fesses comme s'il était au milieu du brouillard. Du coin de l'œil, je vois du rouge. Le rouge de la robe et du ruban de Mama Rush. Un djinn rouge aujourd'hui qui regarde la porte du patio encore plus que moi. Ses yeux sont humides.

Est-ce qu'elle attend Gros Larry, elle aussi ? Est-ce que Gros Larry est son petit ami ? Non, ce n'est pas possible. Est-ce qu'il lui manque ? Non, impossible. Comment est-ce que Gros Larry pourrait manquer à quelqu'un ?

Mama Rush soupire et ferme mon cahier.

– Que penses-tu de travailler sur le numéro 2 de ta liste, Jersey ? Est-il possible que tu aies fait quelque chose de vraiment affreux… si affreux que tu aies eu envie de te faire du mal à toi-même ?

– Oui, je crois. C'est ce que j'ai dû faire.

Enfin, enfin, j'arrête de regarder la porte mais seulement parce que Mama Rush a arrêté la première. Je désigne le cahier de mémoire.

– C'est la seule raison qui reste. Cochon face de fesses. Extraterrestre.

– Non, il te reste aussi le numéro 6. Elana Arroyo.

– Horriblement coupable. Je suis sûrement coupable. Je ne me serais pas tiré une balle dans la tête pour une fille. J'aime bien ma tête.

Mama Rush a éclaté d'un grand rire. Un grand ricanement.

– Quand tu étais petit, tu enfilais les collants de yoga de ta mère, tu t'enfonçais un casque de Viking sur la tête et tu fonçais dans les meubles. Et ce n'était que le prélude aux matchs de foot. Tu n'as jamais traité ta tête avec beaucoup de précaution.

– Viking ? Collants ? Impossible.

Mama Rush se tord de rire.

– Des collants roses ! Aussi roses que ce cochon-tirelire.

Du tranchant de la main, elle hache la fumée qui flotte autour d'elle. Elle écrase sa cigarette dans le cendrier recollé. Dans le cochon-tirelire, les pièces cliquettent. Elle utilise toujours le cendrier que je lui ai offert quand on parle ensemble. Il a beaucoup de brûlures mais elle a l'air de s'en fiche.

– C'est pas juste.

Je reprends mon cahier de mémoire.

– Moi, je ne te connaissais pas quand tu étais petite. Sinon, j'aurais aussi des histoires à raconter. Cochon face de fesses. Collants ? Collants.

Mon sourire est tellement grand qu'il me fait mal aux joues. Je rigole en m'étouffant un peu. Collants roses. Casque de Viking.

Impossible.

Pets de grenouille.

– Catherine, lance une voix grave.

– Pets de grenouille !

Ma mauvaise main se crispe. Ma mâchoire se serre.

Aussitôt, Mama Rush arrête de rire. Son visage devient impénétrable. Ses yeux se rétrécissent et ses lèvres aussi.

Mes deux mains deviennent deux poings et je lève les yeux vers l'homme qui se tient entre Mama Rush et moi. Pets de grenouille. Il me fait peur. Il est entré sans faire de bruit. Il est grand. Il était sûrement musclé dans le temps. Parle. Parler. Il a dû entrer pendant qu'on rigolait. Sans faire de bruit. Il a appelé Mama Rush par son prénom. Je ne connais personne qui fait ça. Que lui. Je ne sais pas qui c'est. Ce n'est pas Gros Larry. Quand Gros Larry est là, Mama Rush ne fait pas une drôle de tête comme si elle venait de manger les tartines et le porridge de Papa.

– Tartines de colle au raisin.

J'essaie de décrisper mes doigts. Ma mauvaise main me lance. Et mes mâchoires aussi. Et je commence à avoir mal à la tête, comme si j'avais mal aux dents dans la nuque.

L'homme me fixe. Mama Rush le fixe. Elle tapote la table du bout des doigts, soupire et dit :

– Carl, je te présente Jersey. Jersey, je te présente Carl.

Carl ne ressemble pas du tout à Gros Larry. Il ne se comporte pas comme lui non plus. Son visage n'est pas rouge, il ne pleure pas, il n'a pas le bras en écharpe et il n'a pas de scooter. Il porte un jean et un T-shirt noir et, sans sa barbe et ses cheveux blancs, il aurait l'air beaucoup plus jeune. Il fronce les sourcils comme Papa Avant. Quand il était sur le point de me punir ou de me confisquer mon ordinateur. Ou un truc du genre « pour mon bien ».

– Désolé de vous interrompre, dit l'homme de sa voix grave. Pourrais-je te parler un instant, Catherine ?

Mama Rush a toujours son visage impénétrable et ses lèvres pincées. Carl n'est pas Gros Larry mais il n'est pas beaucoup plus malin. Moi, si Mama Rush me regardait comme ça, je me ferais tout petit. Ou je m'enfuirais. Je ferais sûrement les deux. Il faut dire que je la connaissais déjà quand je portais des collants roses et des casques de Viking. Carl ne la connaît pas depuis aussi longtemps.

Pourtant, elle ne le frappe pas. Elle se contente de dire :

– Je n'ai rien à te dire.

Wouah !

Peut-être que je ne suis plus aussi intelligent qu'avant mais j'ai quand même vu des stalactites accrochées à cette phrase.

Carl, qui doit être encore plus bête que Gros Larry et moi réunis, croise ses bras sur la poitrine et essaie encore.

– S'il te plaît. Si tu voulais m'écouter, tu comprendrais. J'étais dans une mauvaise passe. J'ai eu un moment de faiblesse et…

– Tu as eu quoi ?

Mama Rush parle fort. Je rapproche le cochon-tirelire et le cendrier de moi avant qu'elle ne les jette par terre.

– Il n'y a pas plus de bon sens dans ta petite cervelle que de carapace de tortue sur le dos du seigneur. Tu n'as qu'un pauvre neurone endommagé qui n'est même pas capable de distinguer le bien du mal. Ne m'oblige pas à me lever de ce scooter, Carl. Et ne m'oblige pas à continuer de te parler. Tu n'as pas envie d'entendre ce que j'ai à te dire.

Cette fois, Carl capte le message. Les gens dans la rue devant le Palais ont probablement aussi capté le message. Mon cerveau aussi a capté le message. Pendant une seconde, je vois des visages. Des visages de filles. Pas celui de Leza ou d'Elana. Des filles que je ne connais pas. Trois ou quatre au moins ; certaines rient, d'autres pleurent. Et puis Elana, à moins que ce ne soit la petite amie de Todd, me dévisage exactement comme Mama Rush dévisage Carl. Regard noir. Visages. Visages. Noir. Je secoue la tête pour faire disparaître les visages.

Tu es tellement égocentrique...

Non. Pas ça. Pas maintenant. Il faut que je me calme.

Carl – le très, très idiot Carl – n'est pas calme. Il réessaie de parler. Je cligne des paupières. Visages. Ils vont et viennent. Égocentriquc. Égocentrique. Tu es tellement égocentrique.

Mama Rush se met à hurler. Elle ne prend pas de respiration et elle utilise beaucoup de mots que je n'ai pas le droit de prononcer parce que je me suis suicidé et que mon cerveau abîmé ne sait pas quand il faut utiliser ces mots et quand il faut la fermer.

En tout cas, si j'étais Carl, je l'aurais fermée. Même si je n'avais pas vu des visages défiler dans ma tête. Mais Carl n'a pas de preuves de sa stupidité sur le crâne comme moi et ça se voit parce qu'il continue de balbutier :

– Je... mais... je... je...

Mama Rush parle vite et fort. Je ne comprends que des bouts de phrase.

« Fille de joie » et « fourbe » et « foutrement ». Des tas de mots en « f » comme « fille » qui arrivent dans mon cerveau entre les visages. Et un autre mot aussi, que je ne peux pas répéter. Elle l'utilise plusieurs fois, celui-là. Dans des sens différents.

Visages de filles. Je secoue de nouveau la tête. Trop de visages.

Tu es tellement égocentrique que tu penses sûrement que je suis en colère contre toi.

Visages. Attila-le-visage ? Non. Attila-la-Rouge, qui porte toujours des vêtements rouges, apparaît dans l'encadrement de la porte. Elle se précipite vers nous. Elle a son lecteur de carte bleue à la main et elle halète. On dirait qu'elle vient de courir sans s'arrêter depuis le pays d'Attila.

– Il y a un problème ici ?

Ses yeux se posent automatiquement sur moi.

– Visages. Collants et Vikings.

Cette fois, je me fais tout petit. Je rentre la tête dans mes épaules et je serre contre moi le cochon extraterrestre et le cendrier. Trop de visages, trop de cris.

Tu es tellement égocentrique...

Tu es tellement égocentrique...

– Vous avez besoin de rentrer chez vous, jeune homme ? me demande Attila.

Mama Rush descend de son scooter. Elle crie :

– Combien de fois devrais-je vous le dire ? Ce garçon est avec moi. Il vient me rendre visite. Et c'est moi qui dis à mes amis quand ils doivent rentrer chez eux, pas vous. Jersey, tiens-toi droit.

Je me redresse à toute vitesse.

– Tu vois ce que je te disais, mon garçon, tu vois. Si tu ne te décrispes pas, tu finiras comme elle !

Les yeux de Mama Rush lancent des éclairs.

– Est-ce que tu veux rentrer chez toi ? finit-elle par me demander à son tour.

Cochon face de fesses. Visages. Collants. Quoi que je dise, je suis mort. Extraterrestres. Que dois-je dire ? Oui ? Non ?

Tu es tellement égocentrique… Non. Non. La ferme.

Mes lèvres bougent. J'essaie d'avaler ma salive mais ma gorge ne veut pas fonctionner. Je n'arrive qu'à émettre un son inarticulé, comme un débile.

– Aaaahhh, uuuuuhhhhh…

Carl croise les bras. Attila tapote son lecteur de carte bleue.

Le visage de Mama Rush s'adoucit un peu.

– Écoute, Jersey, je ne veux pas te laisser tomber, mais je ne suis pas dans un très bon jour pour t'aider. Tu devrais peut-être rentrer chez toi. On se reverra demain ou la semaine prochaine. Est-ce que tu as de l'argent pour le taxi ?

J'éructe :

– Collants.

Je secoue ma poche pour lui faire entendre les pièces.

– Cochon. Visages d'extraterrestres.

– D'accord.

Elle me passe une main sur l'épaule. Maintenant ses yeux sont écarquillés et pleins d'eau.

– Va dans l'entrée et appelle un taxi.

Je me lève et elle me dit de ne pas oublier mon cahier. Elle me dit aussi d'aller déposer le cendrier et le cochon dans sa chambre. Elle parle d'une voix calme et douce.

Sans regarder Carl, elle ajoute :

– Et Roméo, pourquoi tu ne prendrais pas un taxi, toi aussi ?

D'une voix pas douce du tout.

Je me demande où elle veut que le taxi emmène Carl mais je n'ai pas envie de rester pour le savoir. Je coince mon cahier sous mon mauvais bras et les cadeaux raccommodés dans ma bonne main, j'ouvre la porte en la poussant de l'épaule et je sors du patio.

Je ne regarde pas derrière moi, je cours vers la chambre de Mama Rush. Le cendrier est plein de cendres. Est-ce qu'elle va foncer dans Roméo avec son scooter et le réduire en cendres ? Si elle le fait, Attila la jettera probablement dehors. Cendres. Où est-ce que je suis ? Je ne reconnais pas ce couloir. Ma mauvaise main me brûle. Je tourne la tête à gauche et à droite. Les numéros sur les portes sont tout brouillés. Ce couloir ressemble à tous les couloirs de tous les hôpitaux où je suis allé. Ça sent pareil. Aussi mauvais. Écœurant. Est-ce que Roméo sent comme ça des fois ? Carl est sûrement le petit ami de Mama Rush. Ce n'est pas Gros Larry. Carl, Roméo. C'est mieux, mais aussi écœurant si je pense à lui trop longtemps. Juliette n'est pas très heureuse avec son Roméo. Collants. Si j'étais resté dans le patio, elle se serait peut-être mise en colère après moi. Collants roses. Cochons roses. Visages d'extraterrestres. Je ne sais pas où je vais. Je n'arrive pas à me rappeler le numéro de chambre de Mama Rush.

– Pets de grenouille.

Je le dis à voix haute.

– Pétasse à roulettes. Pets de grenouille. Pets de grenouille.

Je n'arrête pas de répéter ça et j'essaie de ralentir, de respirer moins vite.

– Pets de grenouille.

Finalement, je m'immobilise. Je n'ai même pas fait tomber mon cahier de mémoire, ni le cendrier, ni le cochon.

– Pets de grenouille.

Longues inspirations. Regarde autour de toi. Regarde bien. Collants et pets de grenouille. C'est ça, je crois que c'est dans l'autre couloir, celui d'après. Quelques pas plus tard, je trouve la porte. Je n'ai qu'à la pousser pour qu'elle s'ouvre.

La chambre de Mama Rush fait à peu près la même taille que la mienne, sauf qu'elle a une cuisine. Il y a aussi une salle de bains, tellement petite qu'on ne peut y entrer qu'à une personne. Rien que Mama Rush. Sans Roméo. Tant mieux. Parce que c'était ça qui était écœurant.

Je pose le cochon et le cendrier sur sa commode. Je sais que c'est là qu'ils sont normalement. Il y a un tas d'objets en terre tout cassés. Pas encore réparés. Et un tube de colle.

Elle ne pourra jamais réparer tout ça. Même moi, je ne pourrais plus dire ce que c'était avant. Ce sont juste des morceaux d'objets cassés maintenant. Mais Mama

Rush ne m'a pas dit qu'elle ne pourrait pas les réparer, j'imagine qu'elle n'a pas encore abandonné. Ou alors, elle ne veut pas me rendre triste parce qu'elle a peur que je pleure comme Gros Larry. Roméo aurait été plus malin s'il s'était contenté de pleurer. Elle ne lui aurait sûrement pas dit de prendre un taxi, même si elle était en colère.

Ce n'est que dans le taxi, à mi-chemin de la maison, que je me suis rappelé ce qui m'attendait à la maison. Pas de Papa, pas de Maman, pas d'amis. Pas de petite amie, pas de collants, pas de casque de Viking. Rien que J.A.

J.A. et la boîte dans le placard de Papa.

Quand j'arrive à la maison, j'en ai vraiment assez des visages.

J'en ai assez des images et des mots dans ma tête.

Tu es tellement égocentrique que tu penses sûrement que je suis en colère contre toi.

Mon Dieu. J'ai si mal à la tête que j'ai envie de vomir.

À qui sont ces visages ?

Tu es tellement égocentrique… tellement égocentrique… tu es tellement…

Tête. Tête. Tête. J'ai envie de cogner ma tête contre la porte d'entrée. De la cogner. Fort. Ce n'est pas encore l'heure du déjeuner. Papa ne va pas rentrer avant des heures. Je vais rester seul avec les visages. Et la boîte. Si je ne monte pas, peut-être que J.A. ne parlera pas. Mais la boîte est à l'étage et elle agit comme un aimant. Pourtant, je ne suis même pas encore dans la maison.

Je serre mon cahier de mémoire sous mon bras en regardant la maison des Rush. Le soleil m'éblouit. Il n'y a pas de voiture devant la maison. Leza est sans doute allée courir. Ce n'est pas la peine que je l'appelle maintenant. Tout à l'heure. Si j'arrive à attendre. J'ouvre la porte et je remets mes clés dans ma poche. Tout va bien se passer. Je vais rester en bas et je vais me frotter la tête jusqu'à ce que je puisse bouger sans craindre que mon cerveau explose. Je n'irai pas en haut. Comme ça, ni J.A. ni la boîte ne m'embêteront.

Pas de boîte, pas de lettre, pas de problème. Ne pas être égoïste, ne pas être Gros Larry et surtout ne pas être Roméo même si j'ai pris un taxi. Visages, visages, visages.

Ne fais pas tomber ton cahier, tourne la poignée, ferme la porte derrière toi. Pas la peine de faire tourner la clim' si je laisse la porte ouverte. Tu vois, Maman, j'y pense. Je redeviens pragmatique. Je ne regarde pas les photos des fantômes. Je pose le cahier sur les marches et je reste immobile. Petit à petit, les visages disparaissent. Plus de visages. Merci. Plus de visages. Merci.

Plus de visages maintenant.

Rien que la boîte.

La boîte est à l'étage, dans la chambre de mes parents, dans leur placard. Assieds-toi et attends. J.A. aussi est là-haut, dans ma chambre. Il me tape sur les nerfs mais au moins, il me parle même s'il n'est qu'un fantôme.

La boîte. Le placard. Fantôme.

Mes doigts se crispent, mes dents grincent. J'ai mal à la gorge. Je n'ai pas écrit de lettre avant de me suicider. J'en ai laissé une ? Fantôme ?

Si j'en ai laissé une…

Non, non, non. Fantômes. Collants. Casques de Viking. Il faut d'abord que je parle avec Mama Rush. Ou à Leza. À quelqu'un. Si je trouve une lettre, Papa…

– Lettre, je murmure.

Ma voix est rauque. Il faut que je boive. Peut-être que Papa n'a pas fini le lait avec sa pizza ce matin. Casques de Viking.

Je me dirige vers la cuisine. J'entends un bruit.

Je m'arrête. J'écoute.

Rien.

Est-ce que j'entends des choses qui n'existent pas ?

Lacets. Collants.

Est-ce que J.A. est sorti de ma chambre et m'attend dans la cuisine ? Collants ! Mon cœur bat trop vite. Je ne sais plus si je dois aller dans la cuisine ou dans ma chambre. Ou alors, il faut que je ressorte.

Encore un bruit.

– Collants !

– Jersey ?

Maman.

Mes genoux deviennent tout mous et je manque de tomber. Maman sort de la cuisine. Elle porte un jean et un T-shirt au lieu de ses vêtements de directrice de banque et elle sourit. Tout à coup, ses sourcils se rejoignent au-dessus de son nez.

– Tu te sens bien, Jersey ? Tu es tout pâle et tu trembles.

– Tu… m'as… fait peur, j'articule. Je pensais que… tu… étais… à la banque… collants. Extraterrestres.

Reprends-toi. Si tu deviens Gros Larry, elle va se mettre en colère et s'en aller.

Mais elle ne se met pas en colère. Elle vient vers moi et me serre un peu dans ses bras.

– Je suis désolée. Je suis rentrée parce que je savais que Papa serait absent. Je me disais que… qu'on aurait pu faire quelque chose tous les deux aujourd'hui. Un bon repas et un cinéma par exemple.

Elle sourit et elle est pleine d'espoir. Un peu nerveuse aussi.

Je suis si surpris que je ne dis rien. Mais je pense à des cochons-tirelires en collants avec des casques de Viking sur la tête et à d'autres trucs qu'il vaut mieux que je ne dise pas tout haut. Ma main me fait mal. Ma tête aussi. Mais je m'en fiche. Maman veut aller au cinéma. C'est ma mère. La mienne. Ma maman d'Avant.

Je ne veux pas crier « Gros Larry » ou « pets de grenouille ». Je souris et je réponds :

– Cool.

C'est sorti comme il faut. Ce n'est qu'un mot mais Maman est toute contente. Ma maman. Ma maman d'Avant. Pragmatique. Je manque de tomber encore, mais c'est parce que je suis content.

– Ça marche ! dit-elle.

Elle passe sa main dans mes cheveux.

– Je suis fière de toi. Tu fais beaucoup d'efforts. Allez, viens dans la cuisine. Je te promets de ne préparer ni tartines, ni porridge.

14

Ce dimanche est tout neuf et joyeux, même s'il pleut.

Je me lève tôt. Ça sent les œufs. Les œufs, les gâteaux et le bacon. Le bacon trop gras. Plus gras que le porridge.

Maman prépare le petit déjeuner !

Pas de porridge, pas de tartine. Pas de colle au raisin. Alléluia ! Ce sera ma meilleure journée depuis que je suis rentré à la maison. Hier aussi, c'était bien. Le film était drôle et j'ai mangé plein de pop-corn. Ça m'empêchait de dire des bêtises. Comme ça je n'ai pas embêté Maman. Elle est restée calme et rayonnante toute la journée, jusqu'au soir, quand nous sommes rentrés à la maison. Elle a même dit des choses gentilles à Papa sur la façon dont il était habillé et sur les brochures qu'il a rapportées de sa formation.

Et maintenant, je vais prendre un vrai petit déjeuner.

Je me dépêche de me débarrasser de mon appareillage.

J.A. est resté silencieux jusqu'à ce que j'enfile mon short. Évidemment, quand il se met à parler, c'est pour essayer de me gâcher ma matinée.

Tu n'as toujours pas regardé dans la boîte. Il faut que tu regardes dans la boîte.

Je suis allé au cinéma avec Maman. Boîte. Je veux dire : je ne veux pas regarder dans la boîte. S'il y a une lettre dans la boîte, je ne veux pas la lire.

Oh, si, tu en as envie.

– C'est pas vrai. Pets de grenouille. Mes lacets ne font plus beaucoup de spirales maintenant.

Peut-être que Papa voudra bien m'en racheter. Ou Maman. Peut-être qu'elle ne deviendra pas toute bizarre quand je lui parlerai de mes lacets-spirales puisqu'elle prépare un petit déjeuner. Si elle prépare le petit déjeuner, ça veut dire qu'elle est plus heureuse.

– Des lacets bleus. Ou jaunes, cette fois. Des nouveaux lacets. Des beaux lacets.

Eh, ça rime ! On dirait que t'es un génie, Jersey.

– Je suis un génie de cinq ans. Mais je fais des efforts et je me concentre. Parfois, je me force à ralentir et à remettre mes idées en ordre comme j'ai appris à Carter. Je mange avec les pom-pom girls et je fais mes devoirs et je porte mon appareillage toutes les nuits. Peut-être que bientôt, j'aurai six ans, ou même sept. J'ai déjà grandi un peu. Lacets. Je ne ressemble plus autant à Gros Larry. Je ne suis plus aussi égoïste.

J.A. rit pendant que je serre mes lacets, même s'ils ne font plus beaucoup de spirales.

Tu es toujours aussi égoïste.

Sa voix a changé. Elle est plus aiguë.

Tu es tellement égocentrique que tu penses sûrement que je suis en colère contre toi. N'oublie pas ça, génie!

– Je ne t'écoute pas.

C'est un mensonge. Pendant un instant, les visages réapparaissent. Les visages de filles. Des voix de filles qui crient. Égocentrique. Tellement égocentrique.

Je chantonne pour faire taire J.A. et pour éloigner les visages. Je prends mon cahier de mémoire, mais je ne l'ouvre pas. Dedans, il y a la liste avec deux numéros qui ne sont pas encore barrés. Si je l'ouvre, je sais exactement ce que je vais voir:

~~1. Drogues?~~

2. Fait quelque chose de mal et me suis senti coupable.

~~3. Ma vie était nulle.~~

~~4. J'ai entendu des voix qui m'ont ordonné de me suicider.~~

~~5. Mes parents sont en fait frère et sœur/des extraterrestres/des violeurs d'enfants.~~

6. Elana Arroyo. Demander à Todd.

Fait quelque chose de mal et me suis senti coupable et Elana Arroyo. Tôt ou tard, il faudra que j'oblige Todd à me parler.

Peut-être que tu as fait quelque chose de mal à Elana Arroyo. Peut-être que c'est pour ça que tu te la rappelles en train de te crier dessus. Peut-être que tu as fait quelque chose de vraiment affreux. Demande à Todd. Il t'enfoncera tes dents dans la gorge.

La couverture de mon cahier est sale. Il faut que je la lave. Il me faut un nouveau crayon et une nouvelle ficelle. Peut-être que je pourrais prendre un de mes lacets qui ne fait plus beaucoup de spirale. Comme ça, je ne serais pas obligé de le jeter.

Tu es tellement égocentrique.

Est-ce que c'est J.A. qui a parlé ou est-ce que c'est moi qui ai pensé ?

Je regarde le coin de ma chambre, le coin sombre où vit J.A. La pluie bat contre la fenêtre. Je plisse les yeux mais je ne vois pas J.A. Même pas de poussière qui danse. Est-ce qu'il y avait de la poussière qui dansait ou est-ce que je l'ai inventée ?

– Lacets !

– Jerseeeeeey ! appelle Maman. Petit déjeuner !

– Petit déjeuner, je marmonne. Lacets.

D'accord. D'accord. Maman a une voix gaie et elle a préparé un vrai petit déjeuner. Papa et elle ne sont pas en train de se disputer. Il n'y a pas de raison de perdre les pédales. De devenir Gros Larry. De dire des bêtises.

De parler de la lettre dans la boîte ou d'Elana Arroyo et Todd ?

– Boîte. Elana. Todd. Visage. La ferme.

Mais il ne la ferme pas et je claque la porte derrière moi. Et puis je m'inquiète. Maman pourrait se mettre en colère parce que j'ai claqué la porte. Mais non. Même pas. Papa non plus. Il est en train de manger des biscuits et il a des miettes partout sur son costume. Je ne lui fais pas la remarque parce que j'en ai aussi. Et même des morceaux de bacon et d'œuf avec les miettes de biscuit.

On parle du lycée mais pas des notes. Pas non plus de se faire pisser dessus au lycée. On parle du travail de Maman et de celui de Papa, mais on ne parle pas des disputes ou des nuits passées au bureau.

Quand j'ai envie de dire une bêtise, je mange une bouchée de quelque chose. C'est bien meilleur que le porridge et les tartines à la colle au raisin. Bien meilleur que les cacahouètes. Meilleur même que les pom-pom girls. Enfin presque. Dehors, il y a du vent et de la pluie mais dans la cuisine, on prend un petit déjeuner. C'est vraiment mon plus beau jour depuis que je suis sorti de l'hôpital. En tout cas jusqu'à ce que Papa s'en aille à sa formation et que Maman retourne au bureau pour boucler un dossier. Ils nettoient la cuisine et ils m'embrassent. Ils s'assurent que j'ai leurs numéros de téléphone, ils me promettent de téléphoner et ils partent. Et je suis seul.

Seul dans la maison. Souriant, mais seul.

Avec la boîte.

Mais je ne vais pas regarder dans la boîte. Si je regarde et que je découvre quelque chose de mal, ça va me perturber et ça va tout gâcher. Je ne veux pas tout gâcher.

– Gros Larry. Roméo. J.A.

Je ne veux pas être un gâcheur comme eux.

La table de la cuisine est tellement propre que mon visage se reflète sur le bois noir. Je vois aussi la pluie. Si je reste là à regarder mon visage et les gouttes de pluie, je n'irai pas en haut et je n'ouvrirai pas la boîte et je ne gâcherai pas tout.

Je tapote le reflet de mon visage sur la table.

Est-ce que Leza est chez elle ? Je pourrais l'appeler. Ou Mama Rush. Oui, je vais faire ça. Je vais les appeler. Mais d'abord, je vais rester assis là. Si je fais attention, je peux faire les choses très lentement et ne monter que quand il sera temps de faire mes devoirs. Comme ça, je ne serai pas tenté de regarder dans la boîte. Et Papa rentrera à la maison. Et Maman aussi puisqu'elle est plus heureuse maintenant.

Mais c'est difficile de rester assis à ne rien faire.

Je bâille.

Je regarde la pluie.

Quelques secondes passent et je repense à la boîte. Alors, je cherche le numéro de Leza et je l'appelle.

Quelqu'un répond à la première sonnerie.

– Allô ?

Todd. Pas de chance.

Ne dis pas Elana. Quoi que tu dises, ne dis pas Elana.

– Allô ?

La voix de Todd est agacée.

Concentre-toi. Concentre-toi. Ralentis.

– Est-ce que Leza est là ?

Je bâille. Je n'ai pas pu m'en empêcher. J'espère que Todd n'a pas entendu ça. Mais il a sûrement entendu parce qu'il ne dit rien. Est-ce que j'ai oublié quelque chose ?

– S'il te plaît ?

Et j'ajoute au cas où :

– Désolé.

Todd émet un grognement.

– Ouais, une minute.

Sale monstre.

Il ne l'a pas dit mais je l'ai entendu dans les battements de la pluie sur les vitres. Ça ne me dérange plus autant, que Todd me traite de sale monstre maintenant. Je sais que je ne suis pas totalement un Gros Larry. Pas encore en tout cas. Je fais des efforts.

Leza prend le téléphone.

– Jersey ? Quelque chose ne va pas ?

– Non.

J'observe mon visage pas très bien réveillé qui continue de se refléter sur la table de la cuisine. La voix de Leza est si douce au téléphone. Comme de la musique.

– J'appelais juste comme ça.

– Je ne te crois pas. Mama Rush m'a parlé de la boîte.

J'aurais dû m'en douter. Mais je ne peux pas être en colère contre Leza ou Mama Rush.

– Roméo. Ils se sont disputés.

– Je sais. Il a carrément merdé.

J'entends quelqu'un marmonner derrière Leza et elle s'exclame :

– Quoi ? Mais Maman, c'est vrai qu'il a vraiment merdé. Enfin bon bref, disons qu'il n'a pas trop assuré sur ce coup-là. En tout cas, à mon avis, tu ne devrais pas ouvrir cette boîte. Ce qu'il y a dedans ne te regarde pas.

– Moi aussi. Pas de boîte.

Roméo. Je ne pourrai jamais être le Roméo de quelqu'un. Pas avec mes cicatrices. Mais Leza est gentille avec moi. Des fois, on dirait presque qu'elle s'en fiche de ce à quoi je ressemble.

– Mes parents sont partis.

– Tu demanderas à ton père pour la boîte quand il rentrera, dit-elle. Mais tu n'as pas à farfouiller dans ses affaires. Ce serait mal.

L'odeur du petit déjeuner ne flotte plus dans la cuisine. Mon ventre gargouille. Il n'arrête pas de pleuvoir. Il fait tout gris dehors. J'ai dû m'endormir sur la table.

– Pas de boîte. Tu veux parler ? Tu pourrais venir.

Leza soupire.

– Je ne peux pas. Je passe le dimanche en famille. Depuis que… enfin, tu sais, mes parents tiennent aux dimanches en famille. On mange ensemble et on joue à des jeux de société débiles et le soir on va se promener au lac.

Encore des marmonnements derrière Leza. Elle grogne.

– Ouais, d'accord, les jeux ne sont pas débiles, en tout cas, je ne peux pas venir. Attends une seconde.

Elle pose sa main sur le téléphone. J'entends sa voix, mais je ne distingue pas les mots. Elle demande quelque chose. On lui répond. Une voix plus grave intervient. Celle de Todd, je pense. Leza réplique plus fort :

– Et pourquoi pas ?

Elle ajoute.

– Ça me regarde si je veux lui parler. Les médecins et Mama Rush ont dit que…

Et moins fort :

– Mon Dieu… pardonne… honte.

Encore des voix dans le fond. Celle de Todd qui se détache. Et Leza me parle à nouveau.

– Je suis désolée, il faut que j'y aille. Mais tu dois me promettre de ne pas t'approcher de la boîte.

À mon tour de soupirer.

– D'accord. Pets de grenouille.

Il pleut de plus en plus fort.

– Promets-le-moi, Jersey.

– Je promets.

– Tu n'ouvres pas cette boîte.

– Je promets. Pets de grenouille.

– Fais tes devoirs, range ta chambre et prépare un truc sympa pour tes parents. Ça devrait t'occuper.

– Devoirs. Pets de grenouille.

– On discute de tout ça demain.

Elle rit.

– Pétasse à roulettes.

Elle raccroche sans dire au revoir et la dernière chose que j'entends, c'est qu'elle crie sur Todd. Je souris. J'aime bien parler à Leza. J'aurais aimé que ça ne s'arrête pas, mais je sais qu'elle doit jouer à des jeux de société débiles pas vraiment débiles. Je ne voudrais pas qu'elle merde, ni qu'elle ne soit pas bonne sur ce coup-là.

– Merder.

Je raccroche et je cherche le numéro de téléphone du Palais. Je le compose. Ça ne répond pas. Je raccroche de nouveau. Je sors tout mon argent de ma poche et je le compte. Je n'ai pas assez pour prendre un taxi jusque chez Mama Rush.

Je pourrais passer un coup de fil à Papa ou Maman. Ça ferait encore passer un peu de temps. Je décroche le téléphone. Il bipe pour prévenir qu'il n'a presque plus de batterie.

Génial !

Les autres téléphones sont en haut. Un dans ma chambre, l'autre dans celle de mes parents. De toute façon, il est temps que je monte faire mes devoirs.

Je me sens lourd. Je suis resté assis si longtemps que j'ai du mal à bouger. Je m'étire et je vais aux toilettes du rez-de-chaussée. Je pisse sans m'éclabousser. Quand j'ai fini, je me lave les mains, m'asperge le visage et me relave les mains. Je m'observe dans le miroir et je fais des grimaces.

La partie gauche de mon visage ne marche pas très bien. Mes cicatrices sont toujours là. Il faudrait que je me fasse couper les cheveux et que j'emprunte le rasoir électrique de Papa.

Au bout d'un moment, j'en ai marre d'être debout dans les toilettes.

– Ne sois pas idiot. Tu peux très bien monter sans regarder dans la boîte.

Quand je parle, ma bouche est bizarre. C'est une moitié de bouche. Pets de grenouille. Est-ce que c'est vraiment possible que Leza s'en fiche de ce à quoi je ressemble ? Je lui ai promis de faire mes devoirs, de ranger ma chambre et de préparer un truc sympa pour mes parents. Je lui ai promis de ne pas regarder dans la boîte. Je vais monter et faire tout ça. Quand mes parents vont rentrer, tout va très bien se passer.

J'ai besoin du téléphone. C'est pour ça que je suis entré dans la chambre de mes parents. Le téléphone du rez-de-chaussée ne marche plus, j'ai oublié de recharger le mien et j'ai fini mes devoirs. J'ai rangé ma chambre aussi, mais je n'ai pas réussi à trouver un truc sympa pour mes parents. Et puis aussi, j'en ai marre d'écouter J.A. J'ai envie d'appeler Mama Rush. Je n'ai pas de téléphone, alors pendant que la pluie dégringole sur le toit, j'entre dans la chambre des parents prendre le téléphone.

Maintenant, je suis là, le téléphone à la main, les yeux rivés sur la porte de la réserve. Si j'entre, je verrai la boîte. Ensuite je retournerai dans ma chambre. Pets de grenouille. C'est simple. Ouvre la porte, regarde et va-t'en. Ouvre la porte, regarde et va-t'en.

Je jette le téléphone sur le lit en disant un gros mot.

J'en ai assez de ces conneries. J'en ai ras-le-bol de penser tout le temps à cette boîte. D'essayer tout le temps de ne pas penser à cette boîte. Je vais entrer dans le placard, jeter un coup d'œil dans la boîte et partir. Comme ça, je saurai, j'arrêterai d'y penser et rien ne sera gâché.

Mais j'ai promis à Leza.

Sauf que Leza ne saura pas que je n'ai pas tenu ma promesse.

Zut, voilà que je parle comme J.A. Je l'ai écouté trop longtemps. Raison de plus pour me débarrasser de cette histoire de boîte. Je regarde et je m'en vais.

J'ouvre la porte. Je monte sur un gros classeur en métal pour atteindre la boîte. Je me tiens avec ma mauvaise main et je l'attrape avec ma bonne. Les bons garçons vont au paradis. Bien, bien. La boîte bouge… ah, merde. Boîtes. Boîtes. Tomber. Boum. Quelque chose est tombé sur ma tête. Une chaussure. Un vieux livre de comptes rebondit sur mon épaule. Ça sent le vieux papier. J'éternue. Boum et boum encore. Boîtes. Boîtes.

Des boîtes partout. Des chaussures partout et des vieilles feuilles d'impôts, des talons de chéquiers, des photos, des vieux bijoux de Maman. Je descends du classeur, la boîte marron dans la main. Pets de grenouille. Je jette un coup d'œil et je m'en vais. Et je m'en vais ? Je suis un Gros Larry et maintenant j'ai des tas de trucs à ranger.

Boîte, boîte, boîte. J'emporte la boîte marron dans ma chambre et je la pose sur le lit. Je m'en occuperai plus tard. Je retourne dans la chambre de mes parents.

Au départ, j'essaie de tout ranger dans les bonnes boîtes. Et puis après je mets dans la première boîte qui vient. Je repose les boîtes sur les étagères. D'autres boîtes tombent. Imbécile.

J'ai fini. Enfin. Je renifle comme un Gros bébé Larry. Je ne sais pas comment je vais remettre la boîte marron à sa place sans encore tout faire tomber. Je ferai de mon mieux. Sinon mes parents sauront et ils seront tristes et j'aurai tout gâché encore une fois.

Dans ma chambre, je m'assois sur le lit, près de la boîte. J'ai mal à la tête. Mes mains me lancent. J'ai l'impression que quelqu'un plante des fléchettes dans mes cicatrices.

C'est pas trop tôt, dit J.A.

– La ferme !

Je m'essuie le nez avec ma chemise.

– Je suis fatigué.

Tu ferais bien de regarder ce qu'il y a dans cette boîte maintenant. Si tu ne la rapportes pas à temps, tu vas avoir des gros problèmes.

– J'ai promis à Leza que je ne regarderai pas. Et si…

Ouvre la boîte, Jersey.

Des gouttes de sueur roulent sur ma nuque. Je frissonne. Mes poings se serrent.

– Je vais la rapporter. C'était une mauvaise idée. Je ne voulais pas vraiment la prendre.

Tu ne voulais pas quoi ? Monter ? Entrer dans le placard de tes parents ? Tout mettre par terre ? Apporter cette boîte ici ? Alors ? Qu'est-ce que tu ne voulais pas ?

– Laisse-moi tranquille.

Tu ne veux pas être tranquille. Regarde dans cette boîte et va la remettre à sa place.

Mon ventre gargouille. J'ai faim. C'est peut-être déjà l'heure du dîner. La pluie a emporté toute la lumière, alors on ne peut pas savoir.

Je prends la boîte, elle est lourde. Je n'avais pas remarqué. Peut-être à cause de la pagaille que j'ai semée dans la réserve.

– Pagaille.

Le couvercle est légèrement rugueux.

– Regarde dans cette boîte et va la remettre.

Cette boîte peut-elle contenir des réponses ?

Ouvre-la. J.A. a une drôle de voix. Pas pareille que d'habitude. Plus méchante. *Ouvre-la tout de suite.*

Je ferme les yeux et je soulève le couvercle.

Quand je rouvre les yeux, ce que je vois n'a aucun sens.

Mes oreilles bourdonnent. Mes cicatrices et ma mauvaise main me lancent. Il y a des chaussettes dans la boîte. Et coincées par les chaussettes, des photos de moi habillé pour le foot ou le golf. Des petites photos cornées, comme si elles sortaient du portefeuille de Papa.

Et au milieu des chaussettes, un objet noir.

Je fixe l'objet et j'essaie de faire fonctionner mon cerveau. Chaussettes, photos. Chaussettes, photos. Chaussettes, photos et objet noir. Une étiquette verte avec mon nom dessus écrit à la main et imprimé : *Pièce à conviction*. Et le numéro de téléphone du département de police. Une étiquette verte attachée à l'objet noir.

Quand je la tends pour prendre l'objet noir, ma bonne main tremble encore plus que ma mauvaise main. Si froid. Si lourd. La boîte de Papa. La boîte de Papa, pleine de chaussettes, de photos et…

Et ? murmure J.A. *Tu sais comment ça s'appelle. Dis-le.*

– Chaussettes. Photos.

J'ai une boule dans la gorge.

– Revolver.

15

Pluie.

Il n'y a jamais de pluie dans mon rêve.

Dans mon rêve, il ne pleut pas.

Mais dehors, il pleut. Il a plu toute la journée.

Je tousse mais ça ressemble plus à un hoquet. Le revolver pèse si lourd qu'il me fait mal au poignet. Dans mon rêve, il n'est pas si lourd. Je le soulevais facilement. Là, c'est difficile. Le canon est pointé sur mon genou. Dans mon rêve, je mets le canon dans ma bouche et après je l'appuie sur ma tempe. Mais il ne pleuvait pas.

Va-t'en, la pluie. Va-t'en.

Dans le rêve, il y a du soleil, assez de soleil pour éclairer la poussière qui danse. Dans le rêve, je ne pense ni au chaud, ni au froid, mais là, j'ai froid. Je tremble. Et dans le rêve, j'avais le goût de la graisse et du métal dans la bouche. Là, j'ai juste l'odeur.

– Métal, je murmure. Chaussettes.

Je porte un short, pas mon uniforme. Et je n'ai pas roulé le tapis de Mama Rush pour le poser sur ma commode.

Chaussettes, chaussettes. Je sens l'odeur du revolver. Je le sens. Normalement, ça ne se passe pas comme ça.

– Chaussettes. Oh, zut ! chaussettes.

Je tiens le revolver. Il me touche la jambe. L'étiquette verte a été accrochée par la police. Forcément. Le revolver. Dans mon rêve, il est plus gros mais plus léger.

Des larmes coulent sur mes joues et roulent jusqu'à mes lèvres. La moitié de ma bouche ne fonctionne pas. Maintenant, j'ai des cicatrices. J'ai une jambe qui ne marche pas bien et un de mes bras ne marche pas bien non plus.

Chaussettes. Métal. Odeur. Revolver lourd.

Est-ce qu'il est chargé ? Il pleut. Il fait de plus en plus sombre. Je devrais allumer la lumière mais si je le faisais, ce serait comme s'il y avait du soleil dans ma chambre, je pourrais voir la poussière qui danse et je me suiciderais encore une fois. Chaussettes, chaussettes. Respire. J'ai besoin d'air. Air. Balles. Chaussettes.

Est-ce qu'il y a des balles dans le revolver ? Je n'ai même pas vérifié. Je ne sais même pas si je peux le faire avec une seule main. Si le revolver est chargé, je pourrais me tirer dessus sans faire exprès. Remettre le revolver dans la boîte. Dans la boîte. Pragmatique. Quand j'ai quitté l'hôpital, une banderole me disait : *Continue comme ça, Jersey*. Je dois faire des efforts. Les lettres sur la banderole étaient phosphorescentes et changeaient de couleur. Est-ce que je l'ai écrit dans mon cahier ? Mon cahier à spirale sale, avec son crayon et sa ficelle sale. *Hatch Jersey* écrit dessus. Continue comme ça, Jersey. Remets ce revolver dans la boîte. Ne sois pas un Gros Larry. Ne sois pas Roméo. Ne sois pas J.A. encore une fois. Ne gâche pas tout. Pragmatique. Chaussettes.

Range le revolver dans la boîte. Fais attention. La boîte pourrait tomber et tu te ferais un trou dans le pied. Ou dans le mur. Ou même, je pourrais me tirer dans la tête. Encore une fois ? Sauf que ce serait un accident, mais personne ne me croirait. Où est J.A. ? Pourquoi il ne dit rien ?

Je n'arrive pas à bouger. Je reste assis, les yeux fixés sur la boîte et les chaussettes. Ma tête. Elle me fait mal. Elle me brûle. Mes yeux veulent sortir de leurs orbites. Ma cicatrice est douloureuse comme si j'appuyais le canon du revolver dessus. Je pourrais le faire pour de vrai. Ce serait comme dans mon rêve, sauf que je ne tirerais pas.

– Chaussettes. S'il te plaît. Chaussettes. Pragmatique.

Qui pleure ? Pleure, drôle de mot. Mes joues sont mouillées. Est-ce que je pleure ?

Le revolver doit retourner dans la boîte. Je dois le remettre. Attention, attention, il est peut-être chargé. Pas d'accident. Chaussettes. Ne gâche pas tout. Je ne suis pas un gâcheur.

Ma main tremble. Le revolver tremble. Je le soulève.

Remets-le dans la boîte. Au-dessus des chaussettes. Ne respire pas. Ne dis rien. Ne pense pas à te tirer une balle dans la tête. Pose le revolver sur les chaussettes. Pose-le.

Quelqu'un crie si fort que je crie aussi. Je lâche le revolver sur les chaussettes en continuant de crier. Mais le revolver ne tire pas. Il tombe sur les chaussettes et ne bouge plus. Je lève la tête.

Maman.

Elle est dans l'encadrement de la porte. Avec sa jupe noire de directrice de banque, sa veste noire de directrice de banque, une main sur le chambranle, une autre plaquée sur la bouche, immobile. Sauf ses yeux. Ses pupilles n'arrêtent pas de bouger et deviennent de plus en plus grandes.

Je pense à une mare. À marcher sur une mare gelée. Si la glace craque, on tombe et on se noie avant que quelqu'un ait eu le temps de vous tendre la main.

Maman la statue de glace va craquer.

Elle craque en faisant beaucoup de bruit. Comme une détonation de revolver.

D'abord ses doigts, puis ses mains, et ses bras. Elle se prend les cheveux et se les arrache par poignées. Des mèches blondes tombent par terre. Sa bouche bouge.

– Non ! Non ! Non !

Ses yeux sont immenses comme dans les dessins animés. Son visage est rouge. Larmes. Postillons.

– Pose-le ! hurle-t-elle. Pose-le !

Quoi ? Pose quoi ? Ses cheveux. Oh non, elle se les arrache encore. J'essaie de dire quelque chose, je tousse, je m'étouffe. Mes dents grincent, mes mains tremblent. La boîte, les chaussettes et le revolver tremblent. Et je comprends. Le revolver. Pose la boîte avec les chaussettes et le revolver.

Maman a cru… elle a cru…

– Non, j'arrive à articuler à travers ma mâchoire serrée. Je ne vais pas… je ne…

Elle saute jusqu'à moi et donne un coup de poing dans la boîte. Je me couvre la tête de ma bonne main au moment où le revolver atterrit sur le tapis.

Le coup ne part pas. Le revolver n'est pas chargé, mais je ne pense pas à ça, parce que Maman m'agrippe par la chemise et me secoue, me secoue. Jusqu'à ce que mes mâchoires se serrent encore plus et que la pièce bouge autour de moi. J'essaie de lui prendre les bras, mais je n'y arrive pas.

– Pourquoi ? crie-t-elle. Si tu ne me dis pas pourquoi, je te tue ! Pourquoi ? Pourquoi ?

– Je… regardais… c'est tout !

Je crie moi aussi.

Elle lâche ma chemise et me gifle très fort. Ma mâchoire fait un drôle de bruit. Mes joues sont en feu, le feu remonte jusqu'à mes cicatrices. Des larmes coulent de mes yeux. Mes yeux clos. Maman me gifle encore. Je tombe sur mon oreiller en me tenant le visage. Je pleure, ça fait mal. Ça brûle. Tout mon visage me lance. C'est comme si mes cicatrices s'étaient ouvertes. La glace a craqué. Je me noie avant que quelqu'un ait eu le temps de me tendre la main.

– Je vais te tuer moi-même ! hurle Maman en sanglotant et en essayant de me frapper à nouveau. Je vais le faire proprement. Je ne mettrai pas du sang partout et je ne vais pas te rater. Je ne veux plus jamais vivre ça. Plus jamais !

Elle serre mon bras et ma chemise. Elle enfonce ses ongles dans ma chair. Elle essaie de me ramener vers elle pour mieux me frapper. Je me noie. Je me noie. Mes cicatrices vont s'ouvrir et je vais perdre tout mon sang. Et même là, elle continuera de me frapper. Mais elle a arrêté. Elle ne crie plus non plus.

– Stop ! dit Papa. Sonya. Calme-toi. Je suis là. Mon Dieu.

J'entends des gifles et du tissu qui se déchire. Maman essaie de tuer Papa aussi.

– D'où est-ce qu'il vient ? Où l'a-t-il trouvé ? Réponds ! Réponds-moi !

Elle frappe Papa pour de bon.

Il ne répond pas. Il essaie de lui immobiliser les bras. De la contenir.

J'ai mal au visage. Je roule sur moi-même et je pousse avec mon bon genou. Mon mauvais œil est fermé. Mon bon œil n'arrête pas de cligner. J'ai la joue toute mouillée de larmes. Elles ont aussi coulé sur mon dessus-de-lit vert.

Papa lutte avec Maman. Il parvient à l'asseoir par terre. Elle agite les bras et pleure mais elle ne crie plus. Elle murmure entre ses larmes :

– Pourquoi ? Comment ? Dis-moi.

Quand elle me voit me cacher derrière le lit, elle dit :

– Je ne veux plus vivre ça. Je ne peux pas espérer pour rien. Je ne suis plus capable.

– Tu n'as pas besoin de faire quoi que ce soit.

La voix de Papa est rauque. Il la berce.

Mon regard va des chaussettes dans la boîte au revolver et à Maman. Ses yeux sont vides, froids. Elle pleure. Ses yeux sont morts, son visage est mort.

– Je ne veux plus vivre ça.

Mon rêve se déroule dans ma tête, du tapis soigneusement roulé au revolver, au bruit, au feu, à la douleur. Je tombe, je m'écrase sur mon oreiller. Maman rentre du travail plus tôt et ouvre la porte de ma chambre et se brise comme de la glace trop fine sur une mare gelée. Du sang, des cris, elle s'arrache les cheveux. Maman dans tout le sang, elle me touche, elle m'empoigne, les yeux morts, le visage mort. Maman meurt.

J'ai appuyé sur la détente. Je ne suis pas mort mais Maman, elle, oui.

Ça résonne dans ma tête. Je lâche le couvre-lit vert et je tombe en arrière contre le mur. Je tourne la tête sur le côté, je lutte pour ne pas vomir. Non. Je vais tout salir. Encore. J'ai déjà tout sali des tas de fois. Je suis un Gros Larry. Je gâche tout. Mes forces m'ont abandonné. C'est comme quand je me suis réveillé à l'hôpital et que je ne me souvenais de rien, sauf que cette fois, je sais. Je sais le mal que j'ai fait à Maman. Je l'ai traitée comme le sac de cadeaux pour Mama Rush. Tout est cassé et je ne sais pas comment recoller.

Maman pleure et pleure. Papa lui parle. Un moment plus tard, j'entends des frottements. Papa ramasse la boîte, remet le revolver dedans et dit :

– Attends ici, Jersey. Je reviens tout de suite.

Dehors, il fait nuit et il pleut. Il pleut. Près de ma petite lampe de chevet, je pleure. Je maintiens un sac de glace sur mon œil. Maman a pris des médicaments et elle dort. Ses cheveux sont toujours sur mon plancher. Il y a aussi des chaussettes, des photos et le couvercle de la boîte.

Mon ventre gargouille.

Ne pas manger. Ne pas penser à manger.

Ça me prend du temps de ramasser les cheveux de Maman, mais je le fais. Comme ça, Papa n'y est pas obligé. Je gâche tout, mais je peux nettoyer un peu mes bêtises. Sauf que ça sert à rien.

Quand Papa revient, il ne remarque pas que j'ai ramassé les cheveux. Il s'assoit sur mon lit, la nuque courbée. J'enlève la glace de mon œil et je ne le quitte pas des yeux.

– Il n'aurait pas tiré, dit-il. Le revolver, je veux dire, il n'aurait pas tiré. La police n'a jamais redonné les balles.

Pragmatique. Je dois rester silencieux. Je me tais. Je n'ai pas envie de parler à Papa, ni à Maman d'ailleurs. Pas après m'être suicidé, après avoir été un Gros Larry, après avoir fait tomber toutes les boîtes et fait du mal à Maman avec le revolver. Les gens comme moi ne doivent pas parler. Pragmatique.

Papa soupire.

– Ils m'ont proposé de le détruire, mais… c'est… bizarre, je ne voulais pas. J'aurais dû mais je n'ai pas pu m'y résoudre. On va le garder, ils m'ont dit, et on va le faire fondre.

Je ne parle pas. J'écoute. Je me mords la lèvre et j'appuie le sac de glace sur ma joue. Papa ne me regarde pas. Il ne veut pas me voir. Je ne lui en veux pas. Si j'avais un Gros Larry de fils, je ne voudrais pas non plus le regarder.

– Je sais que ça n'a pas de sens, continue Papa.

Il prend une inspiration brève et tremblante. Il lève la tête et je vois ses yeux. Ils sont grands et pleins d'eau. Et tristes. Il remue les lèvres mais rien ne sort.

Est-ce que je dois dire quelque chose ? Ce serait mieux que je ne parle plus jamais de ma vie.

– Le revolver…

Papa frotte sa main sur sa jambe.

– Jamais je n'aurais dû en acheter un. Mon père en avait toujours un. Au cas où, et…

Ne plus parler. Plus jamais. Maintenant, Jersey le Gros Larry va être silencieux.

– Si je n'avais pas eu ce revolver, tu n'aurais pas pu l'utiliser. Mais finalement, finalement, c'était un bon revolver.

Papa me regarde dans les yeux.

Je me mords la lèvre pour m'empêcher de parler. Le sac de glace me gèle le visage. Est-ce que je me transforme en statue de glace comme Maman ?

C'était un bon revolver. Un bon revolver ? Parce qu'il m'a tiré dessus ? Je ne comprends pas. Ne pose pas de questions. Ne dis rien. Laisse Papa tranquille. Laisse Papa et Maman et tout le monde tranquilles.

– Le… ah… le revolver…

La voix de Papa se brise. Il sanglote.

– Il ne t'a pas tué. Tu t'es tiré une balle dans la tête mais…

Il baisse les yeux et se frotte la jambe. Sa main tremble.

– C'était un bon revolver. Et sans les balles, il ne pouvait plus faire de mal, tu comprends ?

Un bon revolver qui ne m'a pas tué.

Le revolver est un talisman pour Papa. Un talisman qui m'empêchait de mourir.

Je me mords la lèvre encore plus fort et j'enlève le sac de glace de ma joue. Mon visage est trop froid. Glace. Maman. Dehors, il pleut.

J'ai cassé Papa aussi.

Ma tête, Maman, Papa, tout et tout le monde. Pan. Boum.

Tout explosé.

16

– Tu as regardé dans la boîte ?

Leza me rejoint alors que je monte les marches du lycée. Elle les grimpe très vite. Elle parle vite aussi.

– Je t'avais dit de ne pas regarder dans cette boîte. Tu as bien mérité cet œil au beurre noir.

– Désolé.

Je n'ai pas envie de lui dire ce qu'il y avait dans la boîte. Non, non, non. Ne pas dire.

Elle regarde droit devant elle.

– Ne me dis pas que tu es désolé. Tu m'avais promis de ne pas le faire.

– Désolé. Je veux dire : pas désolé. Je veux dire…

– La ferme, Jersey.

Elle ouvre une des portes vitrées et la maintient pendant que j'entre.

Je la ferme et j'entre.

Elle laisse la porte retomber et me heurter le derrière. Je trébuche. Elle n'essaie pas de me rattraper et il faut presque que je coure pour m'accrocher à elle.

– Est-ce que tu as appelé Mama Rush pour lui dire que tu avais mis ton nez dans la boîte, Jersey ?

– Non.

Cette seule idée me donne envie de me couvrir la tête des deux mains.

Les élèves s'écartent du chemin de Leza.

– Je vais lui dire, moi !

– Non. Ne lui dis pas. S'il te plaît.

J'allonge le pas pour la rejoindre. Elle me donne un coup de poing dans le bras.

– Est-ce qu'il y avait une lettre dans la boîte ?

– Non.

Ne pas dire. Ne pas dire revolver. Surtout ne pas dire revolver au lycée.

– Alors ? Il y avait quoi ?

– Rien.

Ne pas dire revolver. Ne pas dire revolver.

– Lequel des deux t'a frappé ?

Elle me redonne un coup de poing dans le bras au moment où nous nous arrêtons devant ma salle de classe.

– J'espère que c'est ton père. Après tout, c'est dans ses affaires que tu as fourré ton nez.

– Non. Désolé. C'est Maman.

Le visage de Leza se tord. Elle ne me redonne pas de coup de poing. Elle pose la main sur son estomac comme si elle avait mal. Je lui demande.

– Est-ce que tu...

Mais elle m'interrompt.

– La ferme, Jersey. La ferme. Ta mère. Mon Dieu.

Je la ferme.

On dirait que c'est Leza qui a été frappée et pas moi.

– Je n'arrive pas à croire que tu as encore fait du mal à ta mère. Tu ne peux pas la laisser tranquille !

Avant que j'aie le temps d'être encore idiot et d'ouvrir la bouche, Leza s'en va à grands pas.

Elle est jolie, même quand elle crie et me tape dessus. Je la suis des yeux jusqu'à ce qu'elle disparaisse. Furieuse et jolie. Peut-être qu'elle me tape parce qu'elle m'aime bien. Peut-être qu'elle m'aime bien. Ce n'est pas impossible. J'ai mal dans le bras. Elle aime bien me taper. Peut-être que je devrais lui dire que je l'aime bien. Quand elle ne sera plus en colère et qu'elle n'aura plus envie de me frapper, je veux dire.

J'entre dans la classe, m'assois et ouvre mon cahier de mémoire.

1. Trouver des boules Quiès avant que Mama Rush n'appelle.

2. Trouver des trucs pour me rembourrer le bras.

3. Ne pas rompre une promesse faite à Leza avant d'avoir trouvé des trucs pour me rembourrer le bras.

4. Ne pas rompre une promesse faite à Leza.

5. Dire à Leza que je l'aime bien.

6. Ne pas regarder dans les boîtes.

7. Ne pas dire revolver.

8. Ne pas dire qu'il faudrait porter le revolver à la police.

9. Ne pas écrire revolver.

10. Attendre que Leza ne soit plus en colère avant de lui dire que je l'aime bien.

La cloche sonne. Je continue d'écrire pendant une minute et j'arrête quand le prof commence à parler. Il parle et parle. Et parle encore.

Au bout d'un moment, mon cerveau mélange tout. Je pense au revolver. Je me demande quand on va l'emporter pour le faire fondre. Mon cerveau est en train de fondre. Je pense à Papa, à Maman, à Leza. Est-ce que Mama Rush va me crier dessus ? Elle va peut-être me frapper, elle aussi. Peut-être que Maman se sentirait mieux si elle me frappait encore. Ma joue me fait mal.

Le prof continue de parler. Il écrit des chiffres sur le tableau et me montre du doigt.

Je le regarde.

Il désigne les chiffres et pose de nouveau les yeux sur moi.

– Monsieur Hatch, dit M. Sabon.

Moite. Ne sent pas bon. La salle de classe, pas M. Sabon. C'est une petite salle avec des petites tables rondes. On est neuf, que des garçons. Et beaucoup de sueur. Une pile de livres de maths sur la plus grande table et M. Sabon devant le tableau. Est-ce que Maman s'est levée après que je suis parti au lycée ?

Je n'ai pas envie d'être en cours de maths, mais Papa m'a obligé. Il a repris le revolver. Le bon revolver sans balles qui a fait s'arracher les cheveux à Maman. Il a dit qu'il l'emporterait à la police pour qu'il soit fondu. J'aimerais bien être à la police et regarder le revolver fondre. Ou à la maison pour savoir comment va Maman. N'importe où sauf au lycée et particulièrement en cours de maths.

– Monsieur Hatch ?

M. Sabon perd patience.

Les maths devraient être interdites le lundi. Je ne connais pas la réponse à $3x - 3 = 3$. Tous ces 3 me font répondre 3.

M. Sabon ressemble au père Noël avec la barbe plus courte.

– Essayez encore. Pensez à la variable.

Père Noël. Barbe de père Noël. 3. Maman. La réponse devrait être 3. Tous ces 3. Elle a dû se réveiller, même avec les médicaments. Au moins, je n'ai plus Wenchel. Papa avait appelé avant cette histoire de revolver. Plus de Wenchel. Maman endormie. 3. Papa a dit qu'il passerait la journée à la maison avec elle.

– 3, je dis. 2. Père Noël.

M. Sabon regarde la chaise vide devant moi. Là où aurait dû être assise Wenchel si Papa ne m'avait pas déwenchelisé. Peut-être qu'elle manque à M. Sabon. Peut-être qu'il l'aimait bien, elle et ses vêtements de deuil. Ou peut-être que c'est juste le dompteur de monstre qui lui manque, qui aurait pu lui dire si la réponse était 3, ou 2, ou père Noël.

– 2, je dis.

Parce que ce n'est pas 3 et que c'est peut-être 2.

Des garçons ricanent.

– 2, répète M. Sabon.

Il écrit au tableau pour nous montrer comment ça marche. 3 (2) – 3 = 3. 6 – 3 = 3.

J'ai bon ? Je n'ai pas fait exprès. J'ai toujours pensé que le seul nombre que je pouvais avoir de bon était 666, la marque du démon, comme dans les films.

Personne ne ricane plus. M. Sabon réécrit au tableau mais cette fois, il demande la réponse à quelqu'un d'autre. Maman est sans doute tellement en colère après moi qu'elle ne voudra plus jamais m'adresser la parole. Je serais en colère si mon fils me cassait et me cassait encore avant même que j'aie eu le temps de me recoller.

– Démon, 6, 6, 6, père Noël.

Je tapote mon crayon sur ma feuille que j'ai posée sur mon cahier de mémoire.

M. Sabon hausse les sourcils.

– Avez-vous besoin de… euh, d'aller en étude, monsieur Hatch ?

En étude ? Moi aussi, je hausse les sourcils.

– Non, pas d'étude, ça va. Démon.

– En ce cas, pourriez-vous arrêter de parler de démon et de père Noël ?

– Oh, oui. Désolé.

Je ferme les yeux et prends une longue inspiration. J'essaie de me détendre. Mais je n'arrive qu'à penser à Maman.

– Pets de grenouille, je murmure.

Le père Noël nous envoie, moi, mon cahier de mémoire et mon 666, en étude pour le reste du cours.

Je ne me fais pas virer du cours de géo mais quand j'entre dans la salle de SVT pour la troisième heure, Mlle Chin dit :

– Attends une seconde. Où est Mme Wenchel ?

Virée ! Virée ! Père Noël.

– La Wen… je veux dire… mon père a téléphoné…

Téléphoné pour la virer. Est-ce que Maman peut me virer ? Je transpire. Cette salle aussi pue, mais pas comme celle de maths et les tables ne sont pas rondes. 666. Ne dis pas démon. En sciences, nous avons des pupitres. Mlle Chin ne ressemble pas au père Noël. Elle est petite et maigre avec de longs cheveux noirs. Ne pas dire père Noël. Ne pas dire démon. Ne pas dire pets de grenouille. Est-ce que j'ai fait mes devoirs ?

Mlle Chin croise les bras et ne me quitte pas du regard pendant que les autres élèves s'installent. Je m'assois aussi. J'ai fait mes devoirs. Je sais que je les ai faits.

– Ne sors pas ton livre.

Mlle Chin secoue la tête et fronce les sourcils.

– Ça ne me plaît pas beaucoup que tu sois présent sans ta tutrice. Et que t'est-il arrivé à l'œil ? Tu t'es battu ?

– Devoirs, je marmonne.

Et puis je compte jusqu'à dix dans ma tête trois fois de suite, très vite avant de dire :

– Non, je ne me souviens pas. Mon œil. Je suis sûrement tombé. Je tombe souvent. Deux, trois, quatre.

Si je continue à compter, je ne dirai pas démon ni 666 et elle ne m'enverra pas en étude. J'ai mal à la joue. Si je suis encore envoyé en étude, ils appelleront sûrement Papa et ils feront revenir Wenchel.

Mlle Chin me montre la porte du menton.

– Viens avec moi. On va voir le proviseur ou la conseillère d'éducation.

Démon. Devoirs. Je n'ai pas envie de la suivre. Pourquoi est-ce que je dois quitter le cours ? Je n'ai pas besoin d'une baby-sitter. Wenchel n'existe plus. J'ai mal à la joue. Je ne veux pas que Mlle Chin appelle Papa. Si Maman est réveillée et qu'elle commence à se recoller, je ne veux pas qu'elle soit cassée encore.

Nous allons chez le proviseur. Il parle avec Mlle Chin pendant quelques minutes. Je n'entends presque rien d'où je suis assis. Sauf que Mlle Chin hausse le ton. Quand elle sort, elle ressemble encore moins au père Noël. Le père Noël ne ferait jamais cette sale tête.

– Viens ! m'ordonne-t-elle.

Sa voix est aiguë et nerveuse. On dirait qu'elle manque d'air.

– Mais si tu causes le moindre problème, je dis bien le moindre problème, je te renvoie immédiatement chez monsieur le proviseur.

Un peu plus loin dans le couloir, elle ajoute :

– Et ne tombe pas dans ma classe. Je n'ai pas envie de faire un rapport parce que tu te seras fait un autre œil au beurre noir. Compris ?

Elle serre les poings.

J'acquiesce et je garde la tête baissée pour qu'elle ne remarque pas le Scotch. Il est transparent, mais si je lève la tête, elle le verra sans doute. J'ai trouvé un rouleau de Scotch chez le proviseur. Le Scotch, ça répare. Le Scotch m'empêchera de parler encore mieux que la chaussette. Et je n'aurai pas de bouts de laine dans la bouche. Si je garde la tête baissée, elle ne verra pas le Scotch et je ne dirai pas démon. Comme ça, je n'irai pas chez le proviseur, ils n'appelleront pas Papa, et Maman ne sera pas encore cassée.

Mlle Chin ne m'interroge pas pendant le cours. Elle se contente de me lancer des regards nerveux et de se tenir les mains. Peut-être que je fais tic-tac, comme une bombe.

– Tic, je chuchote.

Et puis :

– Bombe.

Mais elle ne m'entend pas parce que le Scotch m'empêche d'ouvrir la bouche et que tout ce que j'arrive à faire, c'est grogner.

Je me gratte les lèvres. Peut-être que j'ai mis trop de Scotch. J'étais obligé, sinon les mots sortent dès qu'ils en ont envie. Et c'est souvent. Sauf qu'en SVT, on ne parle que des courants, des atmosphères et des asthénosphères. J'arrive même pas à dire asthénosphère sans me tromper dans ma tête, alors tout haut… mes yeux se ferment. J'ai envie de faire pipi. Avant, il faut que j'écoute le cours sur les lithosphères et la tectonique, mais j'ai de plus en plus envie. Mlle Chin commence à parler de volcans, de pression et d'éruptions. Et ça ne m'aide pas.

Quand la cloche sonne, je me lève très vite et je fais tomber mon livre. La classe suivante est déjà en train d'entrer. Démon, démon, démon. Volcan. Éruption. J'essaie de ramasser mon livre et je manque de tomber. Ne pas tomber. Pas de rapport pour Mlle Chin.

Il faut que je m'agenouille pour ramasser ce livre.

Quelqu'un me bouscule. Je tombe contre le bureau, mais je ne me cogne pas l'œil. Pas de rapport. Démon. Il faut que j'aille aux toilettes. Je me relève mais quelqu'un d'autre me bouscule. J'entends des ricanements et :

– Assis, Hatch. Couché, Hatch. Tu veux un bol d'eau ? Gentil chienchien !

Zéro. Génial !

Kerry dit :

– Qu'est-ce qu'il a sur la bouche ? Eh, regardez son œil ! Il s'est fait taper dessus !

Ils ricanent de nouveau.

J'essaie de retrouver l'équilibre et j'utilise ma bonne jambe pour me redresser, mais un des deux me pousse dans le dos et je retombe à plat ventre. Cette fois, mon livre de sciences me rentre dans la poitrine et me coupe la respiration. Je regrette de m'être collé du Scotch sur la bouche. Mon nez ne me suffit pas pour reprendre de l'air. Les élèves sont autour de moi, ils parlent et aucun ne semble vraiment se rendre compte de ma présence, sauf Kerry et Zéro.

– Ouaf ! Ouaf ! dit Kerry. Alors Hatch, tu peux aboyer pour nous ? Allez, vas-y ! Ouaf, ouaf !

Je les ignore et je coince mon livre sous mon mauvais bras. J'essaie encore une fois de me relever. Le Scotch m'énerve. J'essaie de le retirer, mais il se déchire. Il faut que je respire. J'ai envie d'aller aux toilettes.

Je reçois un coup de pied dans le dos.

– Aboie, j'ai dit. Je te laisse pas te relever tant que t'as pas aboyé, minable !

D'accord. Je m'en fiche. Je pourrai aboyer si j'enlève ce Scotch sur ma bouche. Si je n'aboie pas, il va encore me pousser et il faut que j'aille aux toilettes. Il faut que je respire. Démon. Volcan. Le Scotch ne se décolle pas.

– Qu'est-ce que tu fais ?

La voix de Zéro s'est rapprochée, comme s'il s'était penché vers moi. Il a laissé son pied appuyé sur mon dos. Il pousse un petit peu.

– Qu'est-ce que t'as sur la bouche ?

– Hé ! c'est quoi ça ?

Les pieds et les jambes de Todd apparaissent au milieu de jambes de filles. Juste devant moi. Il a l'air en colère. Volcans. Il va sûrement me faire un deuxième œil au beurre noir. Rapport pour Mlle Chin. Ils vont appeler Papa. Casser Maman. J'ai vraiment envie d'aller aux toilettes.

– Arrêtez tout de suite !

La voix de Todd me fait trembler.

– Tu…

C'est Kerry.

– Comme tu veux, mec, le coupe Zéro.

Il enlève son pied de mon dos.

Quelqu'un m'attrape par le bras et me relève.

Je me retrouve en face du menton de Todd. Il me regarde.

– Ton œil… ils t'ont frappé ?

Je secoue la tête.

Il laisse échapper un soupir de soulagement et se détend un peu. Zéro dit un mot grossier, auquel je ne dois pas penser pour ne pas le répéter sans arrêt. Todd lui inflige un regard à la Rush qui le fait taire aussitôt. Kerry n'essaie même pas d'ouvrir la bouche.

Todd continue de m'observer.

– Qu'est-ce que c'est que ça ? Tu t'es mis du Scotch sur la bouche ?

J'acquiesce et je pense aux toilettes.

Il lève les yeux au ciel. Pendant une seconde, il ressemble à Leza et au Todd d'Avant. Avant que je casse tout. Il jette un coup d'œil autour de lui, fronce les sourcils et lâche mon bras.

– Tu peux l'enlever ? me demande-t-il doucement.

Je secoue la tête.

– Attends.

Il tend la main vers moi et glisse ses ongles sous le Scotch.

– Ça va te faire mal. Tu es prêt ?

Je secoue la tête.

– Tant pis.

Il fronce les sourcils encore plus.

– Retiens ton souffle.

Au lieu de retenir mon souffle, je ferme les yeux.

Todd arrache le Scotch. Et un peu de mes lèvres en même temps. Todd jette le Scotch comme s'il était infecté par la rage. Je plaque ma bonne main sur ma bouche et je dis des injures que les gens atteints de lésions au cerveau ne devraient pas dire.

Mlle Chin choisit cette minute pour revenir dans sa classe. Elle crie :

– Jersey Hatch ! Il est hors de question que qui que ce soit se montre aussi grossier dans mon cours. Viens ici, tout de suite !

Je garde la main sur la bouche et je regarde Todd. Il hausse les épaules, genre : hé, mec, débrouille-toi maintenant. Puis il tourne les talons et s'éloigne. Comme quand il était en colère après moi.

En me demandant s'il me reste de la peau sur les lèvres, je réussis à ranger mon livre de sciences dans mon sac, avec mon cahier de mémoire. Puis je m'approche de Mlle Chin. Tous les élèves sont assis maintenant. Si je ne vais pas aux toilettes dans les deux minutes, je vais mourir. C'est sûr.

Quand j'arrive devant elle, Mlle Chin me prend par le bras et je sais qu'elle veut m'emmener chez le proviseur. La cloche sonne. Plus personne ne parle. Elle plisse les yeux et dit :

– Mon Dieu, tu as embrassé du papier de verre ou quoi ? Non, ne réponds pas. Va… va…

Elle me lâche.

– Va à l'infirmerie, tu saignes.

À la place, je vais aux toilettes.

Volcans, courants, tectonique et tout ça.

C'est bon.

Et je n'ai pas mis une goutte de pisse sur mon pantalon. Je remonte ma fermeture Éclair. En me lavant les mains, je me regarde dans le miroir. Il faudrait que j'aille à l'infirmerie. Ma lèvre est ouverte en deux au beau milieu et elle n'arrête pas de saigner, même quand j'appuie du papier toilette dessus. Si je ne vais pas à l'infirmerie, je vais tacher ma chemise et, si Maman voit du sang sur ma chemise, elle risque de se casser à nouveau.

Ça me fait mal quand j'appuie le papier toilette sur mes lèvres mais je le fais quand même. Je prends mon sac et je sors des toilettes. Je n'ai pas le droit d'être dans les couloirs après la sonnerie, mais si je me fais remarquer, le papier toilette sera une bonne excuse.

J'ouvre la porte et je sors sans regarder. Je bouscule une fille qui sort des toilettes des filles.

Pour une fois, c'est moi qui rattrape quelqu'un et l'empêche de tomber.

– Jersey ! dit la fille. Oh, merci.

C'est la petite amie de Todd. Je la lâche tout de suite. Mon cœur bat à toute vitesse. J'ouvre la bouche pour dire quelque chose d'intelligent, et puis je me rappelle le papier toilette et le sang et tout ça.

Ma braguette est fermée.

– Désolé, je marmonne.

Je retire le papier toilette de ma bouche et mes lèvres saignent.

Les yeux de la fille deviennent très grands. Elle porte les mains au col de sa chemise blanche.

– Qu'est-ce qui t'est arrivé ?

Je hausse les épaules.

– Rien. Scotch. Maman.

– Est-ce que c'est Todd qui t'a fait ça ?

Ses mains se crispent sur le col de sa chemise blanche.

– Parce que si c'est lui, je…

– Non ! Il m'a tiré des lèvres. Euh… non, je veux dire : il m'a aidé.

Elle lâche son col et passe la paume de ses mains sur son jean. Ça ne pue pas autant que dans les classes, dans le couloir. Je sens son parfum. Et il ne fait pas aussi chaud non plus. Et je n'ai plus besoin d'aller faire pipi. Elle a un mot dans la main. Un mot qui l'autorise à être dans les couloirs après la sonnerie. Elle a du vernis rouge sur les ongles. Elle est très jolie. Pas aussi jolie que Leza mais vraiment agréable à regarder. Je sais que ce n'est pas Elana. Non. Elle n'est pas Elana.

– Pom-pom girls, je marmonne. Cacahouètes. Lèvres. Désolé. Comment tu t'appelles ?

La fille rit.

– Maylynn.

– Maylynn, ça ne ressemble pas à Elana.

Je mets ma main sur ma bouche mais elle m'arrête et prend mon poignet.

– T'inquiète. Ça n'a pas d'importance. Il faut que tu ailles à l'infirmerie.

– J'y vais.

Et puis, le reste sort tout seul. On dirait une éruption de volcan.

– Est-ce que j'ai fait quelque chose d'affreux ? À Todd, je veux dire. Est-ce qu'il t'en a parlé ? Il y a cette fille qui me dit que je suis égocentrique. Elle dit ça et Todd et moi on s'est disputés, mais je ne me souviens de rien. Tu es tellement égocentrique que tu penses sûrement que je suis en colère contre toi.

Maylynn-Elana me regarde.

– Je suis désolée. Je ne sais pas du tout de quoi tu parles.

– Quelqu'un a dit ça. Que j'étais égoïste. Égocentrique, je répète comme un idiot. Quelqu'un a bien dû dire ça, non ?

Elle sourit et hausse les épaules.

– Ça va, je dis, parce que je ne veux pas avoir l'air encore plus bête. Désolé. Je ne fais pas exprès d'être un volcan.

Le sang de ma lèvre coule dans ma bouche. Je l'essuie avec le dos de ma main.

– Tu devrais aller à l'infirmerie.

– Maylynn !

La voix de Mlle Chin déchire le silence du couloir.

– Est-ce que tu t'es perdue dans les toilettes ? Rentre tout de suite ! L'interrogation commence.

À moi, Mlle Chin dit :

– Est-ce que je dois t'emmener moi-même à l'infirmerie ?

Je n'ai pas besoin de mon cerveau d'Avant pour savoir qu'elle n'essaie pas d'être gentille.

– Peut-être que Todd et toi pourrez bientôt vous parler, me souffle Maylynn. Bonne chance.

Elle m'adresse un petit signe et rejoint Mlle Chin à petites foulées.

– Volcan, je crie. Éruptions !

Mlle Chin me lance un regard mauvais et agite la main vers moi comme pour chasser une mouche.

Je m'en vais.

17

Je fais un rêve… mes deux jambes et mes deux bras fonctionnent… je n'ai pas de cicatrice… ma mère et mon père ne sont pas cassés. Todd est mon ami, et Elana, ma petite amie sauf qu'elle ressemble à Maylynn. Mama Rush vit toujours en face et Leza est une gamine avec des grandes dents et des tas de petites tresses. Ils sourient et rient tous dans la cour derrière chez moi. Et puis, ils voient le revolver. Je suis à ma fenêtre, je l'ai dans lu main. Ils se transforment en statues de terre cuite. Je porte le revolver à ma bouche et ils se craquellent. Les bras de Maman tombent. Les jambes de Papa se brisent au niveau des genoux. Je referme mes lèvres autour du métal froid. Ça a un goût de graisse et de poussière. Je ne peux pas. Pas dans la bouche. Je tremble, mais je mets le revolver sur ma tempe. Todd se retourne et se casse en cinq morceaux. Mama Rush pose sa tête sur la table et se pulvérise. J'enfonce le canon. Les tresses de Leza se réduisent en miettes. J'ai des pensées égoïstes à propos de choses sans importance. Elana-Maylynn tombe en petits morceaux, ses mains, ses bras, ses yeux, son visage. Au moment où j'appuie sur la détente, il ne reste d'eux que de la poussière.

T'es en train de te planter grave. La voix de J.A. me rappelle celle de Zéro ou de Kerry. Je n'arrive pas à savoir lequel. *Maman ne t'adressera plus jamais la parole si tu te plantes.*

Je bâille.

– La ferme. J'ai envie de dormir. Je ne me plante pas et Maman me parle.

Quoi? Un «bonjour, chéri» au petit déjeuner et un bisou avant d'aller se coucher? J.A. ne peut pas me toucher, mais je l'imagine en train de me triturer la tête. Je rabats le couvre-lit vert sur mes yeux. Maman n'a quasiment pas été à la maison de toute la semaine. Elle part. Elle est partie. Elle ne veut plus jamais vivre ça.

– Elle est occupée à la banque à cause de l'audit. Se planter. C'est presque terminé maintenant.

Je me tourne sur le côté et je pose mon oreiller sur ma tête.

C'est des conneries. J'entends J.A. aussi fort que tout à l'heure.

Je jette l'oreiller par terre.

– C'est toi les conneries. Se planter.

Toi et Papa auriez déjà dû aller à la police. Il faut faire fondre ce revolver. Et arrête de répéter se planter.

– Se planter.

Je m'assois.

– Conneries. Se planter, se planter. Pets de grenouille.

Quelle heure est-il ? Il faut que je m'habille.

J'ai appelé Mama Rush plusieurs fois cette semaine, mais après m'avoir crié dessus pendant une bonne demi-heure parce que j'avais regardé dans la boîte, elle n'avait plus rien à me dire. Elle n'a pas arrêté de me répéter qu'on se verrait samedi. Aujourd'hui. Il y a même eu des fois où elle n'a pas répondu au téléphone. Je me demande si elle est toujours aussi en colère après moi. Sans doute. Ou alors elle s'est réconciliée avec Roméo.

Peut-être qu'elle va se marier et t'oublier, me souffle J.A. pendant que je m'habille. Je ne lui réponds même pas.

Tu es vraiment tout seul maintenant, continue-t-il.

– Leza est gentille avec moi quand elle ne me frappe pas. Elle m'aime bien.

Non, toi tu l'aimes bien. Elle ne t'aimera jamais. En tout cas, pas comme tu l'aimes, toi.

Je finis par trouver mes chaussures sous mon lit. Papa a changé mes lacets. Ils sont rose fuchsia. Rose fuchsia ? Je tire dcssus. Ils ont beaucoup de spirales. Des spirales rose fuchsia.

– Lacets. Spirales. Fuchsia. Leza. Pets de grenouille.

Je soupire et je m'assois sur mon lit. Il faut que je me reprenne et que je me concentre avant de descendre. Maman est sûrement levée. Et si Maman est levée, il ne faut pas que je dise des bêtises. J'ai toujours une grosse croûte sur la lèvre. Je ne peux plus utiliser de Scotch pour me fermer la bouche. Ça arracherait la croûte et ça se remettrait à saigner.

Continue comme ça, Jersey.

Je n'ai plus mal à la joue et mon œil n'est plus aussi noir. Plutôt bleu-vert. C'est un peu dégueu, mais au moins plus personne ne me pose de questions pour savoir comment je me suis fait ça.

Parce que personne ne te regarde vraiment. Tu es invisible.

Je refuse d'écouter J.A. et je sors mon cahier de mémoire pour prendre quelques notes.

1. *Ne pas paniquer.*
2. *Réciter l'alphabet au lieu de paniquer.*
3. *Ne pas casser Papa ou Maman.*
4. *Ne pas être un Gros Larry.*

Quand j'arrive dans la cuisine, personne n'est attablé et rien n'a été préparé. Quelqu'un a laissé de l'argent sur le plan de travail. Je pose mon cahier de mémoire à côté de l'argent, pour ne pas oublier de le prendre.

Je regarde mes lacets. Fuchsia. Personne n'est levé. Est-ce que c'est bien ou pas ? Est-ce que je suis content ou pas ? Fuchsia.

Arrête. Arrête. Maman va se lever. Arrête de penser à tes lacets. Si tu penses à tes lacets, tu vas dire lacets.

Et si Maman ne voulait pas me voir ? Ça aurait été notre première occasion de parler si elle s'était levée. Mais elle ne veut sans doute pas parler. Papa non plus. Si on ne parle pas, comment vais-je pouvoir leur dire combien je suis désolé ? Je peux leur dire autant de fois qu'ils le veulent. Je n'ai pas fait exprès de les casser, surtout Maman. Je ne voulais pas la casser. Je n'aurais pas dû regarder dans la boîte. Maman aurait dû me taper plus fort. Je n'aurais pas dû regarder dans la boîte.

Lacets. La cuisine est silencieuse.

Attends. Peut-être que Papa et Maman sont en train de faire l'amour. Je ne sais pas pourquoi mais de penser ça ne me dégoûte pas comme d'habitude. Et même, je trouve ça chouette. Lacets.

J'ouvre le réfrigérateur et je prends quelques tranches de jambon et du fromage. Je les mange et après je mélange une banane et des cacahouètes. J'aime bien les cacahouètes. Pendant que je me lave les mains, Maman entre dans la cuisine. Elle porte une robe de chambre en soie avec des pantoufles assorties. La robe de chambre semble trop grande pour elle. Ses cheveux sont coiffés et attachés, mais son visage est tout brouillé, comme si elle avait dormi avec son maquillage.

Elle m'adresse un petit signe de la main :

– Tu te lèves tôt ce matin. Je t'ai laissé un peu d'argent, tu as vu ?

– Oui, merci. Cacahouètes. Oh, désolé. Juste merci, d'accord ?

Je me triture les mains encore plus que Mlle Chin. Ma main qui ne marche pas ressemble à du caoutchouc.

– Désolé, je suis vraiment désolé.

Maman vient vers moi et prend mes mains dans les siennes. Sa peau ne ressemble pas à du caoutchouc. Elle prend un torchon et m'essuie les mains en murmurant :

– Je sais.

Je hoche la tête et j'essaie de ne pas penser aux cacahouètes, ni aux lacets. Je ne sais pas pourquoi, j'ai du mal à la regarder en face. Les yeux dans les yeux. J'ai du mal. Je suis comme un volcan qui crache des mots, comme quand j'ai parlé à Maylynn-Elana. J'aimerais bien avoir du Scotch. Je m'en fiche de saigner.

Maman finit de me sécher les mains, repose le torchon et reprend mes doigts.

– Je me suis mise en colère après toi. Très fort. J'ai eu tort. Je suis désolée.

Non, c'est moi qui suis désolé. J'ai appuyé sur la détente du revolver. Je t'ai cassée. Revolver. Je suis désolé, j'ai tout gâché. Des larmes coulent de mes yeux et le volcan essaie d'entrer en éruption, mais je m'oblige à regarder le sachet de cacahouètes et à penser aux pom-pom girls. Les pom-pom girls me font rire. Rire me fait chaud en dedans. Leza me fait chaud en dedans.

Maman me rend… nerveux.

Surtout quand elle essaie d'être gentille. Je préfère quand elle crie. Quand elle crie, je comprends ce qu'elle veut. Ce qu'elle pense aussi et tout ça. Je préfère quand elle crie. Pas de volcan. Pas cracher de mots. Tu ne dirais que des bêtises.

– Désolé, je murmure, désolé, désolé, désolé.

– Jersey, regarde-moi.

Maman serre mes doigts.

– Désolé.

Cacahouètes, cacahouètes, cacahouètes, pets de grenouille, pom-pom girls. Je cligne des yeux. Je m'oblige à la regarder. Oui, elle a sûrement dormi avec son maquillage. Pourquoi est-ce que je pense à son maquillage ? Lacets. Gros lacets fuchsia. Ne pas exploser. Revolver.

– Désolé, désolé.

Maman soupire. Je me demande si elle entend mon cerveau. Lacets.

– Je ne veux plus que tu t'excuses.

Elle serre mes doigts encore plus fort. Je regarde son visage tout brouillé et je ne dis pas lacets, ni cacahouètes, ni rien de ce genre à voix haute.

– C'est moi qui suis désolée. Désolée de t'avoir frappé. Je ne le ferai plus jamais, je te le promets.

– Ça va, j'articule. Cacahouètes. Désolé.

Maman ne semble pas remarquer le « cacahouètes ». Elle continue de m'écraser les doigts.

– Non, ça ne va pas. Je suis ta mère. Les mamans ne doivent pas frapper leurs bébés comme je t'ai frappé.

– Pas un bébé, je marmonne. Désolé.

Oh non, elle a les larmes aux yeux. Si elle laisse ses larmes couler, je vais paniquer et me mettre à sangloter comme un petit bébé. Cacahouètes. Lacets.

Je ne sais pas quoi faire. Je ne sais pas quoi dire. Réfléchis avec ta tête, Hatch. Pragmatique. Ouais, c'est ça. Gros Larry. Gâcheur.

Je hoche la tête, en espérant que c'est bien.

Maman sourit.

Je voudrais lui sourire aussi. Ou m'enfuir en courant. Ou les deux. Cacahouètes. Lacets. J'ai des lacets rose fuchsia. Est-ce qu'elle attend que je dise autre chose ? On dirait qu'elle attend que je dise autre chose, mais je ne sais pas quoi dire. Un truc qui ne lui ferait pas de mal. Si j'essaie de parler, ce sera comme un volcan.

Le sourire de Maman devient un peu triste, mais il ne s'efface pas. Elle lâche mes mains et se sert un verre de jus d'orange.

J'empoche l'argent et je décroche le téléphone pour appeler un taxi.

– Ce n'est pas la peine, dit Maman en versant de l'eau dans son jus d'orange. Je vais te conduire. Moi ou Papa. Jersey, je suis fière de toi. Fière que tu… tiennes bon. Et que tu t'occupes de Mama Rush et que tu fasses des efforts avec tes amis.

Le téléphone sonne dans ma main. Ça me fait sursauter et je le lâche.

Maman le ramasse, regarde qui appelle et décroche.

– Allô ?

Et :

– Oh, d'accord. Bien sûr, Mama Rush, je lui dirai. Oui, je lui dirai aussi.

Elle se tait et fronce les sourcils.

– Ah ? Ça aussi. D'accord. Vous aussi. Remettez-vous bien.

Quand elle raccroche, la première chose qui sort de ma bouche, c'est :

– Lacets. Est-ce que Mama Rush a un problème ?

Mon cerveau bourdonne. J'arrive à peine à me concentrer pour entendre la réponse de Maman.

– Non, non, pas vraiment. Enfin, oui. Elle est au Palais, mais elle a attrapé la grippe et elle se sent trop fatiguée pour te recevoir aujourd'hui.

Maman semble inquiète pour moi, comme si je risquais d'avoir de la peine.

– Mais elle va bien, hein ? Elle va vraiment bien ?

Maman fronce de nouveau les sourcils, puis se force à sourire.

– Oui, calme-toi. Elle m'a dit de t'assurer qu'elle n'était plus en colère contre toi.

– Bien. C'est bien.

J'essaie de respirer normalement.

– Tu… tu lui as parlé de la boîte ? Du revolver ?

Le regard de Maman est bizarre. Je cligne des yeux. Je ne dois pas commettre d'erreurs. Je vais sûrement en commettre une, quoi que je dise. Et je ne comprendrai même pas pourquoi.

– Oui. Boîte. Désolé.

– Est-ce que tu lui racontes tout ?

Maman croise les bras. Elle ne fronce pas les sourcils, mais elle ne sourit pas non plus.

– Désolé.

J'ai une boule dans la gorge.

– Non. Oui. Désolé.

Maman secoue la tête. La tristesse et la colère étincellent sur son visage et puis disparaissent.

– Les Rush me manquent. Nous faisions beaucoup de choses ensemble. Mais avec Todd et toi qui vous sépariez de plus en plus… et puis… et puis ce qui s'est passé… Leza a été bouleversée. Todd aussi. Et nous avons passé tant de temps dans les hôpitaux. Après ça, c'était trop étrange de leur parler. Ça semblait anormal. Ça semblait anormal de parler à qui que ce soit.

Leza bouleversée. D'accord. Leza me l'avait dit. Mais Todd bouleversé ? Leza et Todd bouleversés ? Cette fois, j'ai encore plus envie de m'enfuir en courant, mais Maman continue de parler.

– Mama Rush m'a dit qu'elle continuait de réparer les cadeaux que tu lui as apportés et que tu devrais aller voir Leza. Elle participe à une course à pied.

– Course à pied.

Je retiens ma respiration.

– Cadeaux.

Ma main se ferme. Il faut que je me concentre pour détendre mes doigts.

– D'accord, d'accord.

– D'accord pour la course ou d'accord pour Mama Rush ?

Maman a l'air perdu.

Un, deux, trois, quatre…

Je respire et je dis :

– D'accord pour les deux, je crois.

18

Papa et Maman m'ont amené ensemble à la course à pied. Et ils ont même décidé de rester.

Lacets.

J'espère que personne ne m'a vu avec eux. Je veux dire : ça ne me gêne pas de sortir avec mes parents, mais c'est pas malin. Enfin, c'est ce que je pense. Porter des lacets rose fuchsia, c'est pas malin non plus. Les gens n'arrêtent pas de les regarder. Jc suis debout près de la rangée où Papa et Maman se sont assis. Les gens regardent mes lacets ou mon cahier de mémoire. Ou mes cicatrices. Et puis ils détournent la tête. Papa et Maman voudraient que je m'assoie près d'eux.

Je vois Todd et sa petite amie, mais je ne vais pas m'asseoir avec eux non plus. Bien, bien. Pas de Gros Larry à la course de Leza. Lacets. Il faut que je parle à Todd, mais je ne sais pas comment, sans le mettre en colère. Lacets. Peut-être que l'occasion finira par se présenter. Lacets. Où est-ce que je vais me mettre ?

– Pets de grenouille ! crie quelqu'un de la dernière rangée.

– Pétasse à roulettes !

– Hé, Jersey !

Quatre pom-pom girls me font signe.

Je laisse mon cahier de mémoire à Papa et Maman et je grimpe les marches de ciment en faisant attention. Les gentils garçons vont au ciel. Juste comme on m'a appris. Pragmatique. Continue comme ça. S'asseoir avec les pom-pom girls, c'est bien, même si j'ai des lacets fuchsia et pas de cacahouètes.

Elles m'expliquent que Leza a déjà couru. Ce matin, tôt. Maintenant, il lui reste à disputer le 400 et le 800 mètres. Cacahouètes. Les pom-pom girls affirment que Leza se débrouille super bien. Qu'elle tient la distance et qu'un jour, elle pourra courir le 1500 mètres.

Ça fait beaucoup de mètres. Ça me fait penser à des problèmes de maths, mais je ne parle pas de maths. Je parle de cacahouètes et de pets de grenouille et je ne quitte pas des yeux la piste avec ses lignes jaunes. J'écoute les filles crier et je les regarde agiter les mains et attendre leurs copines qui participent à la course.

Ce qui reste de mon cerveau pense que c'est bientôt le 400 mètres, que Leza va courir. Je me demande de quelle couleur seront ses lacets. Sans doute pas roses. Sans doute verts. Toutes les filles de l'école portent des chaussures noires avec des lacets verts. Pas des lacets-spirales comme les miens. Les filles ont du ressort mais d'une autre façon. Elles sautillent tout le temps.

Je me demande quand les garçons courent.

Ah, oui, c'est vrai. Après les filles. Ils courront plus tard. Je me rappelle. Et je me rappelle aussi qu'il y a une course de relais encore un peu plus tard. Je faisais partie de l'équipe d'athlétisme Avant. J'étais en quatrième quand ils ont construit les gradins du stade et je n'avais pas de cicatrices.

– Ça va, Cacahouète ? me demande une des pom-pom girls.

– L'appelle pas Cacahouète ! la gronde une autre.

J'arrive jamais à me rappeler leurs prénoms. Elles sont toutes coiffées pareil et elles ont le même rouge à lèvres et, si leurs vêtements ne sont pas de la même couleur, ils sont tous du même genre.

– Pourquoi pas ? Il dit tout le temps cacahouète !

La première pom-pom girl m'ébouriffe les cheveux.

– Et puis je trouve que c'est mignon et que ça lui va bien. C'est notre petite cacahouète. Pas vrai, Jersey ?

– Petite cacahouète, je marmonne.

Mes joues deviennent rouges et brûlantes.

– Lacets.

– Voilà Leza ! s'écrie la pom-pom girl qui ne veut pas qu'on m'appelle cacahouète.

Elle montre un des couloirs de la piste. Trois filles en T-shirt et survêtement verts se tiennent au départ. Elles s'étirent. Une d'entre elles est Leza.

– Cacahouète.

C'est sorti comme un soupir.

Je jette un coup d'œil aux pom-pom girls. Elles n'ont pas entendu. Une corne sonne un départ de course et elles fixent les yeux sur la piste. Moi, je regarde Leza s'étirer.

Elle est loin, mais ça se voit qu'elle est très jolie. J'aime bien comme les reflets du soleil rendent sa peau encore plus noire et plus belle. Elle va sûrement trouver mes lacets roses débiles. Mais peut-être pas puisqu'elle m'a donné toutes les couleurs. Mais quand même, elle va peut-être les trouver débiles. Papa et moi devrions trier et jeter certaines des couleurs. Pourtant, je ne veux rien jeter de ce que Leza m'a donné. Cacahouètes. Cacahouète.

Leza s'approche des gradins. Je lui souris et je lui fais signe mais elle ne me voit pas. Elle s'assoit dans l'herbe avec d'autres filles et elles s'étirent encore toutes ensemble.

C'est chouette, les courses à pied. Pourquoi est-ce que je ne vais pas plus souvent à des courses à pied ? Lacets. Est-ce que j'ai de la sueur sur le visage ? Je m'essuie le front et les joues avec ma chemise.

Ça fait des taches sur ma chemise blanche. Je glisse ma chemise dans mon pantalon. Il vaut mieux avoir de la sueur sur le visage que des taches sur la chemise. Pragmatique, Hatch.

Les pom-pom girls se remettent à crier. Leza et ses copines continuent de s'étirer. D'autres filles s'apprêtent à partir sur la piste. Une corne sonne et les filles décollent. Leza et ses copines se lèvent. Cette fois, quand je lui fais signe, elle me voit et me fait signe en retour. Todd lui hurle quelque chose. Un truc du genre : « Essaie d'aller plus vite qu'un escargot à moitié mort ! » Elle lui répond par un geste qu'elle ne devrait pas faire avec son majeur. Et puis elle le transforme en poing qu'elle agite vers lui. Je crois que je l'entends rire. D'autres mains se lèvent pour faire signe à Leza. M. et Mme Rush. Ils sont assis à quelques rangées de mes parents.

Avant, mes parents et les Rush auraient été assis ensemble. Mais j'ai cassé ça.

Je tripote un bouton-pression de ma chemise. Lacets. Revolver. Boum. Tout a explosé. Les statues d'argile de mon rêve éclatent encore une fois dans ma tête.

Non, non. On ne pense pas aux rêves. On ne pense à rien de mal. Pas de Gros Larry. On se concentre. Dis « pets de grenouille ». Les pets de grenouille, ça aide.

– Pets de grenouille.

Un des boutons-pressions de ma chemise se déchire et tombe sur le ciment, entre les pieds de ma chaise.

– Doubles pets de grenouille. Triples.

Si j'essaie de le ramasser, je risque de tomber sur les rangées devant moi. Ou sur une pom-pom girl en train de crier. Pets de grenouille. Quand je redresse la tête, Leza s'est déplacée. Elle se dirige vers le départ avec les autres filles. Huit filles, quatre en chemise verte, quatre en chemise rouge. Elles sont de l'autre école.

– Noël.

Je me lève avec les pom-pom girls.

– Rouge et vert. Noël. Bouton tombé. Pets de grenouille.

Mon cœur bat très vite pendant que je regarde Leza prendre place au milieu et s'étirer de nouveau. Elle a les yeux noirs des Rush. Les yeux « ôte-toi de mon chemin ». Les yeux « je vais tous vous battre ». Si j'avais vu ses yeux comme ça un autre jour, je me serais fait tout petit.

La corne de départ retentit.

Leza et les filles partent.

À côté de moi, les pom-pom girls sautent et crient.

Je regarde Leza et je saute aussi. Elle est derrière mais elle va les rattraper. Elle court super vite. Est-ce qu'elle a vraiment été une petite fille avec des tas de tresses ? Elle n'a plus de tresses maintenant.

– Vas-y, vas-y ! crient les pom-pom girls.

– Noël, je crie. Vert. Bouton. Vas-y !

Au virage, Leza n'est plus derrière. Elle se rapproche. Elles ne sont plus que trois ou quatre devant elle. Mon cœur bat si vite qu'il me fait mal.

– Noël, Noël !

– Allez, allez, allez ! crient en chœur les pom-pom girls.

On dirait qu'elles ne sont qu'une seule et même personne.

Leza dépasse encore une autre concurrente.

Je saute et j'agite les bras.

– Bouton, bouton, vas-y !

Elle y est presque. À l'arrivée. Elle double. Une des pom-pom girls m'attrape le bras et s'appuie dessus pour sauter encore plus haut. Je manque de tomber parce que je saute avec elle.

Leza fonce vers la ligne. Elle est juste derrière une autre fille ! Deuxième ! Elle est arrivée deuxième !

– Sa première médaille ! braille la pom-pom girl qui m'a tué le bras. Une médaille d'argent !

– Noël ! je crie.

Les hurlements des pom-pom girls me fracassent les oreilles. Je me demande si j'ai encore un bras. Lacets.

Les pom-pom girls ne me lâchent pas. Elles m'entraînent en bas des gradins, et me poussent, me tirent sur la piste avec elles. Leza et les autres filles sont sur le côté. Certaines sautent et crient comme les pom-pom girls. D'autres sont penchées en avant, essoufflées.

– Dééééément ! glapit la pom-pom girl qui continue de réduire mon bras en bouillie.

Elle finit par me lâcher pour courir vers Leza. Les trois autres l'imitent. Pendant une minute, elles sautent autour de Leza et crient que Leza va sûrement gagner la course suivante.

J'ai mal aux joues à force de sourire. J'espère que je n'ai pas de sueur sur le visage. Je ne peux pas m'essuyer de peur de tacher ma chemise à nouveau. Leza a gagné une médaille. Je l'ai vue gagner sa première médaille. J'ai des lacets rose fuchsia. Noël est vert et rouge. Bouton, bouton, bouton.

Leza se sépare des pom-pom girls. Elle me voit et court vers moi.

Je l'attrape dans mes bras. Elle rit. J'ai à peine le temps de profiter de cet instant, je tombe dans l'herbe avec elle. J'aurais atterri la tête la première si elle ne m'avait pas retenu.

– J'ai gagné une médaille, Jersey ! J'ai gagné une médaille !

– Noël !

Je souris et elle m'aide à me relever. Elle me lâche même si je n'en ai pas envie.

– Bouton ! Bravo !

– Noël ! Noël !

Elle exécute une drôle de danse à laquelle se joignent les pom-pom girls. Elle montre mon bouton manquant et mon ventre qui se voit, éclate de rire et se remet à danser.

J'aimerais lui dire à quel point elle est jolie et combien je suis heureux. Je voudrais lui dire que je l'aime bien mais si j'ouvre la bouche, je ne vais réussir qu'à prononcer des mots absurdes. Je lui dirai quand les pom-pom girls seront parties. Je lui dirai, je lui dirai… rien du tout parce que Todd arrive avec sa petite amie. Avec lui, il y a aussi les parents de Leza et un autre type que je n'ai jamais vu. Il est plus musclé que Todd et il est plus grand.

Todd et Maylynn vont tout de suite vers Leza. Ils la serrent dans leurs bras. Ils lui disent qu'elle a couru super vite.

– Tu ressemblais vraiment pas à un escargot à moitié mort, reconnaît Todd.

Maylynn lui donne un coup de poing dans le bras.

– Il est nul. Ne fais pas attention à lui. Tu as été géniale !

– Je sais, je sais ! répond théâtralement Leza.

Et elle éclate de rire.

Todd et Maylynn jettent un coup d'œil vers moi en s'éloignant, mais ils ne me disent rien. Les Rush félicitent leur fille, serrent Leza contre eux, m'adressent un sourire nerveux et s'éloignent à leur tour. Le grand type musclé ne serre personne contre lui. Et il ne part pas non plus. Il se contente de regarder Leza.

Elle arrête de sauter partout. Son sourire s'agrandit. Elle tire sur son short et son T-shirt et passe les paumes de ses mains sous ses cheveux.

– Youpiii !

Une des pom-pom girls me prend par le bras.

– Allez viens, Cacahouète. Leza a besoin d'être un peu seule avec son chéri-chéri avant de se concentrer pour la prochaine course.

C'est nous qui partons cette fois. Tous ensemble. Les pom-pom girls me poussent et me tirent et parlent et sautillent. Le haut-parleur annonce la fin de la pause et demande aux gens de rejoindre leurs sièges. Nous laissons Leza et son chéri-chéri sur l'herbe, près de la piste.

Je ne me rassois pas tout de suite. Je reste debout et je regarde le stade.

Son chéri-chéri.

Est-ce qu'elle l'appelle comme ça ?

Il est très musclé et il est très grand.

Pourquoi je ne savais pas qu'il y avait un chéri-chéri ? J'aurais dû me douter qu'une fille comme Leza avait un chéri-chéri. J'aurais dû me douter qu'il serait grand et musclé. Pragmatiquc, Hatch. Continue comme ça. Les filles comme Leza ont des chéris-chéris grands et musclés. C'est bien que je ne lui aie pas dit que je l'aimais bien.

Je regarde les taches sur ma chemise. Je regarde le bouton manquant et mon ventre qui se voit. Je regarde ma main qui ne marche plus. Elle pend sur ma jambe qui ne marche plus très bien non plus. Je regarde mes parents, qui me regardent aussi.

Une nouvelle course se prépare. Du coin de l'œil, je vois du rouge et du vert, mais je ne crie pas « Noël ».

Les pom-pom girls me tirent par la manche pour que je m'assoie. Je reste debout.

Maman se lève aussi. Son visage s'est assombri. Elle donne un coup dans l'épaule de Papa.

Je bouscule les pom-pom girls et je descends les marches. Une par une. Gentil garçon, méchant garçon. Concentre-toi. Ne tombe pas. Chéri-chéri. Je n'ai plus de bouton. On voit mon ventre. Ma chemise est tachée. Gentil garçon, méchant garçon. Doucement et prudemment. Je ne suis plus aussi musclé qu'avant. Gentil garçon, méchant garçon.

– Jersey ?

Maman m'intercepte au milieu des marches. Elle m'attrape par les bras.

– Jersey, mon chéri. Regarde-moi.

J'obéis. J'essaie de lui dire que tout va bien mais ce qui sort, c'est :

– J'avais des muscles avant, pas vrai ? J'avais des muscles avant.

Et puis :

– Je veux rentrer à la maison.

– Nous pensions aller au lac et…

– Je veux rentrer à la maison.

Maman se tait. Elle m'aide à descendre les marches. Elle appelle Papa et nous partons.

Dans la voiture, ils essaient de me parler.

Je n'ai pas envie.

Maman me fait toute une histoire parce que j'ai parlé à des tas de gens et pas à eux. Ensuite, Papa fait toute une histoire à Maman parce qu'elle m'a fait toute une histoire. Maman dit que ça n'a pas d'importance, ce qu'elle fait ou dit, puisque ça ne change jamais rien.

Je ne les écoute plus. Je n'ai plus envie d'écouter et je ne veux plus parler non plus. Je ne veux pas penser au chéri-chéri, ou aux muscles ou aux taches ou aux boutons. Je veux juste rentrer à la maison, monter dans ma chambre et m'allonger sur mon lit avec son couvre-lit vert. Je veux disparaître un petit peu, ne rien voir, ne rien entendre et ne rien ressentir.

19

Mes parents se sont beaucoup disputés pendant la fin de l'après-midi. Je n'entendais pas ce qu'ils disaient mais Maman criait beaucoup plus fort que Papa.

Pourtant, le dîner a été plutôt silencieux. Comme le petit déjeuner ce matin. Ils ne parlent pas du tout. Papa trouve un bon prétexte pour partir au bureau et Maman range la maison et tond la pelouse. Je déjeune dans ma chambre et je fais mes devoirs. Je n'appelle pas Mama Rush au Palais parce qu'elle n'est pas en forme. Je n'appelle pas Leza pour savoir si elle a gagné une médaille lors de sa deuxième course parce que je me sens bête. Je n'appelle personne d'autre parce que je ne connais personne qui pourrait avoir envie de me parler.

Maman essaie de discuter avec moi. Elle vient me voir toutes les deux minutes.

« Ça va ?

« Je voulais juste m'assurer que tout allait bien.

« Tu as faim ?

« Tu fais tes devoirs ou tu écris dans ton cahier de mémoire ?

« Ne me ferme pas ta porte, Jersey, s'il te plaît. Laisse-moi une chance.

« Tu es toujours chagriné par la course ? Si tu me disais ce que tu ressens, je pourrais peut-être t'aider.

« Est-ce que quelqu'un t'a embêté, hier ? Est-ce qu'on t'a taquiné ou vexé ?

« Tu ne devrais pas laisser les gens s'en prendre à toi, Jersey.

« Tu ne veux pas grignoter quelque chose ? »

Elle pleure une ou deux fois. Et elle téléphone et dit qu'elle n'y arrivera pas, mais je ne sais pas ce qu'elle essaie, alors. Je me couche tôt pour ne pas avoir à dîner ou à m'inquiéter pour Maman.

Mais je n'arrive pas vraiment à dormir. Je n'arrête pas de me réveiller. Je rêve de gens en argile qui se cassent. Surtout Maman. Elle devient poussière si vite que je n'ai rien le temps de faire.

Ce matin, lundi, mes parents se disputent à nouveau. Cette fois, dans leur chambre. Je les entends mieux que quand ils sont dans la cuisine.

Peut-être que mes parents ont plus besoin que moi d'aller parler à un psy.

C'est ta faute s'ils se disputent encore, me souffle J.A. pendant que je m'habille. *Si tu ne t'étais pas comporté comme un naze à la course à pied, tu n'aurais pas inquiété Maman.*

– Elle n'est pas inquiète.

Je m'assois sur le lit et j'enfile mes chaussures. Lacets noirs, grâce à Papa. C'est mieux que roses, même s'ils ont des rayures dorées.

À chaque fois qu'elle se dit que tu vas mieux, tu recommences à faire n'importe quoi. Elle est cassée à cause de toi. Tu casses tout.

– Tu dis tout le temps la même chose et c'est chiant.

Je prends mon cahier de mémoire sur mon chevet et je commence à dresser ma liste pour la journée.

1. Aller à la bibliothèque et trouver un livre qui explique comment se débarrasser des fantômes.

2. Dire bonjour à Leza pour qu'elle ne croie pas que je suis complètement idiot.

3. Ne pas dire pets de grenouille dans la classe de M. Sabon.

4. Ne pas dire pets de grenouille où que je sois sauf au réfectoire.

5. Ne pas parler de chéri-chéri au réfectoire.

6. Ne pas rater le bus. Il passe plus tôt parce que aujourd'hui est une demi-journée.

7. Appeler Mama Rush et lui demander si elle va bien.

8. Trouver un sort dans un livre de la bibliothèque pour tuer J.A.

J.A. éclate de rire quand je termine ma liste. *Tu crois vraiment que tu peux trouver un sort pour me tuer.*

– Je peux toujours essayer.

Papa crie quelque chose à propos d'être positif. Maman répond en criant, elle aussi, quelque chose à propos de ça va mieux et tout à coup tout retombe en morceaux.

Je décide de me préparer des céréales et d'aller prendre le bus.

Si tu ne t'étais pas suicidé, tu pourrais avoir une voiture, dit J.A. au moment où je ferme la porte de ma chambre.

– Ouais, ouais. Positif. Tomber en morceaux. Logique. Tout ce que tu veux.

– Pourquoi est-ce que t'es bizarre avec moi ?

Nous marchons dans le couloir. Leza me donne un coup de poing dans l'épaule. J'avais oublié mon cahier de mémoire après la dernière sonnerie et j'ai dû retourner le chercher. C'est comme ça que je l'ai croisée avec chéri-chéri. Il s'appelle Nicolas. Nick. Nick, ça sonne comme chéri-chéri grand et musclé.

– Bon, tu me réponds ou quoi ?

Leza me donne encore un coup de poing.

Chéri-chéri Nick marche à côté de nous et ne dit rien. Apparemment, il a déjà compris des tas de choses sur comment se comporter avec les Rush.

Je m'arrête près de la sortie. Je vois des bus passer.

– Livre sur les fantômes. J'ai oublié. Je ne peux pas tuer le fantôme et je ne peux pas parler, sinon je vais rater mon bus.

– Nick et moi, on peut te reconduire, si tu veux.

Elle m'attrape la main – ma mauvaise main – alors que j'allais partir.

– Sérieusement, tu m'inquiètes. Pourquoi est-ce que t'es si bizarre ?

Les portes du hall se referment. Je regarde mes pieds et j'essaie de trouver des mots que je peux prononcer. Leza s'inquiète pour moi. Je m'inquiète pour Mama Rush et pour Maman et pour mes parents et pour tout. Vraiment pour tout.

– J'ai gagné une autre médaille après ton départ. Une médaille de bronze. Je suis arrivée seulement troisième mais quand même. J'essaierai d'être première l'année prochaine.

Elle serre ma main et sourit.

– Pourquoi t'es pas resté ?

Dire quelque chose.

Ne pas dire quelque chose d'idiot.

Elle est si jolie. Même maintenant que je sais qu'elle a Nick, le chéri-chéri. J'aimerais bien avoir encore des muscles. J'aimerais bien savoir réparer les muscles, Maman et les cadeaux cassés. J'ai cassé tellement de choses, il faudrait quand même que j'apprenne à les recoller.

– Livre sur les fantômes. Je, j'ai… Papa et Maman et lacets roses.

J'ai très mal à la tête tout à coup.

– Tout est cassé. Et les pom-pom girls m'ont cacahouèté et… et Todd était là et nos parents sont cassés aussi.

Les sourcils de Leza se rapprochent au-dessus de son nez. Ses yeux brillent un peu.

– Hmm. D'accord. Je comprendrai peut-être mieux demain.

Ma tête me fait de plus en plus mal. Mon visage doit être tout rouge. Les bus s'en vont. Il faut que je reprenne ma main, mais je ne veux pas être un Gros Larry et casser encore quelque chose. Je n'ai pas envie de monter dans la voiture de Nick, le chéri-chéri musclé. Il y a des tas de choses que je préférerais faire au lieu de monter dans sa voiture. Me faire arracher toutes les dents par exemple. Ou porter des lacets roses à un enterrement.

– Lacets.

Leza baisse les yeux.

– Lacets noirs, murmure-t-elle.

Elle a l'air fatiguée. Ou alors, c'est parce que je l'énerve. Et je vais sûrement rater le bus.

Je tire sur ma main.

– Bus. Livre sur les fantômes. Lacets.

Même si ça me fait presque exploser le cerveau, je réussis à sourire. C'est pour qu'elle me laisse partir.

Elle hausse les épaules. Elle lâche ma main.

– Bon, d'accord. Si c'est ce que tu veux. On se verra sûrement demain…

Je suis content qu'elle ne soit pas restée. Elle m'aurait vu trébucher sur les deux dernières marches et manquer de m'étaler la face la première. Le bus allait partir mais j'arrive à temps pour taper à la porte.

Le chauffeur me laisse monter. Quand je passe devant lui, j'ai l'impression qu'il marmonne « monstre ».

Mais ce n'est peut-être qu'une impression. Sûrement parce que c'était la voix de Todd. Quand j'ai mal à la tête, j'imagine des tas de trucs. Peut-être que j'ai imaginé que Leza en avait marre de moi, mais je ne crois pas. Leza en a marre de moi. Son chéri-chéri pense sans doute que je suis un boulet. Comme

Todd. Ou peut-être que j'imagine tout ça. J'espère que oui.

Durant tout le trajet jusqu'à la maison, je garde les paupières closes. Le soleil brille trop fort. Je me demande si le soleil peut me cuire les yeux. Parce que c'est exactement l'impression que j'ai, que le soleil me cuit les yeux. Il y a sûrement un moyen de réparer Maman. Ça va mieux et tout retombe en morceaux. Je peux faire en sorte que ça aille mieux si je fais des efforts. Si j'arrive à réparer Papa et Maman, les autres trucs seront plus faciles à recoller.

Il faut juste que je pense avec ma tête. Pas de Gros Larry, et on ne casse rien non plus et on ne se comporte pas bizarrement aux courses à pied. On ne regarde pas dans les boîtes. On ne fait pas de peine à Maman.

Mes yeux sont en train de cuire. C'est sûr.

Au moins, la maison n'est pas loin. Mon estomac gargouille. J'espère que je vais trouver des chips. Il faut que je mange et que je relise ma liste. Et que je trouve par où commencer pour réparer Maman. Lacets. Déjà que j'ai oublié le livre sur les fantômes, je ne veux rien oublier de plus. Si j'oublie des trucs, je vais paniquer, et si je panique, Maman va se recasser.

Je repense à mon rêve avec les personnages en argile en montant les marches du perron de ma maison. Et aussi pendant tout le temps qu'il me faut pour ouvrir cette stupide porte.

Dans la maison, il fait sombre. Cool. L'obscurité, c'est bien. Tout est sombre et silencieux. Sauf… sauf…

Il y a du bruit à l'étage. Des bang et des bing.

Arrête, c'est toi qui imagines des choses.

Je ferme les paupières pour arrêter la douleur qui me transperce la tête.

Arrête, arrête, arrête. Il n'y a rien là-haut. Maman est au travail. Papa est au travail. J.A. est un fantôme et s'il n'arrête pas de parler, il ne peut pas faire du bruit comme ça. Et de toute façon, dès que j'en ai l'occasion, je le tue.

Encore des bang et des bing.

J'ouvre les paupières.

Je n'imagine pas. C'est pour de vrai.

Papa ou Maman, un des deux, doit être à la maison. Papa fait souvent des bruits comme ça. Il s'est sans doute rappelé que je rentrais à midi et il a voulu me préparer un déjeuner immangeable. C'est tout. T'as pas besoin d'avoir peur comme un petit bébé. Ou comme un monstre. Pourquoi est-ce que j'ai aussi mal à la tête ? Peut-être que je le mérite. Mais je ne vais plus le mériter maintenant. Je ne vais plus rien gâcher.

Je pose mon cahier de mémoire sur la première marche de l'escalier et je monte en faisant aussi attention que possible. Comme j'ai mal à la tête, ça me paraît très, très long de monter, mais je ne fais pas attention. C'est juste mon imagination. Les escaliers ne deviennent pas plus longs ou plus courts. La lumière de midi qui vient des chambres crée des drôles de dessins sur le sol. Les rayures dorées de mes lacets brillent.

Quand j'arrive dans la chambre de mes parents, je regarde dedans en m'attendant à voir Papa, mais ce n'est pas Papa.

C'est Maman.

Lacets.

Maman est près de son lit. Elle porte un jean et un chemisier noir. Ses cheveux sont détachés sur ses épaules. Ils sont tout décoiffés. Elle est en sueur. On dirait qu'elle a travaillé très dur. Il y a du bazar partout sur le lit : des boîtes, des vêtements, des valises.

Ma tête me lance comme si on y plantait un couteau. Il faut que je referme les yeux.

Tout ce bazar. Maman en sueur. Elle a travaillé dur et elle a mis un beau désordre. Est-ce qu'elle cherche quelque chose ? Est-ce qu'elle est bouleversée au point de s'arracher les cheveux comme la dernière fois ? Si c'est le cas, il faut que je l'aide. Il faut que je commence à réparer au lieu de casser.

Quand je rouvre les yeux, Maman est toujours près du lit. Elle prend quelque chose. J'entre dans la chambre.

Là, elle me voit et elle sursaute. Et elle s'immobilise comme si elle était à nouveau en train de se transformer en glace.

– Non, je murmure. Pas de glace. Pas casser.

Je vais l'aider. La recoller.

Et puis, je vois ses mains agrippées à un chemisier blanc plié. Elle jette un coup d'œil vers les valises ouvertes sur le lit.

Boum. Boum. Mon cerveau explose. Je frotte ma cicatrice et j'essaie de ne pas pleurer malgré l'explosion. Si je pleure, je vais casser au lieu de recoller. Boîtes. Boîtes, chemise, valises et désordre.

– Valises, je marmonne. Tu vas quelque part ?

Le soleil brille à travers les stores et fait des rayures sur le visage de Maman. Elle cligne des yeux, porte la main à sa gorge et s'accroche à sa chemise.

– Qu'est-ce que tu fais ici ? Il est trop tôt.

– C'était une demi-journée. Les profs avaient des trucs à faire.

Ma gorge est si étroite que j'ai du mal à parler. Mais l'expression de son visage m'inquiète tellement que les mots sortent quand même.

– Est-ce que quelqu'un est mort ? Pourtant, tout le monde est déjà mort. Je veux dire Grand-Père et Grand-Mère et tout ça. Lacets. Qui est mort ?

Les lèvres de Maman bougent comme pour sourire mais ce n'est pas vraiment un sourire. Mon mal de tête me fait penser qu'elle va hurler et je grimace. Si elle hurle, ma tête va exploser, c'est sûr. Mais Maman ne hurle jamais sauf quand elle me trouve avec un revolver à la main. Les rayures de soleil incendient son visage. Et l'intérieur de ma tête. Lacets. Péché. Agent de probation. S'il te plaît, ne hurle pas.

– Tu étais un bébé extraordinaire, dit Maman d'une voix douce, au lieu de hurler.

Ses lèvres font encore un drôle de mouvement. Elle regarde son chemisier puis lève de nouveau les yeux vers moi.

– Je vois toujours le bébé que tu étais quand je te regarde. Tu le savais ?

Je ne sais pas quoi répondre, alors je frotte mes cicatrices.

Maman observe de nouveau son chemisier.

– Parfois, je ne remarque même pas tes cicatrices.

Je les touche toutes sans pouvoir m'en empêcher. Elles sont lisses et douces et chaudes. Ça ne fait pas comme de la vraie peau. Ça fait comme quelque chose qui a besoin d'être recollé. Mais comment ?

Maman est immobile devant moi. Elle parle au chemisier plié dans ses mains.

– Parfois, je ne vois qu'elles. Tes cicatrices. Et aussi la position dans laquelle tu étais quand j'ai ouvert la porte. Tout ce sang et toi… si… immobile.

Sa voix s'éteint.

Cette fois, c'est moi qui me suis transformé en glace dans l'encadrement de la porte de sa chambre. Ma main sur la cicatrice de ma tempe. Quand j'appuie dessus, la douleur dans ma tête se propage dans mes doigts et puis revient dans ma tête. Des larmes coulent sur mes joues. Il me faudrait beaucoup de colle pour réparer ça si je pouvais le réparer. Je peux le réparer. Il faut que je répare. Maman ne doit plus être cassée.

Mais elle est en morceaux. En tout petits morceaux. Debout dans le soleil qui raye son visage. Et je ne peux pas bouger. Je ne peux pas ramasser les morceaux.

– Parfois, j'oublie et tout semble redevenir normal, dit-elle au chemisier.

Ses mains tremblent.

– Et puis tout me revient et je n'arrive pas à penser à autre chose. Il faut que je vérifie si tu vas bien, il faut que je sois près de toi vite, tout de suite, avant qu'il ne soit trop tard.

Trop tard. Trop tard. Trop tard. J'appuie plus fort sur ma cicatrice. Plus fort, plus fort, plus fort. Peut-être que je vais m'évanouir et comme ça je n'entendrais plus Maman. Ma tête ne me fera plus mal tant que je n'aurai pas repris conscience.

– Je ne peux pas vivre comme ça. À m'inquiéter chaque seconde jusqu'à me rendre malade.

Maman lève enfin les yeux vers moi.

– J'ai essayé, Jersey. Vraiment. J'espère que tu me croies.

Essayer. Croire. Elle a essayé. Elle ne peut pas vivre comme ça. Elle a essayé. J'ai envie de vomir.

Maman pose le chemisier dans la valise.

Elle vient vers moi et je me rends compte qu'elle pleure autant que moi.

– Tu ne comprends pas ? Je ne suis jamais sûre que tu comprends ce que je te dis.

Ses mains tremblent, tremblent. Elle les pose sur mes épaules. Elle a des cernes noirs sous les yeux. Comme quand je suis rentré de l'hôpital. Quand elle parle, son haleine sent mauvais. On dirait qu'elle ne s'est pas lavé les dents depuis longtemps.

Il y a quelque chose que je dois comprendre. Que je dois réparer. Ses mains sur mes épaules. Les boîtes et la valise. Les cernes sous ses yeux. Comprendre. Comprendre. Croire. Elle a essayé.

– J'avais l'intention de t'appeler.

Elle enlève ses mains.

– Pour te donner mon numéro.

Malgré les coups de marteau dans ma tête, je compte : appeler plus tard + numéro de téléphone + valises + boîtes.

– Combien de temps ? C'est pour le travail ? Tu pars pour le travail, c'est ça ?

Gros Larry. Égoïste. Ne fais pas le bébé. Ne casse pas tout. Il n'y a pas de problème si elle doit partir pour quelques jours. Elle a déjà passé des nuits loin de la maison. Mais il y a beaucoup de valises. Les femmes se chargent beaucoup parfois. Il y a des boîtes aussi. Et du désordre. Les larmes continuent de couler sur mes joues. Elle part. Elle a essayé. Elle ne peut pas vivre comme ça. Elle a essayé mais elle part. Elle part loin de ma chambre et de tout le sang et de moi immobile dans tout ce sang. Elle part loin de la maison et de Papa pour ne plus se rendre malade. Elle part loin de moi.

Non.

Les mamans ne peuvent pas partir. Les mamans ne partent pas.

– Les mamans ne partent pas.

C'est sorti tout seul. Et ça recommence.

– Les mamans ne partent pas.

Les yeux de Maman ne pleurent plus, ils dégoulinent. Et ses mains tremblent encore plus fort.

– C'est toi qui es parti, Jersey, murmure-t-elle.

Elle enfonce ses doigts dans son bras en me regardant. Elle a des cernes sous les yeux et les cheveux en désordre. Je la revois s'arracher les cheveux dans ma chambre et j'ai de plus en plus mal à la tête. J'ai envie de vomir. Je vais vomir.

Je suis parti. Je l'ai quittée.

C'est moi qui l'ai quittée.

J'ai tout cassé.

– Tu m'as quittée… comme ça.

Elle tend la main vers le couloir qui mène à ma chambre.

– Et tu n'as même pas essayé de parler avec moi avant. Tu n'as pas dit au revoir, tu n'as pas fait ta valise… et tu m'as laissée nettoyer derrière toi.

Elle sanglote et serre ses bras autour d'elle.

– J'avais ton sang partout sur moi. Après, j'ai pris des douches, des tas de douches, mais ça ne partait pas.

Nouveau sanglot.

La chambre de Maman tourne. Je ferme les yeux. Je les rouvre. Maman a du sang partout sur elle. Mon sang. Sur le visage, sur les vêtements, sur les mains. Ses yeux aussi immobiles que moi ce jour-là. Moi mort ce jour-là. Presque mort. Il ne restait qu'un tout petit peu de vie en moi. Quelques morceaux juste assez grands pour être recollés, mais il ne faudrait pas les casser de nouveau.

Je cligne des yeux et le sang disparaît. Mais c'est comme si je pouvais encore le voir. Comme une cicatrice sur Maman. Comme mes cicatrices, mais plus profond sous sa peau, là où elle seule peut les voir et les sentir.

– J'ai juste besoin d'un peu de temps pour moi, dit-elle. Tu peux comprendre ?

Ne vomis pas. Tu ne peux pas vomir. Toutes ces valises. Combien de temps ? Où ? Combien de temps ? La chambre tourne et tourne et mon estomac tourne avec elle. Ma faute. Pas ma faute. Elle. Elle n'a rien pu y faire. Ma faute. J'ai cassé Maman. Elle m'avait dit que ce n'était pas grave si je disais des bêtises alors je n'ai pas fait d'efforts. En tout cas, pas assez. Je suis un Gros

Larry. Égoïste. J'ai été idiot à la course à pied. Je n'aurais pas pu faire pire. Je n'aurais pas pu être plus égoïste. Ne vomis pas. Ma faute. Elle n'a rien pu y faire. Elle part. Bien sûr qu'elle part. Pourquoi resterait-elle avec un lacets-cacahouètes débile comme moi ? Du temps pour elle. Elle part pour longtemps. Du temps sans moi, sans le sang, sans Papa, sans moi, surtout sans moi.

– Temps, je dis, les dents serrées.

Ma tête me fait si mal que je sens la douleur dans les dents et les doigts. Mon estomac tourne et tourne.

– Temps, répète Maman.

Elle tend la main comme pour me toucher. Elle fait un pas vers moi.

– Non. Non.

Je recule dans le couloir.

– Tu vas te casser encore. Ton bras va tomber et se transformer en poussière. En poussière d'argile. Je vais te transformer en poussière.

Elle me regarde avec ses yeux tristes et cassés.

Je fais demi-tour et je titube dans le couloir. Loin de ses yeux. Loin d'elle. Je vais à la salle de bains. Je ferme la porte, je tombe à genoux devant les toilettes et je vomis. Je reste comme ça avec ce goût acide et dégoûtant dans la bouche. Je n'ai pas allumé la lumière. Il fait noir. Le siège des toilettes est frais contre ma joue. Il fait noir et frais. Frais et noir. Est-ce que je pleure encore ? Pleure encore. Non, mes yeux ont séché. J'ai pleuré toutes mes larmes. Cassé. Maman est cassée. Ses bras sont tombés. Si j'avais encore prononcé un mot, si je l'avais encore embêtée, elle serait devenue poussière. Je reste comme ça avec ma tête qui me fait mal, mes larmes séchées dans le frais-noir, très, très, très longtemps.

Temps. Temps et noir.

Quand je me relève et que je sors dans le couloir, la maison est de nouveau silencieuse. Complètement silencieuse.

Temps et silence.

Le désordre et les boîtes et les valises sont partis.

Temps et parti.

Ma mère aussi.

20

Papa et moi, on compte les jours avec les repas. Petit déjeuner, déjeuner, dîner.

Lent. Si lent. Même dans ma tête, tout est lent.

Trois repas égalent un jour.

Lent.

Le premier petit-déjeuner-déjeuner-dîner, on ne s'est même pas vraiment habillés. On est restés en pyjama et robe de chambre. Lent. Papa ne m'a pas obligé à aller à l'école. Je ne l'ai pas obligé à aller travailler. Lent, si lent. Personne ne nous a téléphoné. Pas même Leza.

Maman est partie et ça craint. J'ai écrit ça dans mon cahier de mémoire. Et puis, j'ai rempli une page entière de *ça craint*.

Papa prépare des petits déjeuners dégueus, de très bons sandwichs et des dîners de plats surgelés des fois bons, des fois dégueus. Il m'a emprunté mon cahier de mémoire et il a rempli une demi-page de *ça craint carrément* et *elle va bientôt revenir* et *on va s'en sortir.*

Quand Papa parle, il parle «lent».

Il écrit « lent » aussi.

Il veut que je dorme dans sa chambre pendant un temps. Jusqu'à ce qu'il soit sûr qu'*on va s'en sortir*. Le lit est assez grand, il dit. Il ajoute qu'il s'inquiète moins s'il m'a sous les yeux. Lent. De plus en plus lent. Je ne proteste pas. Au moins, quand je suis dans sa chambre, je ne suis pas, en plus de tout le reste, obligé d'écouter J.A.

Après notre troisième déjeuner, on s'est obligés à se doucher et à s'habiller. Et après notre troisième dîner, Papa essaie de me faire croire que ce n'est pas ma faute si Maman est partie.

Il est à table. Il le dit vite. Je suis en train de mettre les assiettes dans l'évier. Lentement, pas vite.

Papa se racle la gorge.

– J'espère que tu ne croies pas que c'est ta faute. Parce que ce n'est pas ta faute, Jersey.

Sans faire exprès, je laisse tomber mon assiette sur mon verre. Mais je ne casse rien.

– Ne pense pas ça, Jersey, d'accord ?

Il tend la main vers moi et me touche le dos.

– Mais il faut que tu saches que…

– Je sais !

Je me suis retourné. Vite, pas lent. Et je manque de tomber. Papa se lève pour m'aider mais je secoue la tête. Vite, vite. Pas lent. Il recule et se rassoit. Je m'accroche au bord de l'évier, je me tiens droit comme un i.

– Comme un i. Lent. Je sais. C'est ma faute.

– Non. On se disputait déjà beaucoup avant que tu te tires une balle dans la tête. Et aussi pendant que tu étais à l'hôpital. Et depuis que tu es rentré…

Je le coupe de nouveau et je me frappe l'oreille avec ma bonne main.

– J'ai des oreilles. Elles marchent mieux que mes yeux. Alors arrête, s'il te plaît. Oreilles.

Papa ferme les yeux. Les rouvre. Frotte sa barbe naissante.

– Je ne veux pas que tu sois bouleversé.

Il faut que Papa se rase. Et qu'il se taise aussi.

J'ai encore cette impression de me transformer en volcan. Ça vient de profond en moi, et ça remonte dans ma poitrine, ça se propage dans mes bras et mes doigts. Mes doigts se crispent. Mes oreilles brûlent.

– Oreilles. Faire mal. Tu ne veux pas que je sois bouleversé parce que tu as peur que je me fasse mal. Je sais. Comme un i. Je sais. Lent. Maman aussi a peur.

– Jersey, elle…

– M'a trouvé. Elle a besoin de temps.

Tout doux, le volcan, tout doux. Pas d'éruption. Mais il faut que j'explose ou c'est ma tête qui va cxploser. Ou imploser.

– Maman pense que je l'ai laissée. J'ai laissé Maman. Oreilles ! Je… je ne veux pas parler maintenant, d'accord ?

Les épaules de Papa s'affaissent. Il abandonne. Parfait. Très bien. Oreilles. Toute la lave en moi se rétracte.

Il soupire.

– Elle disait dans son mot qu'elle appellerait ce soir.

– Je ne veux pas parler.

Je dis ça si vite qu'on dirait que j'ai dit « perler ».

– Demain, je retourne à l'école et tout ça. Il me faut des oreilles. Je veux dire : il faut que je retourne à l'école. Que tout redevienne normal.

– D'accord.

Papa croise les mains sur ses genoux.

– D'accord. Demain, école.

Le bus est en retard. Je vais rater les maths. Et je ne pourrai pas parler à Leza. Enfin, si elle veut bien me parler. Elle sera peut-être en colère. Elle a téléphoné après le troisième dîner, mais je ne lui ai pas parlé. J'ai demandé à Papa de lui dire « plus tard ». Mama Rush a téléphoné aussi du Palais. J'ai demandé à Papa de lui dire « plus tard » à elle aussi. Maman a appelé. Papa ne lui a pas dit « plus tard », il a juste écouté. Elle a pris une semaine de congés et elle est à la plage. Quand elle reviendra, elle s'installera dans un hôtel.

Peut-être qu'elle restera à la plage. Peut-être que la plage répare les gens cassés. Ou bien je casse tellement bien les gens que c'est impossible de les réparer. Oreilles. Le bus arrive. Enfin. J'ai raté les maths. C'est déjà ça.

En descendant du bus, je vois Wenchel devant l'entrée avec sa robe noire et ses chaussures noires sans lacets, même pas des noirs et dorés à spirales comme les miens. Elle me repère et me fait signe. Je ne lui fais pas signe. Je me dirige vers elle. Lent, lent. Je monte les marches, gentil garçon, méchant garçon. Elle reste là, immobile avec son sourire bizarre et la main toujours levée.

Ne pas dire oreilles. Ne pas dire père Noël et ne pas dire démon. Surtout ne pas dire démon. Il vaut mieux dire oreilles que démon. Lent, lent, lent.

Les autres passagers du bus me bousculent en entrant dans le lycée. J'ai chaud au creux de l'estomac. Mon volcan essaie à nouveau de se réveiller ou d'entrer en éruption. Mais je ne sais pas pourquoi cette fois. Oreilles. Wenchel n'a pas bougé. Elle agite le bout des doigts. Peut-être que si je lui fais signe, elle s'en ira.

Quand j'atteins la dernière marche, je coince mon cahier de mémoire sous mon mauvais bras et je hoche le menton vers elle. C'est pas un signe, mais c'est mieux que rien. Elle sourit et vient vers moi.

Oreilles.

Tous les autres élèves entrent avant que Wenchel arrive près de moi.

– Jersey, dit-elle avec son visage sérieux et triste. Ton père a appelé ce matin. Je suis désolée pour ta mère.

Lui dire d'aller mourir.

Lui dire de se tirer.

Lui dire d'aller à un enterrement ou de rentrer ou de me laisser tranquille ou que tu ne veux pas parler. Lui dire un truc, n'importe quoi. Lui dire de se tirer.

– Vous n'avez pas de lacets, je lui dis.

Elle me dévisage.

– Oui, euh… nous voulions savoir comment tu te sentais.

Nous ? C'est qui, nous ? Les profs ? Les autres élèves ? Les oreilles ? Est-ce qu'ils ont encore organisé une réunion ? Pour discuter du départ de la mère du monstre. Il va sans doute se coller une balle dans la tête ? De l'autre côté cette fois. Oreilles. Il va sans doute tout gâcher, une fois de plus. Il faut faire gaffe à nos fesses ! Ne pas dire fesses. Ne pas dire oreilles. Ne pas dire démon. Ne pas dire à cette femme de prendre son envol du plus haut gradin du plus grand stade de foot du pays et de partir en Alaska ou de se laisser tomber dans un volcan. Ne pas exploser. Ne pas appuyer sur la détente.

– Maman n'est pas morte.

J'essaie de hausser les épaules, mais je suis trop raide.

– Détente. Elle est à la plage. Mais merci. Oreilles. Faut que je classe. Je veux dire : que j'aille en classe.

– Nous avons pensé que ce serait mieux que je reste avec toi aujourd'hui et…

Je contourne Wenchel, j'entre dans le lycée et je la laisse parler toute seule.

Elle me suit sûrement. Je m'en fiche. Mais si elle me suit toute la journée, je vais sans doute finir par la frapper. Ce serait bien de trouver de la peinture pour peindre des visages heureux sur sa robe moche. J'ai mal aux dents parce que j'ai serré la mâchoire trop fort. J'ai des petits points rouges devant les yeux. Lave. Volcan. Si je continue d'écouter Wenchel, je vais voir encore plus de points rouges, je vais lui dire ce que je pense et je vais me comporter comme un Gros Larry-volcan et personne ne va apprécier. Vite. Trop vite. Lent. De plus en plus lent.

J'entre en géo. Le prof, qui est aussi notre entraîneur de base-ball, me regarde comme s'il allait me demander un billet de retard. Mais quand il se rend compte que c'est moi, il ne demande rien. Cool. Est-ce que Papa a prévenu tout le monde ? Merci, Papa. À moins que Wenchel n'ait raconté mon histoire à tout le monde. Peut-être que le « nous », c'était tout le monde au lycée. Peu importe. Merci beaucoup, Wenchel.

Le prof me désigne un pupitre vide et pose son doigt sur ses lèvres. Tout le monde est en train d'écrire.

Un contrôle.

Un contrôle sur les présidents, la Cour suprême et des trucs comme ça. Des définitions. Des QCM. Des blancs à remplir. Une petite rédaction.

Définir *république*, *démocratie*, *monarchie*, *oligarchie*, *dictature...*

Les mots se brouillent. Vite. Je lis trop vite. Je dois ralentir. Il y a des points rouges sur les feuilles de papier. Je serre les dents. Points rouges, comme de la lave et du sang. Des points bleus et blancs. Est-ce que Wenchel m'attend dans le couloir ? J'aurais dû dire au prof que je ne pouvais pas faire ce contrôle. Si je le dis maintenant, il va se mettre en colère et m'envoyer chez le proviseur et Wenchel va me coller, c'est sûr. Points rouges, points rouges.

Quand un président est-il élu ?

Combien y a-t-il d'élections en Californie ?

Relier les amendements constitutionnels suivants et les numéros qui leur correspondent.

Expliquer la différence entre une fédération et une république.

L'oligarchie est-elle un meilleur système que la dictature ? Argumenter.

Argumenter. Points rouges. Oreilles. Est-ce que je suis capable de prononcer amendements avec ma bouche à moitié déformée ? J'arrive déjà à peine à écrire la réponse avec mes cinq doigts qui fonctionnent. Je peux noter : *Un président est élu tous les quatre ans*. Ou peut-être que le prof veut savoir quel mois le président est élu ? Je rature le mot *oreilles* que j'ai écrit sans faire exprès et puis je note janvier. Mais je ne me souviens plus si c'est janvier ou février. Oreilles. À moins que ce ne soit décembre. Je savais ça Avant. Si Maman me voyait maintenant, elle pleurerait parce que je suis devenu stupide et que j'ai plein de cicatrices pour le prouver. Je n'arrive même pas à prononcer « amendement ». Janvier, février, je ne sais pas. Oreilles. Points rouges. Lent. Arrête les points rouges. Arrête le volcan.

Je prends une grande inspiration. Et encore une et encore. Les points rouges deviennent noirs puis gris. Je vois trouble. Les questions du contrôle sont illisibles. Il y a trop de choses dans ma tête, c'est bourré de trucs et mes yeux vont sortir de leurs orbites, mais je continue de respirer doucement, je continue de garder les yeux fixés sur la feuille et jc n'cxplosc pas. Je n'explose même pas quand j'essaie d'expliquer les deux principales raisons de la séparation de l'Église et de l'État.

Quand la sonnerie retentit, je suis toujours sur un QCM. Le drapeau américain est-il toujours placé plus haut que les autres drapeaux ? Ça semble vrai, mais ça peut aussi bien être faux. J'ai laissé en blanc la plupart des questions. Vrai ou faux : Jersey va avoir un F à son contrôle ? Vrai ou faux : Jersey est un monstre débile avec des cicatrices sur la tête ? Amendement. Oreilles. Janvier, février et je ne connais pas la définition d'oligarchie, ni de fédération. Drapeaux américains. Il faut que j'aille en SVT. Il faut que je me planque pour que Wenchel ne me voie pas.

Quand je rends ma copie, le prof ne lève pas les yeux de son livre. Un truc avec des bisons et des ours.

L'histoire de Wall Street. Ça a l'air super ennuyeux mais toujours plus intéressant que l'oligarchie et les points rouges. Oreilles.

Dans le couloir, je suis deux joueurs de basket. Du moins, j'essaie de rester dans leur sillage, pour que Wenchel ne me repère pas. Du coin de l'œil, je la vois qui rôde près de la porte des toilettes. Du coup, je ne peux pas y aller. Oreilles ! Oreilles ! Oreilles ! Je vais me retenir pendant une heure. Juste une heure de plus sans Wenchel. J'aimerais bien aller en SVT en suivant les basketteurs mais ils ne tournent pas dans le même couloir. J'essaie de ne pas trop boiter et de marcher aussi vite que les autres. Wenchel a toujours les yeux fixés sur la porte de la classe de géo.

Jusque-là, tout va bien.

Je tourne dans le couloir des SVT et la petite amie de Todd manque de m'assommer en ouvrant son casier.

– Oh, Jersey ! Je suis désolée !

Elle sort un livre de son casier et m'adresse un petit sourire.

– Tu es déjà là ? D'habitude, quand tu arrives, je suis déjà partie.

Pas de Wenchel dans les parages. Je vérifie. Non, pas de Wenchel. Bien. Mais… Maylynn sait que je passe par là à cette heure-là ? Elle sourit toujours. Ne pas dire « oreilles ». Je dis :

– Désolé, je suis arrivé vite. C'est parce que Wenchel me coure après.

– Mme Wenchel ?

Maylynn jette un coup d'œil par-dessus mon épaule.

– Elle est censée t'accompagner à nouveau ? Leza m'a dit que c'était fini.

– Oui, c'était fini, mais j'ai manqué l'école pendant trois jours. Oreilles. Maman. Oreilles. Je veux dire, Wenchel et l'école… Maman… enfin…

Je souris. Du moins avec la moitié de ma bouche qui marche. Maylynn a de grands yeux noirs. Elle est très jolie. Pas aussi jolie que Leza mais quand même très jolie.

Des gens nous heurtent en passant près de nous. La sonnerie ne va pas tarder. Maman est à la plage. Points rouges et plage. Oreilles. Il n'y a pas de sonnerie à la plage. Oreilles. Maylynn s'éloigne mais je lui demande d'attendre.

– Est-ce que tu peux m'aider à parler à Todd ?

J'avance vers elle en regardant le livre bleu qu'elle serre dans ses mains. Points rouges et bleus.

– Il faut que j'oreille. Je veux dire : il faut que je sache. Et il ne veut pas me parler. Leza ne peut pas le forcer. Est-ce que tu peux m'aider ?

Elle ouvre la bouche.

– Je… je ne sais pas. Il faut que j'y aille. Sinon, je vais être en retard.

– S'il te plaît. Je vois des points.

Je touche son livre. Les points sur son livre.

Elle recule brusquement, se cogne dans quelqu'un et laisse échapper un petit cri.

– Qu’est-ce que… ?

Le cri vient de nulle part.

Todd vient de nulle part.

Il me saisit par l’épaule et j’essaie de partir mais il me tient bien. Il me jette contre les casiers. Une douleur traverse ma mauvaise épaule. Je rebondis et Todd me rattrape. Tout autour de nous, il y a des gens qui s’écartent.

– T’approche pas d’elle ! grogne Todd.

Ses yeux noirs lancent des éclairs. Sa mâchoire est serrée. La sueur perle sur son front. Il me tient par le col avec une seule main. Son autre main est un poing.

– Putain, tu ne sais pas quand il faut laisser tomber ?

Terminé Jersey. F pour Jersey. Oreilles. Trop vite, trop vite. Points et oreilles. Mon épaule me fait mal. Oreilles. S’il me frappe, je le frappe aussi. Si j’y arrive. Volcans. Chaud à l’intérieur. Chaud profondément à l’intérieur. Je le frappe. Frappe. Pourquoi est-ce qu’il ne me frappe pas ? Les gens regardent. Beaucoup d’élèves en cercle autour de nous. Vous avez vu le monstre ? Il va se faire éclater la tête. Volcan. Un immense volcan.

– Points, je murmure.

Je me mords la lèvre. Arrête le volcan. Arrête-le. Mais il arrive. Il monte.

– C’est ma faute !

Maylynn tire Todd par l’épaule.

– Allons-y.

– Frappe-moi, je dis d’une voix calme malgré le volcan en moi. T’inquiète pas, ma mère est à la plage.

La lave monte et monte. Elle s’apprête à tout enflammer, à tout recouvrir.

Todd plisse les yeux. Il me serre le cou plus fort. Il pourrait me cogner malgré sa petite amie qui s'accroche à son bras.

– Todd !

Elle a parlé plus fort cette fois.

– Frappe-moi.

Les mots sortent tout seuls. Vite.

– Casse-moi encore plus la tête. Frappe-moi. Frappe-moi. Frappe-moi, Todd. Oreilles. Frappe-moi !

Derrière Todd, quelqu'un pousse un cri. Leza.

Todd me laisse tomber.

Je titube et je me cogne à nouveau dans les casiers. Avec ma tête cette fois. Points rouges. Et noirs et bleus.

– ... vous faire virer, espèces de crétins ! crie Leza.

Todd hurle aussi mais je l'entends à peine. Je sens des bras et des jambes qui me frôlent. Tout le monde décampe.

Wenchel arrive. Je l'entends piailler :

– Ohmondieuohmondieuohmondieu...

Leza pousse Todd. Fort. Elle le pousse loin de moi et loin de Wenchel. Maylynn court derrière eux.

Je ne peux plus bouger. Il faut que je bouge, mais je ne peux pas. Trop de points. Trop de chaud à l'intérieur de moi. Je me retourne et je donne un coup de pied dans un casier. Je manque de tomber. Je me raccroche aux casiers pour ne pas tomber la tête la première. Maintenant, j'ai mal au pied aussi. Points. Pourquoi ils s'en vont pas ? Points rouges. Noirs. Bleus. Je me retourne encore. Faut que j'y aille.

Mais Wenchel est près de moi. En même temps que Leza. Elles me coincent contre les casiers. À travers mes paupières à moitié closes, je distingue le sourire bizarre de Wenchel. De l'autre côté, je vois les dents de Leza. Mais elle ne sourit pas.

– Jersey… commence Wenchel.

Mais Leza crie comme si elle n'était pas là.

– T'es vraiment le roi des crétins ! Frappe-moi, frappe-moi, Todd.

Elle montre son poing.

– Moi, je vais te frapper !

– Frappe-moi !

Les points rouges s'évanouissent. Les bleus et les noirs aussi. La chaleur disparaît super vite. Plus d'éruption. Fini. Vide et froid dedans maintenant. D'un froid glacial. Plus de volcans. De la glace. Comme Maman, là-bas sur la plage, qui essaie de se réchauffer.

– Frappe, frappe, frappe, oreilles, plage, Maman.

La sonnerie retentit.

Wenchel fait une nouvelle tentative.

– Personne ne va frapper personne !

Sa voix se confond avec la sonnerie. Aiguë, elle fait mal aux oreilles. Même quand Wenchel et la sonnerie se taisent, je les entends encore résonner dans mes oreilles et dans mon cerveau.

Leza me donne un coup de poing dans l'épaule, mais pas fort. Et puis, elle se met à pleurer.

– Ta maman est partie. Ta maman.

Elle sanglote.

– Et maintenant, tu fais peur à des filles que tu ne connais même pas et tu défies mon frère de te frapper. Je te jure, Jersey, quelqu'un devrait te frapper.

Elle s'essuie les yeux, super vite, avec les deux mains.

– Todd était presque prêt à parler avec toi. Si tu avais… oh, et zut ! J'en ai assez ! vraiment assez !

Wenchel n'essaie plus d'en placer une. Son visage est en glace encore plus que celui de Maman et elle regarde autour d'elle, comme si elle espérait que quelqu'un arrive et m'emmène.

Leza ignore complètement Wenchel. Elle s'essuie de nouveau les yeux et soudain, je revois Leza et ses petites tresses, ses rollers et ses genoux maigres. Leza qui pleure et qui veut que personne ne la voie. Elle était dure. Elle pouvait affronter n'importe quoi. Leza avec ses petites tresses qui se transforme en statue d'argile et qui se brise. Comme tous les autres.

Elle baisse les yeux puis me regarde de nouveau. Larmes. Tant de larmes, qui lentement remplissent ses yeux et qui coulent sur ses joues.

– J'étais contente de savoir que tu vivrais. Je me sentais tellement mal de ce que j'avais fait. Et j'ai toujours voulu être ton amie. Je pensais que tu serais plus gentil maintenant, mais tu es toujours aussi bête et égoïste. Et moi je suis encore plus bête que toi !

Tu es tellement égocentrique que tu penses sûrement que je suis en colère contre toi.

Deux voix dans ma tête maintenant. Celle de Maman et celle de Leza. Peut-être trois ? Peut-être plus. Des visages. Tous ces visages. Des filles que je ne connais pas.

C'est toi qui es parti…

Je me sentais tellement mal de ce que j'avais fait…

Qu'est-ce que Leza a fait ? Que peut-elle bien avoir fait ?

Leza pleure et pleure. Je me mets à pleurer à mon tour. J'ai envie de la prendre dans mes bras. Je tends mes mains vers elle, mais elle secoue la tête, se détourne et s'éloigne.

Je suis tout remué à l'intérieur. Des pieds à la tête. Ça me fait mal partout, mon cœur tombe en morceaux. Pourquoi ? Qu'est-ce qui ne va pas chez moi ? Je ne veux pas qu'elle s'en aille. C'est trop vite, trop tout, trop.

Je l'appelle.

– Attends.

J'essaie de la suivre mais Wenchel me prend par le bras.

– J'étais là, c'est tout, me jette Leza par-dessus son épaule. Et je ne sais même pas pourquoi.

– Laisse-la, me souffle Wenchel. Elle a besoin d'un peu de temps.

– Tout le monde a besoin de temps.

Je reprends mon bras, je heurte un casier de l'épaule et je m'assois sur le sol sale. Leza disparaît au coin. Partis. Ils sont tous partis. Je ferme les yeux. Oreilles. Égoïste, oreilles égoïstes. Peut-être que quand j'ouvrirai les yeux, je me réveillerai à la maison. Peut-être que Maman ne sera pas partie à la plage. Peut-être que Papa sera là aussi et que tout ira bien. Je m'en fiche d'avoir des cicatrices. Je m'en fiche d'être stupide. Mais il faut que tout ça soit un rêve. Un rêve. Oreilles, oreilles, oreilles.

J'ouvre les yeux.

Sol sale. Casier. Wenchel.

D'un claquement de doigts, tout disparaît. Plus rien dedans, plus rien dehors. Plus de douleur, ni de larmes, ni de joie. Rien. Vide et froid. D'un froid glacial. Et rien.

C'est normal que Maman soit partie à la plage. Tout est mieux que la glace et le rien. Tout est mieux qu'ici.

– Wenchel. Sol. Oreilles.

Je me cogne la tête contre le casier derrière moi. La douleur m'aide un peu, mais elle part trop vite. Tout redevient glace et rien trop vite. Je cogne ma tête de nouveau, plus fort. J'arrive un peu à penser quand ça me fait mal.

– Je veux rentrer à la maison. Maman est à la plage, on n'est pas allés à la police et je veux rentrer à la maison. Oreilles. Police. Maman est à la plage. Pas moi. J'ai froid. Je suis de la glace. Emmenez-moi à la maison.

21

À la maison. Seul. Il n'y a que moi. Je suis seul à la maison. Silence, froid, vide, dedans, dehors. Wenchel m'a amené ici elle-même. Je crois qu'elle était contente que je veuille quitter le lycée.

Je vais me charger de tes devoirs…

J'ai laissé un message à ton père.

Tu vas pouvoir te reposer…

Elle a même essayé de m'acheter quelque chose à manger, mais j'ai refusé. Il y a tout ce qu'il faut à la maison. Seul. Il n'y a que moi à la maison. Seul. Seul.

J'entre dans la cuisine. J'ai mon cahier de mémoire. Je traverse la cuisine et je jette mon cahier de mémoire dans la poubelle par-dessus une feuille de Sopalin pleine de porridge et l'emballage froissé du pain. J'en ai assez de le porter, de regarder sa couverture blanche et sa ficelle sale qui pendouille. J'en ai assez d'écrire dedans et de lire ce que j'écris. De toute façon, je n'ai plus envie de me rappeler quoi que ce soit. Salut. Ciao. Seul.

Maintenant, il n'y a plus que moi sans le cahier de mémoire. Je m'assois, seul, à la table de la cuisine. La table de la cuisine est bien. Je m'y sens en sécurité. Je suis loin du premier étage quand je suis attablé dans la cuisine. On n'est pas allés à la police, alors il faut que je reste assis à cette table. Là-haut, le revolver attend. La police n'a pas rendu les balles, mais je connais mon père. Il garde tout. Et il oublie. Quelque part dans un coin, dans un tiroir, dans une boîte, il y a des balles. Il faut juste chercher un peu. Mais je n'en ai pas vraiment envie, sauf que j'en ai un peu envie. Je veux le revolver et les balles mais je ne veux pas me faire du mal sauf que j'ai envie de me faire du mal. Balles. Mais je n'ai pas vraiment envie. Je voudrais arrêter. Juste… arrêter. Arrêter de m'inquiéter, arrêter de tout gâcher. Arrêter tout. Être calme dans ma tête.

Je veux penser comme il faut. Je veux me sentir bien et marcher normalement et sourire pour de vrai. Mais j'ai tout gâché. J'ai tout explosé. Je me suis explosé. Balles. Je pourrais recommencer sans me rater cette fois. Mourir pour de vrai. Comme ça, je ne serais plus un monstre stupide et je serais calme et les gens vivraient beaucoup mieux sans moi. Balles. Seul, seul. Seul à la maison. Seul.

Maman est partie. Leza. Et Todd. Et je ne sais même pas où est Papa. Mama Rush ne veut plus m'adresser la parole. Seul. Seul à la maison. Mon estomac fait des nœuds. Pendant un instant, je ne me sens plus vide et froid. Et puis ça revient. Je pose la tête sur la table. La table est dure et froide sous ma joue. Je suis calme, immobile, silencieux. Si calme. À l'intérieur et à l'extérieur. Vide froid. Calme. Balles. Peut-être que je vais m'endormir. Mais si je m'endors, il faudra que je me réveille. Si je me réveille, tout recommencera.

Est-ce que ça s'est passé comme ça ?

Je cligne des yeux.

Peut-être que je n'étais ni furieux, ni bouleversé quand je me suis tiré cette balle dans la tête.

J'étais peut-être juste fatigué et calme, fatigué du calme, fatigué du vide froid. Peut-être que j'étais juste fatigué quand j'ai appuyé sur la détente. Balles. Peut-être que je ne sentais rien du tout. J'en ai marre de penser au revolver, au suicide, à Avant, à maintenant et à tout. Elana était le dernier numéro de ma liste. C'est avec elle que j'ai tout foutu en l'air en dernier. Et en foutant tout en l'air avec Elana, j'ai tout foutu en l'air avec Todd et Leza et Wenchel et le lycée. Tout foutu en l'air. Continue comme ça. La rééducation ne m'a pas beaucoup aidé. Je peux marcher, parler et être encore plus stupide qu'Avant. Balles. Les balles sont en haut. Les balles et le revolver, je peux faire ça bien, cette fois.

Je pose mon bon bras sur ma tête. J'essaie de penser à autre chose. Quand je pense au lycée, je pense à Todd et Leza. Quand je pense à la maison, je pense à J.A., Papa et Maman. Maman qui n'est pas là. Quand je pense à Mama Rush, je pense au Palais, à Roméo, aux chauffeurs de taxi, aux cadeaux cassés et je pense qu'elle ne veut plus me voir. Quand je pense à Avant… Non ! Là, j'arrête. Pas d'Avant. Avant me fait penser à maintenant. Maintenant me fatigue.

– Arrête !

Je me redresse.

Je tape du poing sur la table. Ça me fait mal à la main. Ça fait du bien et du mal en même temps. En tout cas, ça ne fait ni froid, ni vide.

La douleur me réveille. Quand je me fais mal, je suis moins fatigué. Au moins, je sens quelque chose. Je me lève et je ne pense ni à Avant, ni à Leza, ni à Mama Rush ou à Maman. À personne.

Je monte au premier étage.

La voix de J.A. me cueille quand j'atteins en boitant la porte de ma chambre.

Eh crétin ! Qu'est-ce que tu fabriques ?

Je ne sais pas pourquoi, je m'immobilise. J'ai envie de tuer. Je serais peut-être capable de tuer le fantôme.

– La ferme. De toute façon, tu veux que je meure. Balles. Meurs, meurs, meurs.

Crétin. Je n'ai jamais voulu que tu meures. Je ne t'ai jamais fait aucun mal.

– Tu m'as tiré une balle dans la tête !

Je tape des poings sur ma porte fermée. Ça fait mal et ça fait du bien.

– Tu as tout gâché !

Quand j'essaie de baisser le bras, je n'y arrive pas. Ma main reste collée à la porte, mes doigts sont tout recroquevillés.

– Tu m'as tiré une balle dans la tête, je répète à la porte et à mes doigts et à J.A.

Mais cette fois, je ne crie pas. Maintenant, au lieu d'avoir froid, j'ai chaud. Je suis tout à l'envers à l'intérieur. La porte est bizarre. Ma main est encore plus bizarre.

T'es un gros crétin débile, tu gâches tout, Gros Larry. Tu es égoïste et égocentrique et je parie que tu es sûr que je suis en colère contre toi. Lacets. Balles. Oreilles. Cacahouètes. Pom-pom girls. Continue comme ça. Tu as jeté ton cahier de mémoire. Tu as tout jeté.

Les ricanements de J.A. me donnent envie de ricaner moi aussi, mais je ne peux toujours pas bouger la main. Je donne un coup de pied dans la porte. Ma main ne bouge pas plus.

– Laisse-moi partir.

Je murmure à présent, mais je ne sais pas pourquoi.

Toi, laisse-moi partir, me lance J.A. *Ce n'est pas moi qui te retiens.*

Dans mon cerveau, ma main est de plus en plus grosse, comme si au bout du bras, j'avais le poing d'un géant. J'essaie de ne plus bouger. C'est moi. C'est toujours moi. Ma main. Je me suis tiré une balle dans la tête avec cette main collée sur la porte. La main géante. C'est toujours moi. Seul. Seul à la maison.

Je me sens de plus en plus mal. J'ai la tête qui tourne et j'ai envie de vomir et tout à coup, plus rien. Vide et froid. Vide et froid.

Et je sais.

Oh non, non.

– Ne pars pas, je chuchote à J.A.

Rien.

Je tire de toutes mes forces sur ma main géante. Si fort que je manque de tomber. Et puis je m'en sers pour ouvrir ma porte.

La poussière dans le rayon du soleil qui éclaire mon couvre-lit vert. Le tapis est bien étalé par terre. Il n'y a pas d'ombre dans les coins.

– Ne pars pas, je chuchote de nouveau.

Et puis je hurle jusqu'à ce que ma gorge me fasse mal. Mais c'est trop tard.

J.A. est parti lui aussi. Il est parti parce que, en fait, il n'a jamais vraiment été là.

Non. Jamais vraiment. Parti. Parti. Seul à la maison. Seul. Je me suis tiré une balle dans la tête et j'étais seul à la maison. J'ai fait ça, je l'ai fait. Balles, balles, balles.

Pourquoi je pleure ? J.A. n'existait pas pour de vrai. Mais quand même si, d'une certaine façon. Et il parlait, et quand je le voyais dans ma tête, il me regardait. Il ne comptait pas mes cicatrices avant de détourner les yeux. Mais c'est toujours moi.

Quand je referme la porte, je me sens plus vide que jamais. Très, très vide. Et très, très, très fatigué au plus profond de moi, là où niche le volcan. Là où il entrait en éruption et me vidait de tout.

Ça a été facile. Vraiment facile. Le revolver était dans le tiroir de la table de chevet. Papa ne changera jamais.

Les balles étaient dans le fond d'une corbeille à papiers cachée dans un coin du placard.

Papa ne changera jamais.

On aurait dû aller à la police, mais on n'a jamais eu le temps. Notre famille n'a jamais le temps. Le temps de rien. Maintenant, j'ai le revolver et je suis bien content. Balles. J'ai les balles aussi.

J'ai fichu un sacré désordre en les cherchant. Je m'en fiche. Je mets les balles dans le barillet. C'est pas facile avec une seule main, mais continue comme ça, Jersey, continue comme ça. Je laisse la boîte et les balles qui restent sur le lit. Et puis, je descends avec le revolver et je le pose sur la table de la cuisine.

Quand enfin je m'assois, je me sens mieux. Je ne suis plus seul maintenant. J'ai le revolver et le revolver a les balles et si je suis trop fatigué, ou trop furieux ou trop vide et froid, je peux à nouveau m'exploser la tête. Pour de bon, cette fois. Ça me semble une bonne idée d'en finir. Je ne vais pas me rater. Pas cette fois.

– Eh crétin, qu'est-ce que tu fabriques ?

Je continue de me poser la question puisque J.A. est parti maintenant et qu'il n'est plus là pour la poser.

– Qu'est-ce que tu fabriques, crétin ? Qu'est-ce que tu fabriques, crétin ? Qu'est-ce que tu fabriques, qu'est-ce que tu fabriques, qu'est-ce que tu fabriques ?

Je regarde le revolver, c'est ça que je fabrique.

Je suis fatigué mais pas tant.

J'ai peur, mais pas tant.

Je suis en colère. Un peu. Chaud-froid.

Mais au moins, je sens quelque chose. C'est mieux que rien. Ce n'est pas si terrible.

– Qu'est-ce que tu fabriques, crétin ?

Je regarde la poubelle, dedans il y a mon cahier de mémoire, une feuille de Sopalin pleine de porridge et l'emballage du pain froissé. Papa m'a préparé le petit déjeuner ce matin. Un porridge, dégueu, dégueu, dégueu. Mais il l'a fait pour moi. Si je me tire une balle dans la tête, il faut que je pense à ne pas tout salir, cette fois. Pas de sang partout sur la table, nulle part dans la maison. Nulle part.

Cette fois, je vais aller au lac, où les bancs font face à la petite barrière. Je vais escalader la barrière et le faire là. Comme ça, je tomberai dans le lac. Balles. Le lac recouvrira tout. Pas de sang nulle part.

– Qu'est-ce que tu fabriques, crétin ?

Je prends le revolver, je le secoue un peu pour l'ouvrir. J'enlève les balles une par une. J'en fais tomber quelques-unes par terre, je les ramasse. Je coince le revolver dans la ceinture de mon pantalon et je glisse les balles dans ma poche. Ça me prend un peu de temps, avec une seule main. Mais au moins maintenant, je ne peux plus tirer et je ne vois plus le revolver. C'est bien. C'est bien ? Ou mal ? Je ne sais pas.

J'expire d'un coup tout l'air que j'avais dans les poumons.

Je me sens mieux ou moins bien ?

Crétin, crétin, crétin.

Je respire maintenant. Inspire, expire, inspire, expire. Respirer, c'est pas si mal. Le revolver s'enfonce dans mon ventre. C'est pas si mal. Je ne me sens pas vide, mais je n'ai pas non plus envie de vomir. C'est pas si mal. Les rayons du soleil entrent par la fenêtre. Soleil d'après-midi. Mon cahier de mémoire est dans la poubelle, par-dessus un Sopalin plein de porridge préparé par Papa.

– Porridge.

Est-ce que Papa est à son bureau ? Je pourrais essayer de l'appeler. Le numéro de Maman à la plage est quelque part. Et il y a aussi Mama Rush. Je peux les appeler. Quand Leza va rentrer chez elle, je peux aussi lui téléphoner et m'excuser pour Todd et tout ça.

Si J.A. était toujours là, il me dirait que tout ça n'a pas d'importance. Il me dirait qu'ils sont tous en colère contre moi et qu'ils me détestent tous. Mais il n'est pas là, parce qu'il n'existe pas pour de vrai et c'est moi qui me dis tout ça. Mais je ne me le dis plus autant, maintenant qu'il est parti.

Respire, respire, respire.

Si les balles ne sont pas dans le revolver et que je reste assis à la table, tout va bien se passer, non ? À un moment ou à un autre, tout va bien aller. C'est possible, autant que du soleil l'après-midi et moi qui me sens un peu mieux. De bonnes choses peuvent parfois arriver.

Oui, ça se peut. Balles. Vraiment. Je tuerais un fantôme même si ce n'était pas un fantôme. C'était bien quelque chose. Forcément.

Le téléphone sonne.

Je sursaute, le revolver coincé dans ma ceinture se cogne contre la table. Le téléphone sonne de nouveau avant que je me lève et encore une fois avant que je l'atteigne et le décroche. Je m'appuie au comptoir de la cuisine.

– Papa ?

– Hum, non, c'est moi. Todd.

Dans le fond, un bourdonnement couvre sa voix.

Comme je ne dis rien, il demande :

– Tu es là ? Je suis dans ma voiture, je t'entends mal.

– Ouais ! je réponds en criant pour qu'il puisse m'entendre.

– Mama Rush est malade et ils l'emmènent à l'hôpital. Elle a une pneumonie. Je… j'ai pensé que tu devais être prévenu.

Non. Non, c'est pas possible ! J'arrête à nouveau de respirer. J'ai envie de courir et courir si vite que je laisserais ma peau sur place.

– Où ? je hurle. Où est-ce qu'ils l'emmènent ?

– À La Pitié. On est sur la route.

Sur la route. Aller. Balles. Mama Rush ! Non, non, non !

– J'arrive, j'arrive…. euh… J'ai pas de voiture…

Ralentis. Réfléchis. Pense, pense et respire. Balles. Ne dis pas balles.

– J'appelle Papa et j'arrive. Je peux venir ? Je peux venir, hein ?

Mes doigts serrent le téléphone.

– Attends.

Todd couvre le téléphone et dit quelque chose. Il crie et il me reparle.

– Je te rappelle.

Il raccroche.

Je raccroche.

Non !

À toute vitesse, je compose le numéro de Papa. C'est sa boîte vocale qui répond. Non !

– Papa, viens à la maison ! je crie. Où es-tu ? Viens à la maison ! Maintenant !

Je raccroche. J'essaie le numéro de Maman à la plage. Ça sonne et la messagerie de l'hôtel décroche. Je ne laisse pas de message.

Qui d'autre pourrais-je appeler ? Il me faut une voiture. Je pourrais prendre un taxi mais je n'ai pas d'argent. La Pitié. C'est à quelques kilomètres. C'est là qu'ils m'ont emmené quand je me suis suicidé. Mama Rush était là. Je ne suis pas mort. Cest peut-être un bon hôpital. Il faut que j'y aille. Je suis un bon à rien. Si je pouvais conduire, je conduirais vite. Je serais déjà là-bas. J'ai gâché ça aussi.

– Mama Rush !

Je cogne le téléphone sur le comptoir. Il se casse en deux. Les piles volent. Je cogne ce qui reste contre le réfrigérateur. Il se recasse en plus de morceaux cette fois. En morceaux de téléphone. Mama Rush, Mama Rush. J'enfonce la main dans ma poche. Je sens les balles. Les balles dans ma poche. Les balles sont là. Mama Rush.

Des larmes coulent de mes yeux, elles roulent sur mes joues. Je peux marcher. Il va bien falloir que je marche. Il faut que j'aille à La Pitié. Je ne peux pas rester assis ici. Balles. Je ne peux pas attendre. Je ferme les yeux. Ralentis. Essaie de respirer. Essaie de réfléchir. Trouve une solution. Allez, cherche et trouve.

Mais je n'y arrive pas. Il n'y a pas de solution.

Papa n'est pas là, Maman non plus. Pas de voiture, pas de clés. Est-ce qu'un téléphone est en train de sonner ? Je crois mais je ne suis pas sûr. Je ferme les paupières plus fort. Trouve une solution. Balles. Solution.

Sonne.

Sonne.

À l'envers.

Ma tête tourne, tourne, tourne.

Des coups sur la porte.

Quelqu'un donne des coups sur la porte d'entrée.

Je ne sais pas comment, je bouge. Je bouge mon corps, le revolver et les balles jusqu'à la porte.

– Jersey !

Encore des coups.

– Hé !

Todd ?

J'ouvre la porte. Todd a le téléphone collé à l'oreille et il a le poing levé pour cogner à la porte.

– Je t'ai dit que je te rappelais ! Qu'est-ce que tu fous ?

– Désolé, je…

Un klaxon. Encore. Et encore.

– Viens !

Todd m'attrape par ma bonne main et me tire hors de la maison.

– On t'emmène.

On dévale les marches du perron et on traverse la cour. Le klaxon se tait. La voiture de Todd est garée devant chez moi. Elle est bleue. Leza est assise côté passager. Moi et le revolver dans mon pantalon et les balles dans ma poche, on grimpe à l'arrière. Todd claque la portière derrière moi. Leza ne se retourne pas.

– Ne sois pas pénible parce que, là, je ne le supporterai pas, dit-elle avant que Todd atteigne sa portière. Alors, rends-moi service et ferme-la. N'ouvre même pas la bouche.

Je me couvre la bouche des deux mains.

Todd rentre dans la voiture, fait une marche arrière et on est partis.

22

Todd a téléphoné et on lui a dit que Mama Rush était aux soins intensifs. Mon cerveau ne cesse de le répéter. Soins intensifs, soins intensifs, soins insensibles. Mama Rush pousserait de hauts cris si je lui disais qu'elle est aux soins insensibles. Je ne vais pas le dire. Todd parle à quelqu'un des soins insensibles et raccroche.

– Ces infirmières ont l'air un peu cinglées, dit-il à Leza en garant sa voiture.

Leza grogne et se mord le pouce. J'ai toujours les mains sur la bouche et je chante l'alphabet dans ma tête pour ne pas dire « soins insensibles ». Le revolver est chaud et humide contre mon ventre mais je fais comme s'il n'était pas là. Pareil pour les balles dans ma poche.

Dans l'hôpital, on se rend compte qu'on est arrivés avant M. et Mme Rush et qu'on ne doit pas aller aux soins insensibles tous ensemble mais un par un. A, B, C, D, E, F, G… mais il n'y a pas de policiers à la porte et les infirmières sont occupées, alors on y va quand même et on cherche la chambre 3. Soins insensibles.

Bip, clic, hiss.

A, B. A, B, C. J'ai envie de le réciter à voix haute. Mon cœur bat comme un fou dans ma cage thoracique. Ça sent l'alcool et… je ne sais pas quoi, ça pue. Bip, clic, hiss. Ce bruit vient de partout. J'appuie sur la cicatrice à ma gorge et j'essaie de ne pas respirer et de ne pas regarder à droite ni à gauche. Soins insensibles. C'est pas pour les sensibles. Ça c'est sûr. Pas pour les sensibles. Bip, clic, hiss.

– A, B, C, je murmure pour ne plus entendre le bruit.

Leza me donne un coup de coude. Si fort que je manque de tomber dans la chambre 2. Juste à ce moment, on entend des jurons qui viennent de la chambre 3.

– Oh non, vous n'allez pas me rentrer ce tube dans la gorge !

Et puis une grosse toux et un grand crac.

Bip, clic, hiss.

Leza ferme les yeux.

– Merde !

– A, B, C, je reprends nerveusement en frottant la crosse du revolver à travers mon T-shirt.

– D, E, F, G, continue Todd qui semble aussi nerveux que moi.

– Soins insensibles, j'ajoute.

Leza cogne Todd cette fois. Et puis elle se penche pour regarder dans la chambre 3. Les rideaux autour du lit sont tirés, alors elle ne voit rien.

– Qu'est-ce qu'elle fait ?

Bip, clic, hiss.

Encore un gros crac. Encore des jurons. Mais pas seulement des jurons de Mama Rush. A, B, C, D, E, F, G.

– Qu'est-ce qu'elle fait ? répète Leza.

– Elle distribue des coups de poing, je crois, marmonne Todd alors que trois infirmières sortent de derrière le rideau à reculons.

Elles portent des plateaux en métal avec des instruments comme des ciseaux et un morceau de tube en plastique. Je fixe le tube. Est-ce que j'ai eu un tube comme ça quand j'étais à l'hôpital ? A, B, C. H, I, J.

Bip, clic, hiss. Soins insensibles.

La troisième infirmière s'arrête et nous montre avec le tube en plastique.

– Vous êtes trop nombreux. Et puis vous êtes qui ?

On reste tous les trois sans rien dire, la bouche ouverte.

Après une seconde, j'éructe :

– A, B, C, D. Tube. Insensible.

– Quelle vieille sorcière têtue ! lâche Leza.

Et au même moment, Todd s'écrie :

– Mama Rush.

L'infirmière nous dévisage.

Bip, clic, hiss. Bip, clic, hiss.

– Ce sont mes petits-enfants ! hurle Mama Rush.

Puis elle tousse et hurle de nouveau :

– Dégagez d'ici et laissez-les entrer ! Tout de suite !

Les infirmières ne doivent pas tuer les gens, mais cette infirmière a l'air d'avoir envie d'utiliser son tube comme arme de crime. Pour nous tuer nous. Mama Rush. Insensible. A, B, C, D. Elle n'arrive pas à se décider. Qui tuer en premier ?

Bip, clic, hiss. Bip, clic, hiss.

Mais au lieu d'utiliser le tube pour nous tuer, elle secoue la tête, marmonne dans sa barbe et s'en va en nous laissant plantés là.

Leza regarde Todd qui me regarde.

– Tube, je dis. Insensible.

On entre.

Leza et Todd vont directement auprès de Mama Rush. Je m'arrête à la porte.

Mama Rush…

C'est elle, mais, mais… Tube. Insensible. Elle est toute pâle. Et maigre. Et sa respiration est sifflante. Elle fronce les sourcils. C'est un djinn tout maigre et sans cigarette. A, B, C. Sa chemise de nuit est blanche, assortie aux murs de l'hôpital. Elle ne se ressemble pas. Non. Tube. Tube insensible. Insensible.

J'essaie de ne pas la dévisager mais je n'arrive pas à m'en empêcher. D, E, F, G. Leza et Todd parlent. Todd a pris la main de Mama Rush. En toussant, elle leur dit de ne pas s'inquiéter.

Bip, clic, hiss.

Bip, clic, hiss.

J'entends ce bruit. Il vient des autres chambres. Je ne veux pas l'entendre mais je n'ai pas le choix. Tube. Ce bruit me fait transpirer. Tube. Insensible. Pourquoi est-elle malade ? Elle est vraiment malade. Je pensais qu'elle ne voulait plus me parler mais pendant tout ce temps, elle maigrissait et sa respiration devenait sifflante. L, M, N, O, P. Égoïste. Je n'ai pas besoin de J.A. pour me rappeler ça. Je suis tellement égocentrique que je croyais qu'elle était en colère contre moi. En colère. Contre moi.

Égocentrique. Tube. J'ai un revolver. Le revolver. Et les balles. Insensible. Insensible. Mais je ne veux pas penser au revolver et aux balles. Pas quand je suis près de Mama Rush.

Elle… devinerait.

– Jersey Hatch.

Elle m'appelle de sa voix sifflante.

Je sursaute.

Elle me fait signe.

– Viens par là. Allez, viens. Et vous deux, ajoute-t-elle pour Todd et Leza, allez-vous-en une minute. Allez donc voir si vos parents sont arrivés.

Elle tousse et les éloigne de la main.

– Dites-leur que je vais bien.

Todd ne discute pas. Leza non plus, ce qui me rend un peu nerveux. Ils me jettent un coup d'œil avant d'acquiescer et de partir. Tube. Insensible. Tube. Est-ce qu'elle sait pour le revolver ? Est-ce qu'elle sait pour les balles ? Comment peut-elle savoir ? Mama Rush est vraiment un djinn. Un djinn maigre, sans cigarette et sans couleur. Elle est malade. Très malade.

– Je t'ai demandé d'approcher, dit-elle d'une voix sèche.

Puis elle tousse et fronce les sourcils.

– On a deux ou trois choses à discuter, juste toi et moi.

J'obéis. Je me place tout près du lit. Tube. Insensible. Assez près pour qu'elle touche le revolver si elle tend la main. Ou les balles dans ma poche. Insensible. Sa main, celle sans aiguille ni tubes, sort brusquement de sous le drap. Elle attrape ma bonne main et la tient serrée. Elle tousse si fort que son corps de djinn maigre est secoué.

– Mon Dieu, je déteste les hôpitaux. Allez, allez, vas-y. Je sais que tu veux d'abord me parler.

– Quoi ?

– Quelle que soit l'absurdité que tu as à me dire, dis-la. Lâche-toi !

– Oh !

Je laisse échapper un soupir.

– Tube. Comme tube. Et machines qui… Bip, clic, hiss. Je déteste. Soins insensibles. Je me suis suicidé avec un revolver et des balles. Bip, clic, hiss. Tu es maigre.

Mama Rush ne me lâche pas la main. Elle regarde son corps. Tousse. Elle lève un sourcil.

– Tu trouves que j'ai perdu du poids ?

– Oui. Djinn maigre sans cigarette. Tube. Insensible.

Ses doigts sont chauds et secs contre ma peau. Elle tousse de nouveau. Longtemps. Je transpire. J'ai des larmes dans les yeux aussi, mais pour le moment, j'arrive à les retenir. Tube. Je peux au moins faire ça. Le revolver n'est qu'à un ou deux centimètres de sa main. Les balles sont encore plus près. Elle va les trouver. Elle va savoir. Insensible. Tube. Elle va sans doute me tuer d'une balle et comme ça tout sera terminé. Bip, clic, hiss. Si ça se trouve, elle va aussi tuer l'infirmière. Ou garder toutes les balles pour Roméo. Ou alors, elle sera juste triste et déçue et je me dirai que j'aimerais mieux être mort que de voir son regard. Tube.

– Arrête de gigoter ! m'ordonne Mama Rush entre deux quintes de toux.

Bip, clic, hiss. Ça vient d'une chambre à côté. La 2. Ou la 4. Je m'immobilise. J'espère que le revolver ne se voit pas à travers mon T-shirt. Soins insensibles.

– Tu continues de travailler sur la liste ? demande Mama Rush.

J'acquiesce et j'essaie de ne pas gigoter. Je ne veux pas lui dire que j'ai jeté mon cahier. Je ne veux pas. Pas maintenant. Je l'ai jeté, mais je me souviens.

– Il me reste deux numéros. J'ai fait quelque chose de terrible et Elana Arroyo – demander à Todd. Sauf que je ne peux pas demander à Todd.

– Cette liste, c'était un bon point de départ, dit Mama Rush en toussant de plus belle. Mais tout ne tient pas sur une liste, Jersey.

Elle arrête de parler pour reprendre son souffle. Ça a l'air d'être tellement douloureux que j'ai mal dans la poitrine. Je ressens la douleur que je crois qu'elle ressent.

– Tout ne peut pas être bien rangé avec des petits numéros.

Quinte de toux.

– Il vaut mieux regarder de plusieurs manières.

Elle doit faire des efforts pour respirer. Ne pas gigoter. Ne gigote pas. J'ai envie de gigoter. Il faudrait que je dise quelque chose, comme ça elle serait obligée de se taire. Ne gigote pas.

– Dans la vraie vie, tout se mélange, marmonne Mama Rush.

– La vraie vie, je dis très vite. Tout est plus difficile dans la vraie vie.

– Ouais. C'est sûr.

Ses yeux sont rivés aux miens.

– Écoute, je te demande ça parce que tu es passé par là, toi aussi. Enfin, d'une certaine façon. Il y a une minute, tu disais tube et insensible. Tu penses que je devrais être plus insensible et les laisser me mettre ce tube dans la gorge ?

Ils veulent mettre un tube dans la gorge de Mama Rush ? Ils veulent lui faire faire bip, clic, hiss. Mes larmes disparaissent. Presque toutes.

– Non ! je dis. Je veux dire : oui. Tu as besoin d'un tube dans la gorge. J'en avais un, ça faisait bip, clic, hiss.

Je lève maladroitement ma mauvaise main et je passe mes doigts sur la cicatrice sur ma gorge.

– Le tube n'a pas suffi. Il y avait un respirateur. Ils m'ont fait un trou, tu te souviens ? Soins insensibles. Tube.

Mama Rush tousse. Puis elle lâche ma main et soupire.

– Le docteur a dit que ce ne serait que temporaire, mais ça me fait peur. Et s'ils ne l'enlevaient jamais ? Je ne veux pas croasser avec un tube qui me sort de la bouche. Ou pire, de la gorge comme pour toi. Je ne pourrais même pas prononcer mes dernières paroles.

Ses yeux me brûlent le visage.

Je suis censé répondre. Commenter. Tube. Dernières paroles. Tu ne vas pas mourir. Ne dis pas que tu vas mourir. Mais elle va peut-être mourir. Tube. Elle a besoin d'un tube. Elle a besoin du bip, clic, hiss. Il faut que je réponde intelligemment. Mais comment je pourrais répondre intelligemment ? Mes yeux n'arrêtent pas de cligner. Mes doigts se crispent. J'ai du mal à respirer pourtant je ne tousse pas. Soins insensibles. Bip, clic, hiss.

– Ils m'ont enlevé mon tube.

Je donne des petits coups dans ma cicatrice.

– Ils ont aussi enlevé le respirateur. Bip, clic, hiss. Je suis retourné à la maison et tout ça. Tube.

Elle me fixe toujours avec ses grands yeux, humides comme si elle retenait ses larmes elle aussi.

– Ça t'a fait mal ?

– Je ne me souviens pas. Ça ne me fait plus mal maintenant.

Mama Rush finit par détourner les yeux. Elle se frotte la gorge là où elle aurait une cicatrice si elle avait besoin d'un respirateur. Soins insensibles. Elle va guérir et elle n'aura pas besoin de prononcer ses dernières paroles.

– Dernières paroles, je lâche. Oh pardon, je veux dire : tu n'en auras pas besoin.

– Parle pour toi, grogne-t-elle en tournant la tête vers le mur.

Je regarde sa poitrine se soulever et s'abaisser. Elle a du mal à respirer. Soins insensibles. Elle a besoin de ce tube.

– Il faut que je fasse un choix, finit-elle par dire d'une voix calme.

– Oui. Tube. Soins insensibles. Choix.

– On dirait que toi aussi, t'as un choix à faire, Jersey.

Mama Rush tousse. Elle ne me regarde toujours pas.

Une drôle de chaleur m'envahit. Ma bonne main s'envole toute seule vers la crosse du revolver. J'ai envie de faire pipi. Ma mâchoire se serre. Je touche le métal à travers mon T-shirt et je retire ma main aussitôt. Pour la poser sur ma poche où se trouvent les balles. Et je la retire de nouveau. Tube. Elle sait. Je savais qu'elle saurait. Tube. Qu'est-ce que je vais lui dire ? Quelque chose de bien ? De mal ? Des dernières paroles ?

– J'aimerais pouvoir faire ce choix à ta place, murmure Mama Rush.

Elle tousse de nouveau. Peut-être qu'elle n'arrive pas à retenir ses larmes. Moi non plus.

– Mais je suis vieille et j'ai appris deux ou trois choses. Si je fais un choix à ta place, ça ne servira à rien. À un moment ou à un autre, ce choix se représentera. Et à ce moment-là, je ne serai sans doute plus là pour penser pour toi.

– Tu seras là, je dis très vite, pendant que mes larmes coulent très vite aussi.

Mes deux mains tremblent. Mon corps tout entier tremble.

– Je veux que tu sois là. Je veux que tu sois toujours là pour penser pour moi. C'est bien. Je veux dire : tu peux penser pour moi, si tu veux. Dernières paroles. Tube. Tu seras toujours là. Tube. Bip, clic, hiss.

– Soins insensibles, dit-elle avant que j'aie eu le temps de le dire moi-même. Soins intensifs.

Tout à coup, j'ai besoin qu'elle me regarde au lieu de regarder le mur. Mais elle ne bouge pas. Tube. Il faut que j'y aille maintenant. Elle doit faire son choix. Il faut que je fasse le mien. Personne pour penser à la place de l'autre. Dernières paroles. Tube, tube, tube.

Il faut que je coure.

– Hé, mon garçon !

Elle m'appelle, alors que j'ai déjà atteint la chambre 3.

– Envoie-moi l'infirmière, tu sais, celle de tout à l'heure qui râlait. Dis-lui que je veux lui causer. À Todd et à Leza aussi.

23

Mama Rush a besoin d'un tube. Elle a besoin de dernières paroles. Elle sait pour le revolver.

Je ne peux pas rester. Je dois fuir, mais avant il faut que je trouve l'infirmière et Todd et Leza. Que je leur dise que Mama Rush les demande. Après, je partirai. Obligé.

L'infirmière passe devant moi sans me regarder pour entrer dans la chambre de Mama Rush. Je n'ai même pas eu le temps de lui dire. Tube. Peut-être qu'elle va lui mettre le tube. Peut-être qu'elle est en train de le faire en ce moment même. Dernières paroles. Pas de dernières paroles. Il faut que j'arrête de pleurer. Bébé. Bébé aux soins insensibles. Je pousse les portes qui mènent à l'entrée de l'hôpital.

La salle d'attente est à droite. Elle est vitrée. Il y a une rangée de chaises orange et une table avec des magazines et un téléphone. Todd et Leza sont debout près de la table. Bébé. Soins insensibles. J'étais aux soins insensibles. J'étais ici, dans cet hôpital. Est-ce que Todd et Leza et Papa et Maman et Mama Rush se tenaient là, debout à côté de la table aux magazines ? Chaises orange.

J'entre en titubant. Leza s'écrie :

– Que s'est-il passé ?

– Tube, je réponds en m'essuyant les yeux avec ma bonne main. Insensible.

– Que s'est-il passé ?

Leza tire sur ses cheveux d'une main et elle secoue frénétiquement l'autre. Des larmes coulent sur ses joues.

– Est-ce qu'elle va plus mal ? Est-ce qu'elle…

– Tube.

Je ferme les yeux et des larmes perlent à mes paupières. Je prends une courte inspiration. Fais ça bien. Ralentis. Ne pense pas au revolver. Ralentis.

– Elle a besoin d'un tube comme moi.

Je pose le doigt sur la cicatrice de mon cou.

– Bip, clic, hiss. Tube.

Leza sort de la salle d'attente en sanglotant. Elle court vers les soins insensibles. Todd la suit, mais je ne peux pas le laisser partir comme ça. Pas encore une fois.

Je lui attrape le bras.

– Désolé.

Oh non, arrête de pleurnicher. Bébé. Insensible. Insensible.

– Pour tout ce que j'ai fait. Quoi que ce soit. Tout. Désolé d'être égoïste. Gros Larry. Monstre.

– Laisse tomber.

Todd essaie de reprendre son bras mais je tiens bon.

– Désolé. Tube. Tu es tellement égocentrique… non, attends, pas toi, moi. Monstre.

Todd secoue son bras, mais pas fort comme s'il voulait me frapper ou m'envoyer dans le mur.

– T'as des tas de problèmes. Lâche-moi.

Ses yeux sont bizarres. À moitié fermés. Humides. Il avance la mâchoire et serre les dents. Todd faisait toujours ça quand il était nerveux. Je me rappelle. Todd d'Avant.

– Elana… tu me détestes pour ce que je lui ai fait. Insensible. Insensible. Je ne me rappelle pas, mais ça ne fait rien. Je suis désolé, désolé, désolé.

La mâchoire de Todd. Ses paupières s'ouvrent puis se referment. Il montre les dents. Souffle. Todd d'Après.

Quand enfin il parle, sa voix est rauque comme un grondement de tonnerre avant l'éclair.

– Tu crois que je te déteste pour ce que tu as fait à Elana Arroyo ?

Il reprend son bras d'un geste brusque. Je manque de tomber. Il me rattrape. Par la chemise. On est face à face. Il me tient par le col. Je suis à quelques centimètres de lui. Plus près, il toucherait le revolver.

– Tu crois que c'est ça, Jersey ? Tu crois que ce n'est que ça ?

– Tube. Insensible. C'est sur la liste. Numéro 6, Elana Arroyo, demander à Todd.

– J'y crois pas.

Il gronde à nouveau. Les éclairs luisent dans ses yeux.

– Tu es un… un…

– Monstre. Oui, un monstre. Est-ce que je l'ai frappée ? Peut-être ? Je l'ai mise enceinte ?

Je recule comme je peux pour éloigner le revolver de Todd. Il ne me lâche pas.

– Quoi ? Monstre. Enceinte. Dis-moi.

Tonnerre. Éclairs. Le visage de Todd est un orage.

– Tu me l'as volée. Tu me l'as prise alors que tu savais que je l'aimais. C'était ma petite amie et tu me l'as prise. Et tu l'as trompée et tu l'as traitée comme une moins que rien.

J'ouvre la bouche, mais tout ce qui sort est :

– Volé. Trompé. Rien.

Todd s'approche de moi. S'approche du revolver. Tonnerre. Tonnerre.

– Rien ne comptait pour toi à cette époque. Le grand méchant Jersey. Tu m'as pris ma place dans l'équipe de foot, tu as essayé de me prendre ma place dans l'équipe de golf, mais ça tu n'as pas réussi parce que tu n'as rien trouvé de mieux à faire que répondre à l'entraîneur ! Jersey et sa grande gueule !

– Grande gueule. Méchant Jersey. J'ai pris ta place ?

Je suis sur la pointe des pieds maintenant, mais ça m'est égal. Sauf pour le revolver. Ne le laisse pas toucher le revolver.

– C'est pour ça que tu me détestes. Égoïste. Gros Larry. J'ai été un salaud. Égocentrique. Tellement égocentrique que tu crois sûrement que je suis en colère contre toi.

– Arrête de dire ça.

Todd serre mon col dans son poing. Il parle les dents serrées. Tonnerre. Éclairs dans ses yeux. Il est de plus en plus près du revolver. De plus en plus près.

Tonnerre. Éclairs. Je touche à peine le sol du bout des pieds. Je m'accroche à son poignet pour ne pas m'écrouler sur lui.

– Tonnerre. Arrête de dire ça. Arrête de dire quoi ?

– Tu es tellement égocentrique que tu crois sûrement que je suis en colère contre toi.

Tonnerre. Fort. Tonnerre. Les vitres vibrent.

– Elana…

– La ferme ! crie Todd.

Il ne parle plus la mâchoire fermée. Il me crache au visage.

– Je ne t'ai pas dit ça pour elle, mais parce que je m'en voulais à moi de t'avoir donné une nouvelle chance.

– Tonnerre. C'est toi… *toi* qui as dit ça.

Tonnerre. Éclairs. Tonnerre et tonnerre encore. Ça ne peut pas être Todd. C'était une fille. Une fille dans mes souvenirs. Mais ce n'étaient pas mes souvenirs, c'était juste une pensée. Un truc que j'avais rangé dans les trous de mon cerveau. Stupide. Stupide. Tonnerre.

– C'est toi qui as dit ça. Toi.

– Le jour où tu l'as fait.

Todd tremble à présent. Je tremble avec lui, sur la pointe des pieds.

– J'ai essayé de te raisonner et tu répondais tout le temps les mêmes conneries. Que tu étais nul, que tu t'étais comporté comme un pourri et que tout ce que tu voulais, c'était te faire péter la tête et en finir. Comment je pouvais savoir que tu étais sérieux ? Que tu le ferais ? Cinglé !

Todd me lâche. Il me laisse tomber par terre, sur les fesses. Le revolver s'enfonce dans mon ventre mais je ne le sens pas vraiment. Je ne bouge pas.

– On était en train de résoudre nos problèmes.

Le tonnerre gronde encore. Il s'éloigne. La pluie s'abat sur le visage de Todd.

– Mais tu ne voulais pas lâcher. Tu ne dormais plus, tu ne mangeais plus. Tu étais de plus en plus bizarre.

Il secoue la tête.

– Et puis tu l'as foutue en l'air. Et moi aussi. On l'a tous les deux foutue en l'air.

– Elana.

– Non !

Le « non » de Todd explose dans ma tête. Mes oreilles bourdonnent.

Todd se penche vers moi, agrippe un pan de ma chemise. Mais il tremble et ne me regarde pas dans les yeux.

– On a foutu Leza en l'air.

Le bruit dans ma tête s'arrête aussitôt. Comme si quelqu'un avait appuyé sur l'interrupteur. Plus rien ne bouge dans ma tête. Plus rien ne bouge dans la salle d'attente non plus. Je suis collé au sol. Collé au revolver.

Leza.

Leza ?

– Elle a tout entendu, murmure Todd.

Il lâche ma chemise.

– Elle était sur le porche de chez toi. C'est moi qui lui avais demandé. J'ai envoyé ma petite sœur s'assurer que tu allais bien, connard. Et elle t'a entendu. Elle t'a entendu te coller cette balle dans la tête.

Je voudrais être une chaise orange. Je voudrais m'enfoncer dans le sol. Mes lèvres bougent et je m'entends dire :

– Entendu. Entendu. Entendu.

Todd se redresse. Il passe son bras sur son visage. Il ne me regarde toujours pas.

– Elle a paniqué et elle a appelé ta mère au lieu de composer le 911. Ta mère était dans sa voiture, elle rentrait du travail. Elle a été sur place tout de suite et Leza était encore devant chez toi quand elle a hurlé.

Maintenant, il me regarde et je préférais tout à l'heure. Je voudrais ne plus avoir d'yeux, ni d'oreilles. J'aurais dû mourir ce jour où je me suis tiré une balle dans la tête, mais je ne suis pas mort et j'entends ce que Todd me dit.

– Elle a pensé qu'elle aurait dû arriver plus tôt, qu'elle aurait peut-être pu t'empêcher. Et après, elle s'est dit que c'était sa faute si ta mère était complètement flippée.

– Flippée. Empêcher. Entendu. Empêché.

La ferme ! Mais pourquoi est-ce que je ne peux pas la fermer ?

– On l'a foutue en l'air. Et pourquoi ?

Todd rit, mais pas de joie. Il rit comme un chien aboie, comme un ivrogne vomit.

– Parce que tu n'étais pas content de tes performances au foot. Parce que tu as été suspendu pour avoir répondu à l'entraîneur de golf. Parce que tu as récolté trois ou quatre mauvaises notes et que tes parents étaient fâchés. Tu n'écoutais plus personne, tu faisais n'importe quoi et tu as tout foutu en l'air pour RIEN.

Au moins, ça m'a fait taire. Je ne pouvais plus bouger. Je ne pouvais que regarder Todd s'éloigner de moi.

– C'est pour ça que je te déteste.

Il contourne la table. Il est presque à la porte.

– C'est pour ça que je ne veux même pas te regarder.

Il ouvre la porte.

– T'étais mon meilleur pote, Jersey.

Todd est parti et je suis par terre. Je pense à Leza que j'ai foutue en l'air. Je pense aussi à déchirer cette liste débile qui avait tout faux.

RIEN.

Je me suis tiré une balle dans la tête pour RIEN.

Plus tard. Quelques minutes, peut-être une heure, je titube hors de La Pitié. Je descends sur le trottoir. Il fait presque nuit et j'ai un peu froid.

RIEN.

Rien du tout.

Où vais-je aller ? Pas à la maison. Pas retrouver Papa. Pas à la maison avec Maman à la plage et J.A. parti.

Pas retrouver le couvre-lit vert et le tapis avec le ballon de foot. Ni le Avant. Ni le Après. Rien. De toute façon, la maison est trop loin. L'école est plus proche. L'école se trouve entre ici et le lac.

J'ai foutu Leza en l'air. Je l'ai fait pour RIEN. J'ai cassé Maman. Je l'ai fait pour RIEN. J'ai cassé Papa pour RIEN. RIEN. Que des conneries. J'ai transformé des petites conneries en une grosse et j'ai foutu Leza en l'air. Et j'ai gâché la vie de tout le monde et la mienne.

Je n'ai nulle part où aller.

Rien, nulle part, personne.

À l'école, je pourrai réfléchir. Je peux m'installer dans les gradins du stade. Ils seront vides à cette heure-ci. Il n'y aura pas de filles, pas de courses à pied, pas de pom-pom girls, personne dans mes pattes. Mon visage est tout mouillé. Je pleure. Je marche, je réfléchis et je pleure.

Quand j'arrive au lycée, aux gradins du stade, je tousse autant que Mama Rush. J'ai besoin d'un tube. Il faut que je m'assoie. J'ai mal partout, surtout aux jambes. Je suis trempé de sueur et de larmes. Mes yeux me brûlent, je les frotte en montant les marches. Gentil garçon, méchant garçon. Gentil garçon, méchant garçon. Mon mauvais bras est tout engourdi. J'ai mal partout. Il fait nuit. Et frais. Et vide. Rien. Ça ne sent pas bon, une odeur de sueur et d'eau croupie.

– Ralentis.

Je le dis à voix haute en me laissant tomber sur un gradin. Je ne bouge plus. Le métal du revolver est chaud. Le revolver moite me rentre dans les tripes. Je suis assis là où j'ai regardé Leza courir juste avant qu'elle retrouve son chéri-chéri. Je tousse. Je respire. Ralentis.

Je suis assis là où j'ai applaudi Leza avec les pom-pom girls et pensé beaucoup aux cacahouètes. Les pom-pom girls, ça va bien avec les cacahouètes, je trouve. Respire, respire. Ralentis.

Mais je ne serai jamais une pom-pom girl. Je peux m'asseoir avec elles, elles peuvent être gentilles avec moi, mais je ne peux pas être une d'entre elles. Je ne pourrai pas non plus participer à la course à pied. Ni rien faire de ce que je faisais Avant. Je peux aimer Leza de tout mon cœur, mais elle ne m'aimera jamais de cette manière. Elle a un chéri-chéri. J'ai des cicatrices. Je l'ai foutue en l'air. J'ai tout foutu en l'air. Pour rien.

Est-ce que Mama Rush s'est fait poser son tube ?

Maman est partie. Papa est cassé. Au lycée, il y a Wenchel et les maths et je me suis fait pisser dessus et j'ai fait du mal à tout le monde. J.A. est parti. Je n'ai plus mon cahier de mémoire. J'aurais dû le garder mais je l'ai jeté. Maintenant, il est à la poubelle. J'ai mis beaucoup de choses à la poubelle.

J'ai repris ma respiration. Je sors le revolver et je le pose à côté de moi. Il brille à la lumière de la lune. Poubelle. Il aura goût de graisse et de métal si je le mets dans ma bouche. Je ne peux pas faire ça. Mais je peux mettre les balles dedans.

Ça me prend du temps pour les sortir de ma poche. J'en laisse tomber cinq. Ça me prend du temps pour les ramasser. Je n'en retrouve que trois. Poubelle.

Après avoir ouvert le revolver, pas facile avec une seule main, je mets les balles dedans.

Si j'appuie sur la détente, est-ce qu'il va tirer ? Poubelle. Je peux tomber sur un emplacement vide. Je ne transpire plus.

Peut-être que je devrais attendre jusqu'à demain, que le lycée ouvre. Comme ça, je pourrais tuer les types qui m'ont pissé dessus. Si je tire sur M. Sabon, personne ne sera plus obligé d'aller en maths pendant un bout de temps. $3x$ – le prof de maths = rien. Mais M. Sabon ressemble au père Noël et il est super gentil. Poubelle.

Les types qui m'ont pissé dessus étaient sympas aussi. Avant.

Est-ce que c'est ma faute s'ils sont devenus méchants ? Est-ce que je les ai foutus en l'air eux aussi ?

Je pense aux personnages d'argile de mon rêve qui se brisent. Je pense à Maman à la plage. Vagues et eau.

Je voudrais que le lac soit la mer avec une plage.

Quand je pense au lac, je pense à cet endroit où les bancs font face à la petite barrière. Plages. Tout le monde a besoin de plages. Je pourrais escalader la barrière et faire en sorte de tomber dans le lac. Personne ne me retrouverait. Est-ce que ça pourrait réparer ce que j'ai cassé ? Plages. Pour moi, oui.

Tu es tellement égocentrique que tu crois sûrement que je suis en colère contre toi.

– C'est Todd qui a dit ça ! je crie.

Je n'ai plus de larmes. Je prends le revolver, jc le pointe vers le lycée et j'appuie sur la détente.

Clic.

Vide.

Trois balles. Encore deux trous. C'est pour la prochaine ? Pan.

– Je suis égocentrique, je murmure. Visages. Leza. Maman. Todd. Je suis égocentrique. Ils l'ont dit. Je le dis.

Je repose le revolver à côté de moi. Je touche le métal du bout des doigts. Je rouvre le barillet, pourtant j'ai du mal avec une seule main, et je retire les trois balles.

Pendant un instant, je me sens mieux. Je n'ai plus de larmes, je respire profondément. Je me sens mieux. Plages. Égocentrique. Mama Rush ne va pas mourir. Moi j'ai besoin de dernières paroles. Que vais-je dire ?

Salut.

Au revoir.

Le monstre va bientôt manger les pissenlits par la racine.

Plages. Cacahouètes. Tube. Pom-pom girls. Soins insensibles. Tu peux revenir à la maison, Maman, maintenant. Tu n'auras plus de raisons de t'inquiéter. Jersey est parti. Plages.

– Salut, au revoir.

Alors j'étais comme ça Avant ?

– Salut, au revoir.

Je me suis assis sur mon lit et j'ai décidé tout à coup de me faire sauter la tête.

Tube.

Pour RIEN.

Non, c'est impossible. J'avais forcément une raison. Une bonne raison. Ou plusieurs raisons. Des raisons importantes. Pas RIEN.

– Salut, au revoir.

J'ai mal au ventre. Je respire de plus en plus vite. J'ai mal dans la poitrine. Et à la tête. Mes doigts se crispent. Les balles dans le revolver. Tube. Il faut que je remette les balles. C'est ce que je fais. Une, deux, trois. Voilà, elles y sont de nouveau. Je me sens mieux. Pendant une seconde. Peut-être une minute.

Dedans, dehors. Avec ma bonne main et mes doigts tout crispés. Balles dedans, balles dehors. Je le fais et je le refais. Froid. Dents qui claquent. Salut, au revoir. Il y avait forcément des raisons, mais il n'y en avait pas. Maintenant et Avant. J'en ai assez de penser à Avant. J'en ai assez de penser.

– Tube, salut, au revoir.

Balles dedans, balles dehors. J'en fais tomber une. Plus que deux maintenant. Deux c'est plus qu'assez puisque je ne vais pas vraiment tirer sur quelqu'un d'autre. Je n'ai besoin que d'une balle au lac. Rien qu'une. Dedans, dehors. Dedans, dehors, aussi vite que je peux.

Salut, au revoir. Froid. Froid et fatigué. Balles dedans. Je remets le revolver dans mon pantalon et je m'adosse au gradin. Je me repose juste une minute. Ça ira mieux si je me repose. Je ferme les yeux.

Dernières paroles. Il faut que je trouve des dernières paroles. Je vais y arriver. Mama Rush n'en a pas besoin, elle. Je trouve des dernières paroles et tout sera réparé.

– Salut. Tube. Au revoir.

es tellement égocentrique je fais un rêve mes deux jambes et … je n'ai pas de cicatrice, fière de toi mon chéri, Jersey, Jersey ch… chanceux fière pragmatique est-ce que la maison va bien ? canards balle marteau Jersey Hatch, pourquoi est-ce que tu t'es tiré une balle dans la tête ?

24

Je fais ce rêve… je marche dans un désert fait de poussière d'argile. J'entre dans le lycée et le soleil me brûle le visage. Je me dirige à reculons vers les gradins. Je grimpe quelques marches et je m'assois sur un siège en métal. Je sors le revolver de mon pantalon. Il est chargé. Il y a une balle. Deux peut-être. Assez pour ce que je veux faire. C'est fini. Plus de douleur. Il est temps que je parte. Il est temps que je me repose. Enfin. Je n'essaie pas de me mettre le revolver dans la bouche, cette fois, parce que je sais que comme ça, je ne peux pas. Je ne tremble pas en posant le canon sur ma tempe. Le côté où je n'ai pas de cicatrice. Quand j'appuie sur la détente, je ne pense plus à rien. Je me fiche de savoir qui me trouvera et je me fiche du mal que je peux faire. Il est temps de devenir poussière. Poussière et argile et cendres et sable. Il est temps. Mes doigts sur la détente. J'appuie, j'appuie…

Tremblements.
Douleurs.
Cris.

Je me réveille en sursaut et en criant. Argile et cendres. Ma gorge est sèche. Aride. Matin. C'est le matin. Le soleil me brûle le visage, comme dans mon rêve. Il brûle ma peau rose et mes cicatrices fuchsia. Argile et cendres. Je suis dans les gradins du stade où j'ai passé la nuit. C'est le matin et j'ai toujours le pistolet avec les balles dans la ceinture de mon pantalon.

Est-ce que je suis toujours vivant ?

Je me frotte la gorge et je m'assois. Et puis, je secoue la tête et je masse mes doigts crispés. Ouais. Vivant. Brûlé, brûlant, assoiffé, mais vivant. Vivant et toujours avec le revolver. Cendres, cendres, cendres. Putain de rêve. Il me donne la nausée. Il me donne envie de crier comme un malade.

Mais surtout, il me fait décider.

Je sais maintenant où je dois aller, ce que je dois faire. Plus de doute. Cendres, cendres et argile. Poussière et cendres.

J'ai mal dans mes jambes et je descends les gradins. Gentil garçon, méchant garçon. Je me tiens à peine à la rampe. Le soleil brille fort. Ma tête me fait mal. Mes joues sont douloureuses et chaudes. J'aimerais avoir de l'eau ou de la glace. J'ai chaud mais cette nuit, il a fait froid. Je me souviens. Je me rappelle aussi l'argile et les cendres. Je me rappelle mon rêve où je me fichais de tout et de tout le monde. Poussière. Mais ce n'était que dans le rêve. Peut-être que tout n'est que poussière.

J'emprunte un vieux chemin sur le côté des gradins. Je le connais d'Avant, quand Todd et moi le prenions pour rentrer à la maison. Il mène à un bosquet puis à une petite route et arrive au lac, pas loin des bancs face à la barrière.

Mes pieds bougent bizarrement mais je suis presque aux arbres. Au moins, là, il y aura de l'ombre. Ça sent meilleur que dans les gradins, le pin et la terre humide. La terre fraîche. Pas aigre. Pas l'argile. Ni l'argile, ni la poussière, ni les cendres.

Je ne me rappelle toujours pas m'être tiré une balle dans la tête. Poussière. Poussière. Je ne sais pas. Je suis froid et vide. Je suis fatigué. Je suis furieux et maintenant je sais aussi quand tout devient de plus en plus gros et que ça ne s'arrête que quand j'appuie sur la détente.

Argile et poussière.

Cendres et argile.

Balles dedans, balles dehors.

Rien ne me fait aller mieux plus d'une seconde. Une minute peut-être. Cendres. Poussière. Argile.

– Poussière, argile, cendres, je murmure.

Ça m'aide à marcher plus vite. Je traverse le bosquet, je traverse la route.

– Poussière, argile, cendres.

Je marche, je marche jusqu'au lac. Poussière, argile, cendres. Jusqu'au banc face à la barrière. Poussière, argile, cendres.

Sur la route, j'ai de nouveau chaud. Je garde la tête baissée pour que mon nez ne continue pas de brûler, mais je ne m'arrête pas.

– Nez, je dis.

Pendant un moment, je marche avec la main sur le nez, du coup, c'est aux doigts que j'ai chaud. Ça sonne bizarre quand je dis « poussière, argile, cendres » avec la main sur le visage. Comme si ça venait d'un haut-parleur ou d'une radio.

– Radio. Nez. Poussière, argile, cendres.

Le trajet est beaucoup plus long que dans mon souvenir.

– Radio. Nez.

J'enlève ma main et je me demande si je suis encore loin du lac. Oui, encore loin. Trop loin.

C'est ma faute. La mienne. Jersey Hatch.

Sauf que je n'ai pas envie de me traiter de Gros Larry, de naze, de gâcheur ou de monstre. Rien de tout ça. Nez. Radio-nez. Je m'appelle Jersey Hatch et je suis égocentrique. Je m'appelle Jersey Hatch et je n'étais pas un type bien Avant. Je m'appelle Jersey Hatch et toute ma vie est ma faute. Poussière, argile, cendres. Beaucoup d'autres choses sont aussi ma faute mais je ne me sens pas le courage d'en dresser la liste. Mon nez me brûle.

– Nez.

Je dois avoir le nez écarlate.

Je m'appelle Jersey Hatch. J'ai des cicatrices qui prouvent ma stupidité, une bouche qui ne sourit qu'à moitié, une main et une jambe qui ne fonctionnent pas bien et un grand nez rouge. Je suis nul en maths. Je ne suis pas très bon en géo ou en SVT, ni d'ailleurs en aucune matière. Je n'aime pas Wenchel. Radio-nez rouge. Je m'appelle Jersey Hatch et je dis des tas de trucs idiots. Ma mère est à la plage et mon père prépare des porridges dégueus. Todd ne m'aime pas et Leza en a marre de moi. Des types que je connaissais Avant me pissent dessus.

Mama Rush.

Mama Rush est malade et elle a besoin d'un tube pour respirer. Elle sait que je dois faire un choix. Mama Rush ne veut pas choisir à ma place. Djinn maigre. J'espère qu'elle pourra fumer d'autres cigarettes. Tube. Elle aime fumer même si c'est mauvais pour elle.

Je respire de plus en plus vite. Mes jambes me brûlent autant que mon nez et pas seulement à cause de la chaleur. Le revolver frotte contre mon ventre. Je suis en sueur au niveau de la ceinture. Pas sur le visage. Nez. Radio. Tube. Un panneau. Le lac. Tout droit. Les bancs. La barrière.

Je venais sans doute avec Todd et d'autres types Avant. Avec les types qui m'ont pissé dessus. On a dû marcher comme je marche là, maintenant, sur ce petit chemin poussiéreux, entre les arbres et les touffes d'herbes. De l'herbe, il y en a partout. En haut, en bas, à gauche, à droite. De l'herbe bien verte qui s'étend sur les deux versants de la petite colline jusqu'aux bords du lac. Le lac et son eau bleue en été. La cascade. L'eau noire au printemps et en hiver. Les bancs, la petite barrière. Je les vois. Radio nez. Je ne suis plus très loin. J'y suis presque. C'est bientôt fini.

Le soleil me brûle le nez. Le soleil miroite sur les petites vagues du lac. Eau bleu-noir. Vaguelettes aux reflets blancs. Une brise me claque le visage et le rafraîchit.

– Nez, je murmure. Nez et radio. Poussière, argile, cendres.

J'y suis presque. Presque. Presque.

Les bancs.

La barrière.

Après la barrière, la colline descend abruptement jusqu'au lac. Nez. C'est bien qu'ils aient mis une barrière, sinon les gens tomberaient sans arrêt dans le lac. Radio. Sans arrêt.

Je m'arrête à la barrière pour reprendre ma respiration. Je regarde l'eau. Le soleil m'oblige à plisser les paupières. Le lac est grand mais je distingue la plage de l'autre côté. Une petite plage, pas comme à la mer. Des petites vagues, pas comme à la mer. Mais les gens viennent tout de même au lac quand il fait beau. On venait souvent quand j'étais petit. Mama Rush nous amenait, Leza, Todd et moi. À cette petite plage en face. Parfois des gens se baignent, d'autres se reposent sur des matelas gonflables, ou font semblant de pêcher sur des tout petits bateaux. Nez. C'est Papa qui dit ça, qu'ils font semblant de pêcher.

Le lac n'est pas très large. On voit les berges de l'autre côté. Mais il est profond. Si quelque chose tombe dedans, il sera perdu pour toujours. Perdu dans l'eau bleu-noir, dans le grand vide froid. Radio. Radio nez.

– Qu'est-ce que tu fabriques, crétin ?

La question arrive de nulle part comme quand J.A. parle. D'ailleurs, je suppose que c'est J.A.

– Qu'est-ce que tu fabriques ?

Je pense à Leza à l'hôpital, qui parle de Mama Rush.

Qu'est-ce qu'elle fait ?

J'espère vraiment que Leza va bien. J'espère que Mama Rush aussi va bien, et Todd, et les pom-pom girls et Papa et Maman. J'espère même que Wenchel va bien, et M. Sabon et les autres professeurs. Pas les types qui m'ont pissé dessus. Eux, je m'en fiche. Et je n'aime pas non plus Roméo, ni chéri-chéri. S'ils ne vont pas bien, eux, tant pis pour eux. Nez. Rudolph, le renne au nez rouge. S'ils ne vont pas bien, ça me va.

Je respire toujours très fort, mais moins. Plié en deux, ma bonne main appuyée sur la barrière, je passe entre les barreaux. Je suis de l'autre côté, maintenant. Je me redresse doucement. Pas trop vite. Radio. Je ne veux pas rouler dans le lac. Doucement, doucement, Rudolph. Nez.

Nez qui brûle. Les yeux aussi. L'eau est si bleu-noir, brillante et profonde, profonde, profonde. Je suis de l'autre côté de la barrière.

Je sors le revolver.

Il est lourd et chaud et humide de sueur.

Le soleil se reflète sur le métal comme il se reflète sur l'eau. Le métal est bleu-noir aussi. Le revolver a deux balles et quatre chambres vides. Il semble collé à ma paume. Nez.

– Il faut que je le fasse. Maintenant, ça suffit.

J'essaie de bouger, mais il colle. Vraiment. Il est collé. J'essaie de le soulever mais je ne peux même pas tourner le bras. Radio nez. Soleil brûlant. Reflets sur l'eau. Temps. Temps. Il est temps et je ne peux pas bouger.

Si je devais prononcer des dernières paroles, je saurais quoi dire. Déserts. Continue comme ça. Gros Larry. Roméo et soins insensibles et djinn maigre. Je dirais tout ça. Je le crierais. Tous ces mots qui tournent dans ma tête et tombent de ma bouche. Égoïste. Égocentrique. Tu crois sûrement que je suis en colère contre toi.

– Cacahouètes et lacets ! je hurle. Pétasse à roulettes, pets de grenouille ! Ouais ! Pets de grenouille !

Je ne peux toujours pas bouger.

– Pets de grenouille, je crie de nouveau. Nez et radio et démon et père Noël. Wenchel. Wenchel. Dernières paroles. Tube. Chaussettes. Cacahouèèèèèètes !

Ma mâchoire se bloque. Je serre les dents, je grince des dents assez fort pour les entendre par-dessus le bruissement de la brise qui forme des vaguelettes sur le lac. Nez. Radio. Assez. Assez ! Je regarde le revolver et, malgré les reflets du soleil, je ne plisse pas les yeux.

– Assez !

Dans ma tête, le revolver me parle avec la voix de J.A.

Jamais assez jusqu'à ce que tout soit fini. Jamais, jamais assez. Plus. Toujours plus. Au moins une fois de plus.

– Stop maintenant.

Je lève un peu le bras. Et encore un peu. Je bouge l'épaule et le cou.

– Assez !

Le revolver glisse et manque de m'échapper des mains. Il n'est plus collé. Il faut bien que je le tienne.

Jamais assez jusqu'à ce que tout soit fini…

Avec mes oreilles et mon nez. Nez. Mes yeux. Dans mon poing, le revolver bleu-noir comme l'eau. Gras et métallique, il attend.

Avec le haut de mon crâne. Plus haut, plus haut. Tout en haut. Aussi haut que possible. Serre-le bien. Serre-le.

Jamais assez…

Je me penche en arrière, prends mon élan et jette le revolver aussi loin que possible.

Il s'envole. Il n'est plus collé. Nez. Radio. Cacahouètes. Il vole. Et il tombe. Au fond de l'eau bleu-noir, dans les vagues, dans un grand splash.

Je sautille, je reprends mon équilibre, j'essaie de ne pas rouler dans l'eau. Presque. Presque tombé. Je me balance de l'autre côté et je tombe. Nez. Je me fais mal. La tête la première dans l'herbe. Sur le nez. Mon nez brûlant. Mon nez écrasé. Mais je m'en fiche. Mon cœur bat fort. Ma respiration s'affole dans ma poitrine. Je me redresse et m'assois, face au lac.

Le revolver est parti. Pour toujours. Il a coulé dans le grand vide froid, avec ses deux balles et ses quatre chambres vides. Sans moi. Nez. Sans mon nez. Ni mes lacets, ni mes cacahouètes. Ni rien de moi.

J'éclate de rire. Et puis je pleure. J'enfouis mon visage dans mes mains et je pleure. Je laisse couler toutes mes larmes sans exception.

La police est venue avec des tas de voitures munies de gyrophares. Une ambulance et un camion de pompiers sont là aussi. Peut-être même deux camions de pompiers. Beaucoup de bruit, beaucoup de monde. Lumières, bruit, lumières.

Un homme énorme en uniforme passe par-dessus la barrière et tombe de l'autre côté. Bruit et lumières. Il se relève et s'approche de moi. Il pose ses mains sur mes épaules et dit :

– Ça va, gamin ?

Il ne me lâche pas. Il m'aide à repasser de l'autre côté de la barrière, à me diriger vers les bancs. Je titube au milieu du bruit et de la lumière, de la lumière et du bruit. Je le vois. Près des policiers, les mains dans les poches. Il me regarde.

Todd.

Un policier m'apporte une couverture et de l'eau. Un type descend du camion de pompiers pour vérifier si je vais bien. Il pose quelque chose de froid et de blanc sur mon nez, mes joues et mes cicatrices.

– Todd ! je crie, mais ma voix ne porte pas.

De toute façon, il s'en va. Il monte dans la voiture de police qui démarre et s'éloigne. Je voudrais courir et rattraper cette voiture, lui dire pour le revolver, lui raconter comment je l'ai jeté, comment j'ai jeté cette idée de mourir pour toujours jusqu'à ce que mon heure soit venue.

Je l'ai jeté dans le lac, le revolver avec le rien et l'envie de mourir. Mais Todd ne me voit pas lui faire signe et je ne serai jamais capable de rattraper cette voiture de police.

Je lui dirai peut-être plus tard. Plus tard. Peut-être qu'il m'écoutera.

La police m'informe que nous sommes l'après-midi. J'ai disparu pendant près de vingt-quatre heures. Todd les a aidés à me retrouver. Bruit. Lumières. Nez. Mon nez est tout blanc maintenant et il ne me brûle plus. Une autre voiture arrive et je reconnais le conducteur.

Papa.

La police le laisse approcher, il court vers moi et me prend dans ses bras, avec la couverture et tout, et il me serre.

– Nez, je dis.

Papa n'arrête pas de me serrer.

– Je l'ai jeté, d'accord ?

J'espère qu'il n'est pas trop en colère contre moi.

– Nez. Je l'ai jeté dans le lac. Les balles aussi. Le revolver. Je l'ai jeté pour toujours.

Papa n'arrête toujours pas de me serrer.

Il me serre pendant longtemps, mais c'est bien. C'est même très bien.

Ça ne me gêne pas du tout.

25

– Est-ce que tu as parlé à Leza ?

Mama Rush est assise face à moi, dans le patio du Palais. Comme avant sauf que mon cendrier en terre n'est pas devant elle. Elle a un tube en plastique dans le nez, une bouteille d'oxygène et une espèce de ventouse sur la bouche.

– Oui, je réponds. Ventouse. Trois ou quatre fois.

Moi je n'ai pas de ventouse parce que je ne veux pas baver. La ventouse de Mama Rush a la couleur d'une pomme verte. Baver. C'est sûrement pour ça que son visage est tout crispé et qu'elle a l'air en colère. Elle porte une robe verte, assortie à la bouteille d'oxygène et à sa ventouse. Mama Rush est toute verte sur son scooter violet. Baver. Ventouse.

– Arrête de me regarder comme ça, grogne-t-elle, je ne vais pas disparaître.

– Bave verte, je dis.

C'est agréable de parler sans que mon visage me fasse mal. Mon coup de soleil a enfin disparu. Il aura fallu trois semaines. Il s'est passé trois semaines depuis le grand plongeon du revolver. Depuis trois semaines, Papa achète des petits déjeuners tout prêts dans des fast-foods. Il m'a promis de ne plus jamais préparer de porridge. Mama Rush est sortie de l'hôpital. Elle va mieux et elle peut à nouveau recevoir des visites. Moi, au moins.

– Baver, je soupire en essayant de ne pas fixer sa bouteille d'oxygène.

Ne pas dire oxygène.

– Ventouse. Bave verte.

De la main droite, Mama Rush tripote sa poche, là où elle avait l'habitude de ranger ses cigarettes. La poche est décousue tout du long, mais elle la tripote quand même.

– Arrête de parler de bave, Jersey. C'est dégoûtant. Parle de chaussettes ou de lacets, ou de n'importe quoi d'autre.

– Pets de grenouille.

Elle me lance un regard noir, aspire par sa ventouse en déchirant sa poche un peu plus.

– Ah les gosses ! C'est pas vrai ! Tu vas finir par parler de pet en public, là où tu ne devrais pas. Ça va finir par t'arriver !

– Pets de grenouille, je répète. Je le fais déjà. Le crier, je veux dire. Pets de grenouille. Tout le temps. M. Sabon m'a viré de la classe pour ça.

– Hum, ce bon vieux Sabon a toujours eu un manche à balai dans le cul. En tout cas, je suis contente que Leza t'ait parlé. J'avais peur qu'elle n'ose jamais te raconter ce qu'elle avait vécu ce jour-là. Elle a tout entendu et appelé ta mère au lieu de la police. Elle fait toujours des cauchemars et continue de s'en vouloir. Elle se sent responsable de… disons, de l'état de ta mère aujourd'hui.

– Je lui ai dit que non, je marmonne en me demandant si je ne devrais pas essayer une ventouse. Leza. C'est ma faute. Je lui ai répété que j'étais désolé jusqu'à ce qu'elle m'ordonne de la fermer.

Mama Rush pousse un grognement et mâchonne sa ventouse.

– Répète-le-lui. Demain. Et la semaine prochaine. N'arrête jamais de le lui répéter.

– Bave. Je veux dire : pets de grenouille. Je veux dire : je le ferai.

Mama Rush continue de mâchonner sa ventouse. Et de tripoter sa poche. Et puis, elle dit :

– Tu as compris maintenant ? Pourquoi tu avais appuyé sur la détente ?

– Détente.

Je me redresse sur ma chaise et je me retiens de dire bave.

– Trop de pression. J'essayais d'être parfait. Je me suis tout vidé et je suis mort dedans. J'ai transformé les petits détails en énormes problèmes. Trop énormes.

– Et tu as déprimé, ajoute Mama Rush.

– Déprimé, ouais, j'acquiesce. Pets de grenouille.

J'ai encore mal au ventre quand j'y pense, mais je suppose que c'est bien fait pour moi. Détente. Bave.

Mama Rush m'apprend qu'à l'hôpital on lui a fait un « résumé » de ce qui s'est passé, alors je lui raconte le revolver et le plongeon dans le lac. Je lui dis que je n'appuierai plus jamais sur la détente, que je ne mourrai plus avant de mourir. Je le lui promets. Et après je lui répète que je suis désolé. Jusqu'à ce qu'elle m'ordonne de la fermer. Comme Leza.

J'ajoute :

– Je pensais que je découvrirais une vraie raison, tu sais ? Bave. Une grande raison, importante. Un énorme secret. Simple et net. Une bonne raison. Chaussettes.

– Ouais, chaussettes, approuve Mama Rush.

Mama Rush aspire dans sa ventouse. Tout est silencieux. On n'entend que le tout petit sifflement de la bouteille d'oxygène, la respiration difficile de Mama Rush et ses aspirations entrecoupées de mâchonnements.

Elle finit par poser sa ventouse sur la table.

– Ça te rend triste de repenser à tout ça, Jersey ?

J'acquiesce.

– C'est bien. Il faut que ça te chagrine. Mais tu promets de ne plus jamais te faire de mal, même si tu as du chagrin.

J'acquiesce de nouveau.

– C'est bien. C'est un début. Maintenant, raccompagne-moi à ma chambre. J'ai quelque chose pour toi.

Avant même que j'aie le temps de me lever, Mama Rush prend sa bouteille d'oxygène et manœuvre son scooter. Elle fait tomber sa ventouse qui s'écrase sous sa roue.

Tout à coup, Attila-la-Rouge apparaît à la porte et doit faire un écart. Mama Rush lui lance un regard noir.

Quand je passe devant elle, je l'entends grommeler : « Toi-même, vieille sorcière ! »

Mais peut-être que c'est juste mon imagination. Ce qui n'est pas dans mon imagination, c'est la vitesse à laquelle Mama Rush conduit. Je manque de tomber en essayant d'aller aussi vite qu'elle. Et je manque de tomber aussi quand elle freine brusquement devant sa porte en manquant de renverser Roméo. Elle marmonne des tas de mots que je suis bien content de ne pas entendre et Roméo – qui est un peu plus intelligent que la première fois que je l'ai rencontré – tourne les talons et s'engage dans un autre couloir.

– Je crois que je vais rentrer chez moi, lance Mama Rush en mettant sa clé dans la serrure. Croiser ce type m'énerve. Il est pire qu'un adolescent.

Sa respiration siffle.

Bave. Je manque de me prendre la porte dans la tête, mais j'arrive à la stopper et je rentre.

Je remarque tout de suite le paquet. Enveloppé de papier vert et orné d'un ruban vert. Journée verte pour Mama Rush. Bave. Près du paquet, il y a le cendrier. Elle a mis des épingles à nourrice dedans. Et sur le guéridon à côté, le pot de fleurs en terre et la drôle de tirelire-cochon. Tout le reste a disparu. Tout est nettoyé. Bave. Je suppose qu'elle ne pouvait pas tout réparer.

Elle me donne un coup de coude, juste à l'instant où je pense ça. Elle tend le doigt vers sa fenêtre.

Elle a accroché un mobile fait de petites bouteilles colorées attachées à des barres métalliques. Vertes et bleues et jaunes et rouges. Beaucoup de vertes. Elles flottent.

Dedans, il y a de la poussière. De la poussière d'argile. Des petits morceaux d'argile et de la poussière. Les cadeaux, qui se balancent dans des petites bouteilles peintes.

Mama Rush approche son scooter du mobile.

– Tu vois ce que je te disais ?

Les couleurs dansent dans la chambre. Bouteilles. Les bouteilles dansent autour de Mama Rush.

– Il y a des tas de façons de regarder quelque chose. Et tu peux tirer du bon de tout. À condition d'essayer.

Elle me regarde par-dessus son épaule.

– Allez, ouvre ton cadeau.

Un autre cadeau ? En plus des bouteilles qui flottent ? Bouteilles. Jour vert. Bon jour. Bouteilles. Si jolies. Je me force à tourner les yeux et à prendre le paquet pour retirer le papier.

Mama Rush revient vers moi. Dans le papier, il y a une boîte, dans la boîte, un super beau cahier.

Recouvert de tissu vert camouflage et relié en cuir. Et mon nom n'est pas écrit dessus. Je l'ouvre. De son écriture en pattes de mouches, Mama Rush a écrit mon nom, mon numéro de téléphone et mon adresse. Et en dessous, elle a ajouté : *Si vous n'êtes pas Jersey, c'est tout ce que vous avez besoin de savoir. Vous avez intérêt à ne pas lire ce qui est écrit dans ce cahier et à le rendre à Jersey avant que je vienne vous casser la figure.* Elle a signé et noté son numéro de téléphone.

– Jour vert, je dis. Bon jour. Bouteilles. C'est un… c'est un beau cadeau.

– Il y a un porte-crayons sur le côté. Je t'ai mis un Bic noir, un bleu et deux rouges. Je ne veux pas que tu croies que tout est simple et net, mais tu avais besoin d'un nouveau cahier. T'as l'air tout nu quand t'en n'as pas.

Mon nouveau cahier de mémoire a beaucoup de feuilles et des intercalaires. Sur la première page, Mama a écrit une liste.

~~*1. Voir Mama Rush et lui donner tous les cadeaux que j'ai fabriqués pour elle.*~~

~~*2. Parler à Todd pour savoir pourquoi il me déteste.*~~

3. Passer le permis de conduire spécial pour les gens comme moi.

4. Avoir des notes pas trop mauvaises.

5. Réussir mes examens.

6. Trouver une petite amie.

Je lève les yeux vers elle.

– Jour vert, bon jour ?

Elle tripote son tube d'oxygène d'une main et sa poche déchirée de l'autre. Puis elle sourit :

– Certaines choses doivent quand même être simples et nettes. De plus, il m'a semblé que c'était une bonne liste. Tu vas être plutôt occupé.

– Je t'aime, Mama Rush, je dis en posant le cahier pour l'embrasser.

Elle me serre dans ses bras.

– Est-ce que tu veux bien ajouter quelque chose à la liste pour moi ?

– Bouteilles. Bien sûr.

Je prends un crayon et je lève les yeux vers elle.

Le sourire de Mama Rush devient presque malveillant.

– Écris : « Jeter Carl dans le lac pour Mama Rush. » Tu pourras bien faire ça pour moi, hein, Jersey ?

Bouteilles. Je ne suis pas idiot.

J'écris ça immédiatement.

Quand j'arrive à la maison, Leza est dans son jardin, plus jolie que jamais. Elle vient vers le taxi et m'aide à porter les plats chinois que j'ai achetés pour le dîner. Je ne dis pas bave.

On pose tout sur la table de la cuisine. Papa sera surpris et content. Il en a marre des hamburgers. Bouteilles. Bouteilles et hamburgers. Moi aussi, j'en ai marre.

Leza et moi mettons la table, avec les beaux couverts et des serviettes en papier. Je ne dis toujours pas bave.

– Hamburgers.

J'admire la table.

– C'est bien mieux que des hamburgers. Bouteilles.

– C'est sûr, approuve Leza.

Je l'accompagne à la porte. Avant de partir, elle me serre rapidement dans ses bras.

– Merci, je dis.

Pas bave. Pas bave.

– De rien.

Elle s'écarte de moi et me fixe avec le même regard que Mama Rush.

– Todd va mieux, je crois. Si tu lui donnes juste un peu de…

– Un peu de temps, je sais. Bave.

Je fais de mon mieux pour sourire avec les deux côtés de ma bouche, mais ça ne marche pas.

– Ça va.

Elle m'embrasse sur la joue.

Je ne m'évanouis pas. Je suis trop fort.

Je la regarde rentrer chez elle en courant.

Elle est vraiment jolie.

Et alors. Je peux l'aimer, si je veux. Bouteilles. Je suis bien obligé de l'aimer. Qui ne l'aimerait pas ?

Le téléphone sonne.

Je ferme la porte avant de décrocher. Ça ne me prend qu'une seconde. C'est l'heure de Maman. Et c'est elle. Maman dans son hôtel. Elle appelle tous les soirs à la même heure. Et je lui parle tous les soirs à la même heure.

– Comment vas-tu ? me demande-t-elle tout de suite.

Comme elle le fait tous les soirs.

– Bien. Ça va bien. Jour vert. Bon jour. Bouteilles. Hamburgers. Ralentis.

Je prends une longue inspiration.

– Je suis allé voir Mama Rush. J'ai acheté un dîner pour Papa et moi. Il va être content. Pas de hamburgers.

– Tu as acheté un dîner ?

Maman est étonnée. C'est bien. Papa aussi sera surpris, c'est sûr.

– Leza m'a aidé à mettre la table.

– Tu prends des initiatives. Je suis fière de toi, mon chéri.

Je ne peux pas m'en empêcher. Je ris. Je couvre ma bouche et je ris de plus belle.

Maman ne dit rien.

Quand enfin, je me calme, je crois entendre Maman rire elle aussi.

– Je dis ça souvent, hein ?

– Euh… oui. Assez. Bouteilles.

Je me mords la lèvre pour ne pas rire à nouveau.

– Je vais essayer de ne plus le dire autant.

– Ralentis. Ralentis.

Inspire.

– Ça va. Fière, c'est bien.

– C'est que je suis *vraiment* fière de toi, mon chéri, tu sais.

J'entends un bruit dans le fond et j'imagine Maman s'appuyer contre le dossier de sa chaise à l'hôtel. Bouteilles. Il y a aussi sûrement un bureau avec la chaise. Pour qu'elle puisse travailler et m'appeler.

– Hamburgers. Merci. Mama Rush m'a donné un nouveau cahier. Bouteilles. Il est vert.

– Il est mieux que ton vieux blanc tout moche ?

– Beaucoup mieux.

– Tu ne le jetteras pas, celui-là ?

– Non.

Je passe la main sur la couverture du cahier. Non, je ne le jetterai pas. Il est trop cool. Et puis, j'ai une nouvelle liste avec des numéros déjà barrés.

– Est-ce que Mama Rush arrive à tenir sans les cigarettes ?

– Oui. Bouteilles. Pour le moment mais elle mâchouille sa ventouse. Vert pomme. Hamburgers. Ça la fait grimacer et tout ça. Elle veut que je jette Carl dans le lac.

– Le type qui lui court après. D'accord, je te donnerai un coup de main. On va prévoir ça.

– Maman… pour l'école. Bouteilles.

Je tripote le téléphone. À l'endroit où il repose sur sa borne.

– Si je n'ai pas de meilleures notes à Noël, je pourrais peut-être suivre des cours adaptés. Ce serait moins de pression. Hamburgers. Papa a dit peut-être.

Maman ne répond pas tout de suite.

– Oui, peut-être que c'est une bonne idée. On peut y réfléchir et revoir ça à Noël. D'accord ?

– D'accord. Bouteilles. Hamburgers. Jour vert.

– Tu veux qu'on dîne ensemble la semaine prochaine ? On pourrait, je ne sais pas, manger autre chose que des hamburgers. Lundi soir ?

– Bon jour. Super ! Oui. Merci. Hamburgers. Je veux dire, pas de hamburgers.

Je suis si excité que je manque de laisser tomber le téléphone. Je jongle avec et le recolle à mon oreille.

– … Dis à ton père de m'appeler, continue Maman. J'aimerais dîner avec lui aussi un autre soir. Si ça ne te pose pas de problème.

– Pas de problème. Hamburgers. Bouteilles. Jour vert.

– Parfait, mon chéri. Je t'aime. Je te rappelle.

– Bouteilles. Moi aussi, je t'aime, Maman.

Je raccroche, en souriant de mon demi-sourire, mais je m'en fiche. Hamburgers. Je me sens bien. Papa et moi, on va se régaler. Après j'irai me coucher dans ma nouvelle chambre au bout du couloir. J'ai laissé le couvre-lit vert et le tapis avec le ballon de foot dans ma vieille chambre, du moins, pour le moment. Ils ne sont pas perdus. Jour vert. Ils sont bien là où ils sont. Pour l'instant.

Remerciements

Ce livre devait être un voyage ; il s'est peu à peu transformé en quête puis en odyssée. J'ai bénéficié de l'aide de nombreuses personnes tout au long de mon travail. Merci donc à Kathleen Duey, qui, lors de la conférence Nationale SCWBI (Société des auteurs et illustrateurs jeunesse américains) en 2001, a patiemment écouté une auteure encore non publiée, nerveuse et rêvant à voix haute à la réalisation d'une idée ambitieuse. Votre intérêt, Kathleen, m'a aidée à croire que le sujet que j'abordais pouvait être intéressant. Merci aussi à Melissa Haber dont une seule critique a fait toute la différence. Merci à Christine Taylor-Butler, qui a compris ce que personne d'autre n'avait compris et m'a fait rire quand j'avais envie de pleurer. Merci à Melissa Neal-Lunsford qui m'a dit que mon histoire l'avait fait frissonner. J'adresse des remerciements illimités à mes guerriers de la critique, Debbie Federeci, Sheri Gilbert ainsi qu'à tous les membres de ma famille qui m'ont poussée à terminer le roman et l'ont lu au moins mille fois (Debbie a dû monter à deux mille fois), ne m'ont jamais menti et m'ont vouée aux gémonies pour les avoir fait pleurer.

Je n'éprouverai jamais assez de gratitude pour mon agent, Erin Murphy, qui m'a aidée à grandir et à devenir écrivain, qui a cru en ce livre et m'a aidée à le ciseler. J'aimerais aussi que le monde entier sache que mon éditrice, Victoria Arms, est absolument géniale et que j'ai énormément apprécié qu'elle devienne le champion de ce livre. Elle a travaillé dessus d'une main adroite et subtile. Merci aussi à Donna Mark ainsi que Stacy Cantor, Ele Fountain, Melanie Cecka, Diana Blough et Deb Shapiro qui sont tombés amoureux du roman et m'ont aidée à le rendre réel.

Pour finir, je remercie humblement tous les jeunes et les adolescents qui m'ont accordé leur confiance et ont partagé avec moi leurs peurs, leurs douleurs, leurs chagrins et leur rêves. Jersey a pris vie pour chacun d'entre vous.

Susan Vaught

Note de l'auteur

Le suicide reste une des trois causes principales de mortalité chez les adolescents aux États-Unis et en Europe. Pour chaque jeune mort de cette façon, près de deux cents autres font des tentatives. Beaucoup en gardent des handicaps irréversibles, de simples cicatrices à des lésions cérébrales graves. La plupart des adolescents qui tentent de se suicider souffrent de problèmes tels des dépressions, des troubles relationnels, des conflits familiaux, des deuils récents. Ils sont aussi parfois victimes d'abus sexuels, ont vécu le suicide d'un proche ou prennent de la drogue… Mais d'autres attentent à leur vie après une simple dispute familiale ou avec un ami, une rupture amoureuse, ou même une mauvaise note. Alors pourquoi passent-ils à l'acte ? Que peut-on faire ? La réponse est double.

On peut d'abord essayer de détecter des signes avant-coureurs. Le jeune se renferme sur lui-même, évite les contacts avec sa famille et ses amis, abandonne ses activités habituelles. Il montre des signes de dépression : changements importants dans son alimentation, son sommeil, ses habitudes.

Il ressent une grande tristesse, qui se manifeste par des pleurs, du désespoir, de l'ennui, un manque d'énergie, une irritabilité, de la colère, de la culpabilité, une mauvaise estime de lui-même, un manque de concentration, des douleurs physiques comme des maux d'estomac ou des maux de tête. Il montre des signes de psychose.

Il entend ou voit des choses qui n'existent pas, parle vite et se montre hyperactif ; il est agité, il a du mal à dormir, il prend des risques physiques (comme s'il était immortel) et se montre extrêmement soupçonneux.

Il a des réactions excessives, comme prendre la fuite ou se mettre dans un état de grande colère. Il néglige son hygiène personnelle ou son apparence. Il change de façon significative de personnalité. Il jette, donne ou abandonne des objets auxquels il tenait. Il dit avoir le sentiment d'être méchant, nul, mort ou cassé à l'intérieur.

Il parle de la mort, ou déclare vouloir mourir, en parole, par écrit ou dans ses dessins. Il répète souvent que tout ira bientôt mieux, que rien n'a d'importance, que tout est inutile, que tout est fini, qu'il n'a pas d'avenir, qu'il ne sera bientôt plus une charge pour les autres.

En outre, il ne faut pas hésiter à se faire aider sans attendre : parler à un adulte de confiance ou s'adresser à des personnes spécialisées. Il existe de multiples possibilités de contacts en France, notamment :

Fil Santé Jeunes : 0800 235 236, tous les jours de 8 h à minuit. Appel gratuit.

Suicide Écoute : 01 45 39 40 00 ou
www.suicide.ecoute.free.fr.
SOS Suicide : 01 40 50 34 34.
Croix-Rouge Écoute 08 00 85 88 58.
SOS Amitié : appel@sos-amitié.com.
SOS Suicide Phénix : 01 40 44 46 45.

DANS LA MÊME COLLECTION

Manhattan macadam
d'Ariel et Joaquin Dorfman

Traduit de l'anglais (États-Unis)
par Nathalie M.-C. Laverroux

New York.
Une ville monstrueuse, sans état d'âme. Une ville qui avale les gens sans aucune pitié. Chacun vit dans son coin, vaque à ses petites affaires… Et quand les mauvaises nouvelles arrivent, plus personne n'est là pour tendre la main. Sauf Heller, ce garçon anonyme qu'on ne remarque pas, mais qui rappelle à chacun ce qu'il y a d'humain en lui.

Extrait :
« Le monde entier va fondre », se dit Heller.
C'était le 4 juillet, et tout Manhattan transpirait. La sueur suintait des rues, des immeubles, des robinets. Toutes les radios parlaient d'un temps inhabituel. Les couples se réveillaient dans des draps humides. Les ouvriers du bâtiment travaillaient torse nu, et les agents de change desserraient leurs cravates avec un soupir d'envie. Les touristes se plaignaient, les vendeurs de glaces souriaient, et le mercure menaçait de faire exploser le thermomètre. Heller Highland voyait tout ça, et ce qu'il ne pouvait pas voir, il le savait, tout simplement.

Le Complexe de l'ornithorynque

de Jo Hoestlandt

Philémon intrigue beaucoup sa voisine Carla qui est l'amie de Rose qui rêve d'Aurélien qui croit aimer les garçons. Chacun se frôle, se dévoile, se ment. Chacun se cherche, se cogne, se blesse. Heureusement, les ornithorynques ont la peau dure…

Extrait :

À chaque fois que je suis tentée par le divin, je bute sur les ornithorynques. Qui ont vraiment une tronche de puzzle raté. Parfois je me sens indulgente et j'explique le cas de l'ornithorynque par un coup de fatigue du Créateur. D'autres fois, il me crève les yeux que tout est affaire de hasard, et que l'ornithorynque en paie le lourd tribut. Mais souvent, je suis tentée de penser : l'ornithorynque… et moi ! Parce que je ne suis pas loin de me sentir aussi bizarre que lui, même si ça ne se voit pas de façon totalement évidente.

Pacte de sang
de Wendelin Van Draanen

Traduit de l'anglais (États-Unis)
par Nathalie M.-C. Laverroux

Joey ne devrait pas être inquiet. Il sait qu'un véritable ami ne trahit jamais un secret. Même un secret terrible, qui les ronge peu à peu…

Extrait :
J'ai l'impression que Joey et moi, nous passions notre temps à sceller des pactes. Un nombre incroyable, qui nous a conduits à cet ultime serment. Joey me disait toujours :
– Rusty, j'te jure, si tu en parles à quelqu'un…
– Je ne dirai rien ! Juré !
Il tendait le poing et nous exécutions toujours le même rituel, qui consistait à cogner nos phalanges les unes contre les autres. Puis, après nous être entaillé un doigt avec un canif, nous mélangions nos sangs, et Joey poussait un soupir.
– Rusty, tu es un véritable ami.
Et notre pacte était scellé.
Pour la vie.

Comment j'ai tué mon père... sans le faire exprès

de Kevin Brooks

Traduit de l'anglais
par Laurence Kiefé

Un cadavre. Un héritage. Une petite amie un peu trop sympa. Un flic fouineur. De quoi faire un parfait roman policier. Sauf que là, c'est pas de la littérature, mais la vraie vie de Martyn, 17 ans. Et depuis que son père s'est fracassé la tête contre la cheminée, cette vie tournerait plutôt au cauchemar...

Extrait :
J'ai sauté de côté et son poing m'a loupé d'un cheveu. Emporté par son élan, il m'a dépassé et je l'ai poussé dans le dos. Poussé, tout simplement. Un geste instinctif de défense. Rien de plus. Je l'ai à peine touché. Ensuite, il a valdingué dans la pièce et s'est cogné la tête contre la cheminée, puis il est tombé et n'a plus bougé. J'entends encore ce bruit. Le bruit de l'os qui s'est brisé sur la pierre.
Je savais qu'il était mort. Je l'ai su tout de suite.

Entre chiens et loups
de Malorie Blackman

Traduit de l'anglais
par Amélie Sarn

Imaginez un monde. Un monde où tout est noir ou blanc. Où ce qui est noir est riche, puissant et dominant. Où ce qui est blanc est pauvre, opprimé et méprisé. Un monde où les communautés s'affrontent à coups de lois racistes et de bombes. C'est un monde où Callum et Sephy n'ont pas le droit de s'aimer. Car elle est noire et fille de ministre. Et lui blanc et fils d'un rebelle clandestin…
Et s'ils changeaient ce monde ?

Extrait :
Callum m'a regardée. Je ne savais pas, avant cela, à quel point un regard pouvait être physique. Callum m'a caressé les joues, puis sa main a touché mes lèvres et mon nez et mon front. J'ai fermé les yeux et je l'ai senti effleurer mes paupières. Puis ses lèvres ont pris le relais et ont à leur tour exploré mon visage. Nous allions faire durer ce moment. Le faire durer une éternité. Callum avait raison : nous étions ici et maintenant. C'était tout ce qui comptait. Je me suis laissée aller, prête à suivre Callum partout où il voudrait m'emmener. Au paradis. Ou en enfer.

La Couleur de la haine

de Malorie Blackman

Traduit de l'anglais
par Amélie Sarn

Imaginez un monde. Un monde où tout est noir ou blanc. Où ce qui est noir est riche, puissant et dominant. Où ce qui est blanc est pauvre, opprimé et méprisé.
Noirs et Blancs ne se mélangent pas. Jamais. Pourtant, Callie Rose est née. Enfant de l'amour pour Sephy et Callum, ses parents. Enfant de la honte pour le monde entier. Chacun doit alors choisir son camp et sa couleur. Mais pour certains, cette couleur prend une teinte dangereuse… celle de la haine.

Extrait :
J'ai compris que je ne savais rien de la manière dont je devais m'occuper de toi, Callie. Tu n'étais plus une chose sans nom, sans réalité. Tu n'étais plus un idéal romantique ou une simple manière de punir mon père. Tu étais une vraie personne. Et tu avais besoin de moi pour survivre.
Callie Rose. Ma chair et mon sang. À moitié Callum, à moitié moi, et cent pour cent toi. Pas une poupée, pas un symbole, ni une idée, mais une vraie personne avec une vie toute neuve qui s'ouvrait à elle.
Et sous mon entière responsabilité.

Le Choix d'aimer

de Malorie Blackman

Traduit de l'anglais
par Amélie Sarn

Imaginez un monde. Un monde où tout est noir ou blanc. Où ce qui est noir est riche, puissant et dominant. Où ce qui est blanc est pauvre, opprimé et méprisé.

Dans ce monde, une enfant métisse est pourtant née, Callie Rose. Une vie entre le blanc et le noir. Entre l'amour et la haine. Entre des adultes prisonniers de leurs propres vies, de leurs propres destins.

Viendra alors son tour de faire un choix. Le choix d'aimer, malgré tous, malgré tout…

Extrait :

Voilà les choses de ma vie dont je suis sûre :

Je m'appelle Callie Rose. Je n'ai pas de nom de famille.

J'ai seize ans aujourd'hui. Bon anniversaire, Callie Rose.

Ma mère s'appelle Perséphone Hadley, fille de Kamal Hadley. Kamal Hadley est le chef de l'opposition – et c'est un salaud intégral. Ma mère est une prima – elle fait donc partie de la soi-disant élite dirigeante.

Mon père s'appelait Callum MacGrégor. Mon père était un Nihil. Mon père était un meurtrier. Mon père était un violeur. Mon père était un terroriste. Mon père brûle en enfer.

L’Affaire Jennifer Jones
d’Anne Cassidy

Traduit de l’anglais
par Nathalie M.-C. Laverroux

Alice Tully. 17 ans, jolie, cheveux coupés très court. Étudiante, serveuse dans un bistrot. Et Frankie, toujours là pour elle.
Une vie sans histoire.
Mais une vie trop lisse, sans passé, sans famille, sans ami. Comme si elle se cachait. Comme si un secret indicible la traquait…

Extrait :
Au moment du meurtre, tous les journaux en avaient parlé pendant des mois. Des dizaines d’articles avaient analysé l’affaire sous tous les angles. Les événements de ce jour terrible à Berwick Waters. Le contexte. Les familles des enfants. Les rapports scolaires. Les réactions des habitants. Les lois concernant les enfants meurtriers. Alice Tully n’avait rien lu à l’époque. Elle était trop jeune. Cependant, depuis six mois, elle ne laissait passer aucun article, et la question sous-jacente restait la même : comment une petite fille de dix ans pouvait-elle tuer un autre enfant ?

Judy portée disparue
d'Anne Cassidy

Traduit de l'anglais
par Marie Cambolieu

Huit ans. Huit ans déjà que Judy a disparu. Pourtant, pour sa sœur Kim, Judy est partout. Pas un jour sans que Kim ne pense à elle. Pas un jour sans qu'elle croie l'apercevoir parmi les autres enfants. Judy n'est plus là ; mais elle prend toute la place. Et Kim ne vit plus que pour cet infime espoir : retrouver sa sœur.

Extrait :
L'émission sur les enfants disparus commença. L'animateur présenta les quatre enfants dont il serait question ce soir. En voyant la photo de Judy, j'oubliai tout autour de moi, absorbée par la télévision, incapable de détourner les yeux de l'écran.
« Judy Hockney n'avait que cinq ans lorsqu'elle a disparu par un froid après-midi de novembre. Il y a huit ans. C'était une enfant douée, bavarde, chaleureuse. Peu avant sa disparition, elle se trouvait avec sa sœur Kim. Après s'être disputée avec elle, Judy est partie seule de son côté et plus personne ne l'a revue ».

V-Virus
de Scott Westerfeld

Traduit de l'anglais
par Guillaume Fournier

Avant de rencontrer Morgane, Cal était un étudiant new-yorkais tout à fait ordinaire. Il aimait la fête et les bars, la vie insouciante du campus. Il aura suffi d'une seule nuit d'amour, la première, pour que sa vie bascule. Désormais, Cal est porteur sain d'une étrange maladie. Ceux qui en sont atteints ne supportent plus la lumière du jour, fuient ceux qu'ils ont aimés et ont une fâcheuse tendance à se repaître de sang humain.
Des vampires d'un genre nouveau…

Extrait :
Morgane vida son verre, je vidai le mien ; nous en vidâmes quelques autres. Ensuite, mes souvenirs deviennent de plus en plus flous. Je me rappelle seulement qu'elle avait un chat, une télé à écran plat et des draps de satin noir. Par la suite, tout ce qu'il me restait de ma soirée, c'était une assurance nouvelle auprès des femmes, des super-pouvoirs qui commençaient à se manifester, ainsi qu'un penchant pour la viande saignante…

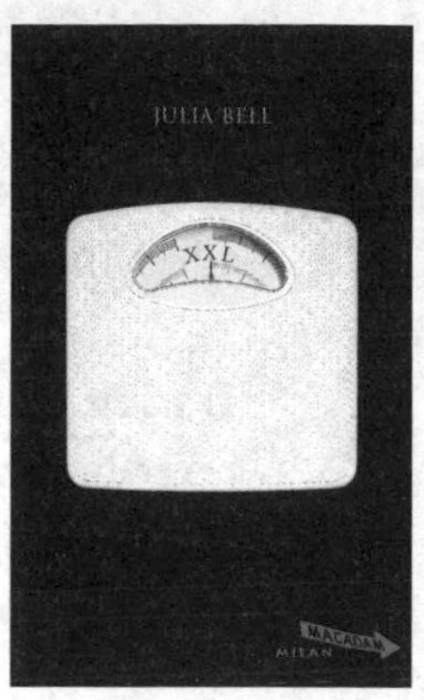

XXL

de Julia Bell

Traduit de l'anglais
par Emmanuelle Pingault

Le poids a toujours été un sujet épineux pour Carmen. Rien de surprenant : sa propre mère lui répète comme une litanie qu'être mince, c'est être belle ; c'est réussir dans la vie ; c'est obtenir tout ce que l'on veut... Alors c'est simple : Carmen sera mince. Quel qu'en soit le prix.

Extrait :
– *Si j'étais aussi grosse qu'elle, je me tuerais, dit Maman en montrant du doigt une photo de Marilyn Monroe dans son magazine.*
Je suis dans la cuisine, en train de faire griller du pain. Maman n'achète que du pain danois à faible teneur en sel, le genre qui contient plus d'air que de farine. Son nouveau régime l'autorise à en manger deux tranches au petit déjeuner.
– *Tu me préviendrais, hein ? Si j'étais grosse comme ça ?*
Je me tourne vers elle, je vois ses os à travers ses vêtements. Je mens :
– *Évidemment.*

La Promesse d'Hanna

de Mirjam Pressler

Traduit de l'allemand
par Nelly Lemaire

Pologne, 1943. Malka Mai avait tout pour être heureuse. Une mère médecin, Hanna, une grande sœur complice, Minna, une vie calme et sans histoire, dans un paisible village. Bonheur fragile, car la famille Mai est juive. Et lorsque les Allemands arrivent pour rafler les juifs, tout bascule. Mère et filles doivent fuir en Hongrie, à pied, à travers la montagne, vers une promesse de liberté. Mais Malka est brutalement séparée de sa mère et doit revenir de force en Pologne. Un seul refuge possible : le ghetto.

Extrait :

La rafle eut lieu le lendemain. Au petit matin, des voitures passèrent dans le ghetto avec des haut-parleurs, et des voix retentissantes donnèrent l'ordre à tous de rester à la maison. Les Goldfaden rassemblèrent toute la nourriture possible et ficelèrent leurs couvertures. Malka les regardait faire.

– Nous ne pouvons pas te prendre avec nous, dit Mme Goldfaden en évitant de la regarder. Nous n'avons pas assez de place ni assez de nourriture. Sors d'ici, tu entends, sors d'ici et va te cacher quelque part.

Prisonnière de la lune
de Monika Feth

Traduit de l'allemand
par Suzanne Kabok

Il y a les Enfants de la lune. Comme Maria et Jana. Elles suivent les règles, aveuglément. Pour elles, pas de bonheur possible hors de la communauté.
Et il y a les autres. Ceux du dehors. Comme Marlon, un garçon normal, avec une vie normale.
Des jeunes gens destinés à ne jamais se rencontrer.
À ne jamais s'aimer…

Extrait :
– Que doit faire un Enfant de la lune qui s'est écarté de la Loi ? demanda Luna avec son sourire compréhensif.
– Se repentir, répondit Maria.
– Et qu'est-ce qui favorise le repentir ? poursuivit Luna.
– La punition, dit Maria.
Les membres du Cercle restreint entourèrent Luna.
– Je vais maintenant t'annoncer ta punition, dit Luna. Es-tu prête ?
– Oui, répondit Maria d'une voix étrangement absente.
– Trente jours de pénitencier, annonça Luna. Use de ce temps à bon escient.

Trop parfait pour être honnête
de Joaquin Dorfman

Traduit de l'anglais par
Nathalie M.-C. Laverroux

Sebastian est l'ami parfait ! Toujours prêt à donner un coup de main. LE copain sur qui on peut compter. Alors le jour où Jeremy lui demande de retrouver son père, Sebastian fonce avec un plan imparable : retrouver ce père jusque-là inconnu et se faire passer pour Jeremy. Juste pour préparer le terrain, afin que son ami ne soit pas déçu. Sauf que, cette fois, Sebastian joue un peu trop bien son rôle.

Extrait :

Jeremy examina de nouveau la photo.

– Il a l'air un peu brut de décoffrage...

Il tapota le cliché du bout des doigts.

– Un sacré bonhomme. Est-ce que je serai capable de faire une impression quelconque sur un type comme lui ?

Je haussai les épaules.

– Je n'en sais rien. C'est pour ça que nous avons prévu de permuter nos noms. Pour en apprendre le plus possible en courant le moins de risques possible. Ce qui nous donne aussi une sortie de secours béton, au cas où ton père ne serait pas clair.

La Face cachée de Luna

de Julie Anne Peters

Traduit de l'anglais (États-Unis)
par Alice Marchand

Le frère de Regan, Liam, ne supporte pas ce qu'il est. Tout comme la lune, sa véritable nature ne se révèle que la nuit, en cachette. Depuis des années, Liam « emprunte » les habits de Regan, sa sœur. Dans le secret de leurs chambres, Liam devient Luna. Le garçon devient fille. Un secret inavouable. Pour la sœur, pour le frère, et pour Luna elle-même.

Extrait :
En me retournant, j'ai marmonné :
– T'es vraiment pas normale.
– Je sais,ssée d'une tape.
Quand je l a-t-elle murmuré à mon oreille. Mais tu m'aimes, pas vrai ?
Ses lèvres ont effleuré ma joue.
Je l'ai repou'ai entendue s'éloigner d'un pas lourd vers mon bureau – où elle avait déballé son coffret à maquillage dans toute sa splendeur –, un soupir de résignation s'est échappé de mes lèvres. Ouais, je l'aimais. Je ne pouvais pas m'en empêcher. Cette fille, c'était mon frère.

CSU

PORTÉE DISPARUE

de Caroline Terrée

Sur le parking d'une forêt de Vancouver, la voiture d'une jeune femme est retrouvée abandonnée.
C'est celle de Rachel Cross, 24 ans, étudiante… et fille unique d'un sénateur américain multimillionnaire.
Fugue ? Enlèvement ? Assassinat ?
Pour Kate Kovacs et son équipe du CSU, tout est possible.
Et le temps est compté…

CSU

Le phénix

de Caroline Terrée

Incendie criminel. Une évidence devant les restes calcinés de l'église de la petite ville de Squamish, non loin de Vancouver. Une piste s'impose : la secte du Phénix, installée dans les montagnes qui surplombent la ville.
Affaire délicate pour le CSU. Très vite, Kate Kovacs et son équipe se retrouvent au cœur d'un terrible engrenage de haine, de violence et de drames humains…

C S U

Dragon rouge
de Caroline Terrée

OD : mort d'un officier de police.
L'un des pires codes qui soient…
Pour Kate et son équipe, l'enquête se révèle peut-être plus délicate que les autres. D'autant que la fusillade a fait plusieurs victimes, dont un membre de la Triade du Dragon Rouge, la mafia locale.
Chinatown, règlements de comptes, racket… Un mélange explosif entre les mains du CSU.

CSU

Mort blanche

de Caroline Terrée

« Mort blanche ». Pour les amateurs de montagne, ce nom signifie désastre. Mais pour d'autres, il est synonyme d'adrénaline.

Suite à un accident d'hélicoptère, les membres du CSU sont amenés à enquêter sur les causes de ce drame… Un drame aux circonstances troubles, entre parois rocheuses et couloirs d'avalanche. Un drame où la vie ne pèse pas grand-chose, face à la mythique mort blanche…

C S U

Le prédateur

de Caroline Terrée

Coast Plaza Hotel. Un homme d'affaires est retrouvé mort dans sa chambre. Ligoté. Bâillonné. Un étrange message codé déposé entre ses mains. C'est une signature, celle d'un tueur en série. Pour le CSU (Crime Support Unit), le temps est désormais compté. Car dans les rues de Vancouver, le prédateur est déjà en train de traquer sa prochaine victime…

CSU

Impact

de Caroline Terrée

Nuit. Pluie. Sur une route isolée de West Vancouver, une collision entre deux véhicules se transforme en une affaire majeure pour le CSU. L'enquête lance Kate Kovacs et son équipe sur la piste de dangereux fanatiques. Mais elle menace aussi de lever le voile sur le passé de Kate, ce mystérieux passé qu'elle tient tant à garder secret.

Le contenu des sites Internet et les numéros de téléphone mentionnés
dans cet ouvrage ont été vérifiés au moment de sa réalisation.
Les éditions Milan ne sauraient être tenues pour responsables
des changements de contenu ou de numéro intervenus après la parution du livre.

Achevé d'imprimer en Italie par Canale
Dépôt légal : 1er trimestre 2008